Collection « Merveilles du monde »

Secrets
des premiers
bâtisseurs

Collection « Merveilles du monde »

Thames & Hudson

Secrets des premiers bâtisseurs

sous la direction de Chris Scarre

Sommaire

Page de faux-titre La statue de Zeus, à Olympie.
Page de titre Angkor Vat.

Pages 4–5 (de gauche à droite) Les pyramides de Gizeh ;
le sarcophage de Pacal, Palenque ; le minaret de la mosquée
de Sankoré, Tombouctou.
Pages 6–7 (de gauche à droite) Le Canope, villa d'Hadrien, Tivoli ;
Sacsahuamán ; le Pont du Gard ; statues de l'île de Pâques.

L'édition originale de cet ouvrage a paru sous le titre
de *The Seventy Wonders of the Ancient World –
The Great Monuments and how they were built*
chez Thames & Hudson Ltd, Londres.

© 1999 Thames & Hudson Ltd, Londres
© 2007 Éditions Thames & Hudson, SARL, Paris,
pour la présente édition

Traduit de l'anglais par Florence Maruejol (sites 1 à 17),
Denis-Armand Canal (sites 18 à 34), Jean-François Allain
(sites 35 à 52) et Dominique Lablanche (sites 53 à 70).

Cet ouvrage a été reproduit et achevé d'imprimer en juillet 2007
par l'imprimerie Toppan pour les Éditions Thames & Hudson.

Dépôt légal : 4ᵉ trimestre 2007
ISBN : 978-2-87811-302-0
Imprimé en Chine

Les Sept Merveilles

Tombes et nécropoles

Temples et sanctuaires

Palais, thermes et arènes

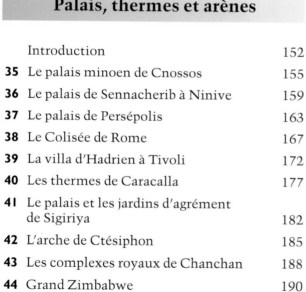

Les Fortifications

Ports, ouvrages hydrauliques et routes

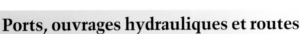

Statues colossales et monolithes

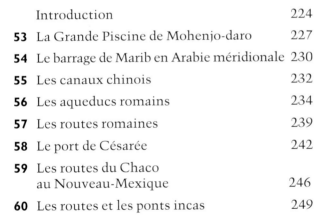

Liste des auteurs

CHRIS SCARRE est directeur adjoint du McDonald Institute for Archeological Research et éditeur du *Cambridge Archeological Journal*. De 1984 à 1988, il a dirigé et il a été le principal auteur de *Past Worlds : The Times Atlas of Archeology* (1988), ouvrage unanimement salué en Grande-Bretagne. Plus récemment, il a joué le même rôle pour *Une chronologie visuelle des temps* (1994). Il a également écrit *Chronique des empereurs romains* (1995) et il est le coauteur de *Ancient Civilizations*.

DR ROBIN CONINGHAM, université de Bradford
DR JANET DELAINE, université de Reading
PROFESSEUR SUSAN EVANS, Pennsylvania State University
PROFESSEUR BRIAN FAGAN, université de Santa Barbara
DR TIMOTHY INSOLL, université de Cambridge
SIMON KANER, Cambridge
DR CLAIRE LOADER, université d'Édimbourg
ANN PALUDAN, auteur de *Chronicle of the Chinese Emperors*
DR DAVID PHILLIPSON, université de Cambridge
DR JULIAN READE, British Museum
DR CHRIS SCARRE, université de Cambridge
DR KATE SPENCE, université de Cambridge
DR NIGEL SPIVEY, université de Cambridge
ADRIANA VON HAGEN, coauteur de *The Cities of the Ancient Andes*
PROFESSEUR DAVID WEBSTER, Pennsylvania State University
PROFESSEUR ROGER WILSON, université de Nottingham

Préface

Qui ne connaît les Sept Merveilles du monde antique ? Pyramides, temples ou statues, elles représentaient pour le monde grec du IIIe ou IIe siècle av. J.-C., centré à l'est du Bassin méditerranéen, les réalisations techniques les plus remarquables à son époque. Le choix des Grecs a inspiré ce livre dans lequel une équipe internationale de chercheurs évoque non plus sept, mais soixante-dix monuments du passé, situés dans toutes les régions du globe. Le but de l'ouvrage est d'exposer ce que les dernières recherches archéologiques nous ont appris sur la construction de ces monuments et sur les techniques les plus avancées des anciennes sociétés. Nous avons sélectionné des monuments « construits » qui, pour la plupart, existent encore aujourd'hui, tels que statues, canaux, temples ou palais. Nous avons décidé d'exclure les nombreux autres types de réalisations humaines qualifiées généralement de « merveilles », comme l'art rupestre ou l'art des grottes, les objets et les machines, qui sont également des réussites incontestables et durables. Leur exclusion ne met en doute ni l'inventivité ni le talent de leurs créateurs. Beaucoup de sociétés, qui ne sont pas mentionnées ici, ont laissé des objets d'art ou se sont distinguées dans des domaines culturels comme la musique, le rituel et la danse, qui n'ont pas donné lieu à une expression matérielle. Toutes ces œuvres forment le sujet d'un autre livre qui suivrait une approche différente de la nôtre.

Que signifie « monde ancien » ? À proprement parler, le terme « ancien », légèrement teinté d'archaïsme, veut simplement dire « vieux ». Le « monde ancien » ne correspond pas à une entité naturelle. Il n'englobe pas ou n'exclut pas automatiquement des périodes ou des régions. Les monuments retenus dans cet ouvrage sont les premiers monuments importants apparus dans telle ou telle contrée. En choisissant une période bien définie, limitée par une date arbitraire, nous aurions éliminé des territoires entiers. Ainsi, si nous avions décrété,

d'un point de vue occidental, que le monde ancien s'achevait au Ve siècle ap. J.-C., avec la chute de l'Empire romain, ou au VIIe siècle, avec le début de l'expansion de l'islam, nous aurions écarté les principaux monuments de l'Amérique précolombienne et de l'Afrique Noire.

Il y a forcément une part d'arbitraire dans notre choix qui ne fera peut-être pas l'unanimité. Mais en décrivant des monuments très dispersés, à la fois dans l'espace et dans le temps, notre but est d'illustrer les différences et les ressemblances existant entre les techniques et les édifices imaginés aux quatre coins de la planète.

Les soixante-dix monuments sont regroupés en sept thèmes. Chacun est consacré à un type d'ouvrages, commun à diverses régions ou sociétés. Le premier traite bien sûr des Sept Merveilles du monde antique. Les chapitres suivants évoquent les tombes et nécropoles, les temples et sanctuaires, les palais et autres édifices luxueux dédiés au plaisir, les fortifications, les routes et les ouvrages hydrauliques, et enfin les statues et monolithes exceptionnels. Conçus et exécutés à une échelle colossale, ces derniers comptent parmi les créations anciennes les plus étonnantes. À l'ère de la technologie moderne, les « merveilles » de jadis n'ont rien perdu de leur pouvoir de fascination.

Chris Scarre

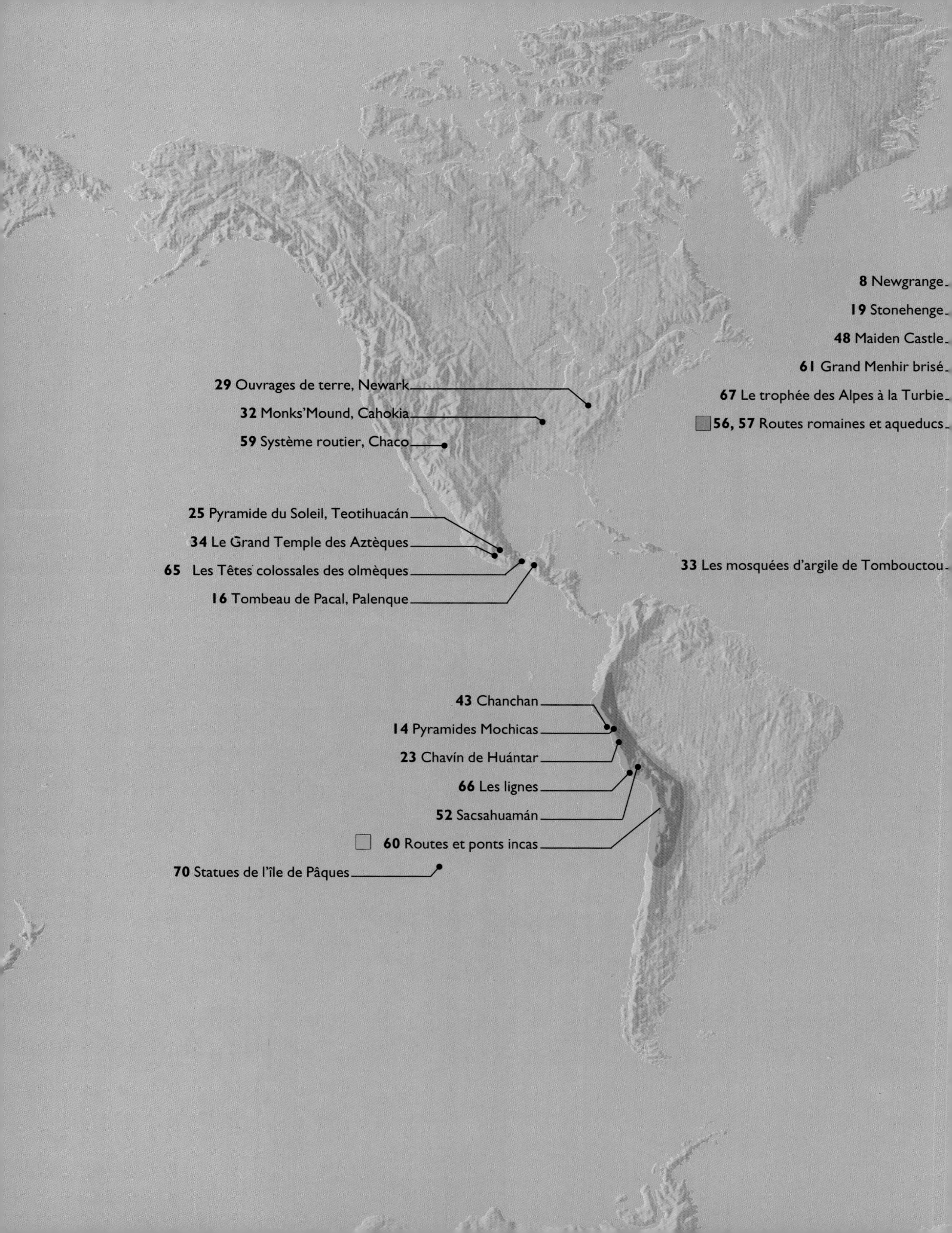

8 Newgrange

19 Stonehenge

48 Maiden Castle

61 Grand Menhir brisé

67 Le trophée des Alpes à la Turbie

56, 57 Routes romaines et aqueducs

29 Ouvrages de terre, Newark

32 Monks'Mound, Cahokia

59 Système routier, Chaco

25 Pyramide du Soleil, Teotihuacán

34 Le Grand Temple des Aztèques

65 Les Têtes colossales des olmèques

16 Tombeau de Pacal, Palenque

33 Les mosquées d'argile de Tombouctou

43 Chanchan

14 Pyramides Mochicas

23 Chavín de Huántar

66 Les lignes

52 Sacsahuamán

60 Routes et ponts incas

70 Statues de l'île de Pâques

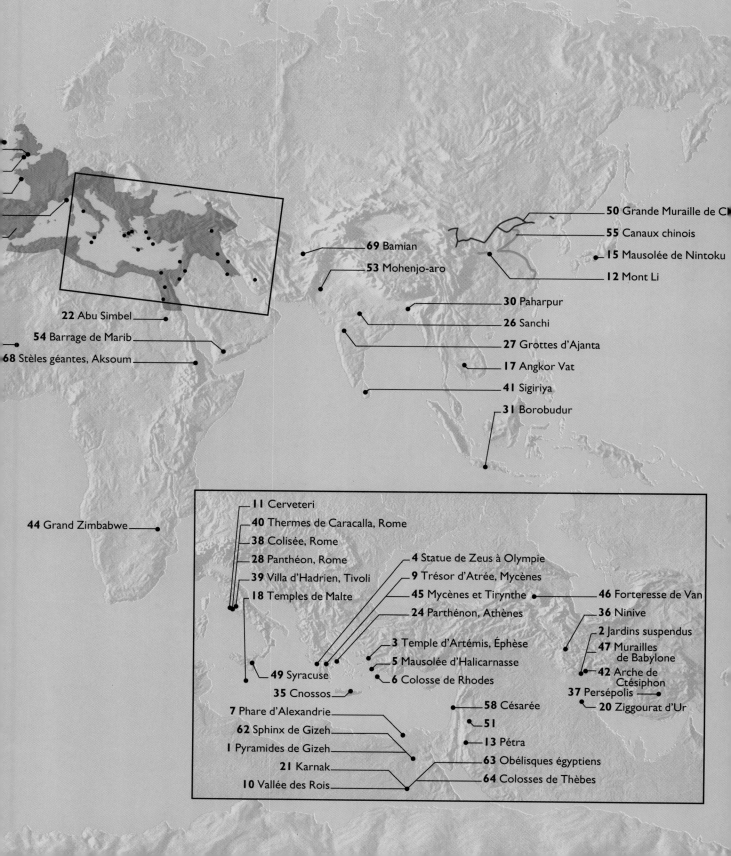

50 Grande Muraille de Ch[ine]
55 Canaux chinois
15 Mausolée de Nintoku
12 Mont Li

69 Bamian
53 Mohenjo-aro

30 Paharpur
26 Sanchi
27 Grottes d'Ajanta
17 Angkor Vat
41 Sigiriya
31 Borobudur

22 Abu Simbel
54 Barrage de Marib
68 Stèles géantes, Aksoum

44 Grand Zimbabwe

11 Cerveteri
40 Thermes de Caracalla, Rome
38 Colisée, Rome
28 Panthéon, Rome
39 Villa d'Hadrien, Tivoli
18 Temples de Malte

4 Statue de Zeus à Olympie
9 Trésor d'Atrée, Mycènes
45 Mycènes et Tirynthe
24 Parthénon, Athènes
3 Temple d'Artémis, Éphèse
5 Mausolée d'Halicarnasse
6 Colosse de Rhodes

46 Forteresse de Van
36 Ninive
2 Jardins suspendus
47 Murailles de Babylone
42 Arche de Ctésiphon
37 Persépolis
20 Ziggourat d'Ur

49 Syracuse
35 Cnossos

7 Phare d'Alexandrie
62 Sphinx de Gizeh
1 Pyramides de Gizeh
21 Karnak
10 Vallée des Rois

58 Césarée
51
13 Pétra
63 Obélisques égyptiens
64 Colosses de Thèbes

Introduction
La célébration du pouvoir

« Mon nom est Ozymandias, Roi des rois :
Contemplez mon œuvre, vous Puissants, et n'espérez
plus ! À côté rien ne demeure… »
    Ozymandias, PERCY BYSSHE SHELLEY, 1817.

C'est après une visite au British Museum, en 1817, que Shelley a composé son célèbre poème Ozymandias. Il venait d'admirer le torse colossal en granite de Ramsès II, enlevé par Belzoni au Ramesseum, le temple de ce pharaon à Thèbes. L'aventurier italien avait laissé sur place le pied d'une autre statue colossale. C'est l'histoire de ce pied qui a inspiré les vers du poète.

À l'origine, la statue à laquelle il appartenait pesait quelque mille tonnes. Les statues de cette dimension inspiraient crainte et admiration, sentiments qui ont survécu à l'effondrement du monument. En effet, le pied de Ramsès II, tout comme les membres en bronze creux du colosse de Rhodes, décrits par les voyageurs romains, enflamment toujours l'imagination.

Ci-dessus **La « forteresse »
inca de Sacsahuamán, élevée
sur une colline au-dessus de
Cuzco, présente des murs en
zigzags, étagés en terrasses.
Ceux-ci ont été bâtis avec
d'immenses blocs de pierre
parfaitement ajustés.**
À gauche **Pour les montants
et les linteaux de Stonehenge,
il a fallu tailler et déplacer
des pierres pesant jusqu'à
40 tonnes.** *À droite* **Le Grand
Sphinx de Gizeh, sculpté dans
la roche, figure un pharaon,
sans doute Khéphren, avec
le corps d'un lion.**

Les merveilles du passé et le monde moderne

Les Sept Merveilles du monde antique, parmi lesquelles figure le colosse de Rhodes, forment une part importante de l'héritage classique, au moins depuis la Renaissance. À côté de ces œuvres antiques, le présent ouvrage a sélectionné soixante-trois autres monuments représentatifs de toutes les régions du monde, des monolithes dressés en Bretagne, au Ve millénaire av. J.-C., à la « forteresse » inca de Sacsahuamán au Pérou, encore en construction au XVIe siècle, lors de l'arrivée des conquistadores.

L'idée de « merveilles du monde » peut sembler dépassée. Mais comment exprimer autrement le choc visuel et émotionnel que provoquent ces réalisations ? Or, ce choc était et reste indissociable de la façon dont les hommes les perçoivent. Lorsque l'on contemple les temples rupestres d'Abu Simbel ou que l'on marche sur la Grande Muraille de Chine, on est très impressionné. Les temples d'Abu Simbel célébraient de manière grandiose la puissance du pharaon Ramsès II et de l'État égyptien. La Grande Muraille de Chine n'était pas seulement une ligne de défense militaire, elle était aussi un symbole de pouvoir qui délivrait son message sur plus de 6 000 km. Les monuments de ce type étaient conçus pour retenir l'attention. Leur gigantisme invitait le spectateur à imaginer l'importance de la main-d'œuvre mobilisée pour leur érection et le contrôle des ressources qui avait permis ces travaux titanesques. Ces édifices vantaient également les compétences techniques des bâtisseurs.

La redécouverte des anciennes techniques

Les monuments décrits ici sont riches d'enseignements sur les techniques utilisées jadis à travers le monde et dont certaines se sont perdues. Bien que l'on ne connaisse pas encore

exactement les méthodes mises au point pour édifier les pyramides ou dresser les monolithes de Stonehenge, on comprend mieux, grâce aux expériences récentes exposées dans ces pages, comment on a accompli de tels exploits sans l'aide des grues modernes. Aujourd'hui, on s'étonne que de pareils édifices aient été construits avec des moyens aussi simples : vastes équipes d'hommes tirant sur des cordes, radeaux manœuvrés par des rames (pour le transport des pierres bleues de Stonehenge ou des têtes colossales des Olmèques), ou encore tailleurs de pierre débitant la roche, année après année, dans les carrières. Derrière ces monuments se profilent des sociétés capables de coordonner leurs efforts et qui possédaient parfaitement des techniques acquises laborieusement, puis transmises de génération en génération. Ces sociétés voulaient transformer le monde environnant et y laisser leur empreinte. Mais leurs entreprises n'ont pas toujours réussi. Ainsi la plus grande stèle d'Aksoum est tombée pendant son érection et le plus grand obélisque d'Assouan est resté inachevé dans la carrière. Le colosse de Rhodes a été renversé par un tremblement de terre, moins de cinquante ans après son achèvement.

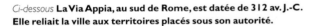

Ci-dessous **La Via Appia, au sud de Rome, est datée de 312 av. J.-C. Elle reliait la ville aux territoires placés sous son autorité.**

L'archéologie est une source d'informations très précieuse. L'étude des textes et des représentations vient compléter l'examen minutieux des vestiges matériels. Parfois, seule l'archéologie peut retracer l'origine du monument, comme cela a été le cas pour le Grand Temple des Aztèques à Mexico, décrit par les conquistadores espagnols, arasé par les conquérants et retrouvé seulement en 1978. L'archéologie jette aussi un nouvel éclairage sur des monuments célèbres et bien conservés, comme les pyramides ou le Grand Sphinx en Égypte, et sur des « découvertes » plus récentes, comme les cités mayas d'Amérique Centrale et les temples d'Angkor au Cambodge.

Les monuments évoqués ici illustrent tous de manière remarquable l'art de tailler la pierre, de mouler la brique crue, de sculpter l'ivoire et de fondre le métal. Ces techniques ont été poussées à leurs extrêmes limites par d'anciennes sociétés désireuses de commémorer, d'immortaliser ou simplement d'impressionner les hommes par leurs grandes compétences et leur formidable puissance de travail. C'est ainsi que sont nés, par exemple, le Bouddha de Bamian et les temples d'Abu Simbel, qui se classent parmi les plus grandes œuvres jamais taillées dans la roche. Ces sociétés maîtrisaient parfaitement le transport et l'érection des statues et des stèles monolithes pesant des centaines de tonnes. Les temples et les palais, richement décorés, ne révèlent pas seulement leur génie architectural et leur

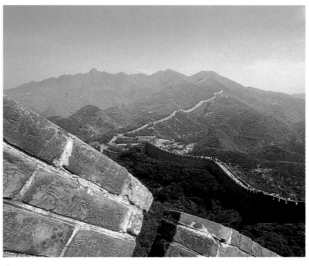

À gauche **L'amphithéâtre flavien ou « Colisée », à Rome,** pouvait accueillir jusqu'à **50 000 spectateurs.** *Ci-dessus* **La Grande Muraille de Chine** traverse les régions montagneuses situées au nord de Pékin. *Ci-dessous* **La pyramide du Soleil, à Teotihuacán,** atteint **60 m de hauteur** et contient plus d'un million de mètres cubes de matériaux.

La salle hypostyle du temple d'Amon-Rê à Karnak avec ses gigantesques colonnes qui soutenaient un toit aujourd'hui disparu.

Les monuments et leur message

La réaction que suscite en général la vue de ces « merveilles », était voulue par les bâtisseurs. Ceux-ci voulaient provoquer l'admiration du peuple, des pouvoirs rivaux et de la postérité. La construction et les dimensions des édifices constituaient en effet un défi lancé à la mort. D'une grande solidité, ils devaient franchir les siècles et perpétuer la mémoire du souverain ou de la société qui les avait érigés. C'était sans doute le but de certains tombeaux, comme ceux des souverains Khmers, des empereurs chinois ou des chefs mayas, qui se voulaient spectaculaires. D'autres, toutefois, comme les hypogées de la vallée des Rois, en Égypte, se sont faits plus discrets pour échapper au pillage.

La recherche de la célébrité et de l'immortalité ne s'applique pas à tous les monuments décrits ici. Ainsi les routes romaines et les canaux chinois répondaient surtout à des considérations pratiques. On notera toutefois que les bornes dressées le long des voies romaines ne cessent de louer les empereurs qui les ont

talent artistique. Ils montrent aussi que ces sociétés étaient capables de manipuler de grandes quantités de matériaux, parfois traînés sur de longues distances. Parmi les édifices anciens figurent également des ponts, des aqueducs et d'immenses canaux qui sont d'autres exploits techniques.

L'archéologie nous permet de comprendre comment ces monuments ont été construits. L'étude des édifices dans le détail, les fouilles soigneuses de leur site, le relevé précis de leurs dimensions et de leur orientation, ainsi qu'une meilleure connaissance des anciennes techniques, nous font entrevoir comment les monuments les plus complexes ont vu le jour. Mais, ce mystère en partie dévoilé, ne doit pas faire oublier que ces ouvrages étaient porteurs d'un message.

construites. En Chine, la politique de construction de canaux menée par les empereurs Sui fut largement responsable de leur chute, car elle a entraîné une mobilisation trop massive des ressources. Les travaux de vaste ampleur véhiculent tous un message de pouvoir, d'autorité et de légitimité. Les obélisques élevés par la reine Hatshepsout, à Karnak, défient quiconque de douter de sa légitimité sous le prétexte qu'elle est une femme. Les œuvres colossales sont parfois le signe d'un transfert de pouvoir et de l'émergence d'une nouvelle dynastie. Les plus grandes pyramides d'Égypte ont été érigées au début de l'Ancien Empire. À Rome, le Colisée célèbre l'accession des Flaviens. La Grande Muraille de Chine est, quant à elle, l'œuvre du premier empereur, Qin Shi Huangdi.

Les difficultés techniques de ces entreprises ajoutent encore à leur prestige. Il est certain que le mystère enveloppant la construction des grands monuments intriguait autant les Anciens que les visiteurs actuels. Les dimensions colossales et le poids des plus grands monolithes de Stonehenge ont fait naître plus de théories que le site ne compte de pierres. Comment les a-t-on acheminés jusque là ? Comment les a-t-on érigés et comment a-t-on mis en place les linteaux ? Au XIIᵉ siècle, le chroniqueur anglais Geoffroi de Monmouth écrit que Stonehenge est l'œuvre de Merlin qui a transporté les pierres depuis l'Irlande grâce à sa magie. Ces légendes merveilleuses, inspirées par la construction de Stonehenge, plongent sans aucun doute leurs racines dans un passé bien plus lointain que l'époque des premiers écrits.

Nous ne saurons jamais exactement comment les monuments décrits dans cet ouvrage étaient perçus par les civilisations qui les ont créées. Parfois, des écrits contemporains nous en donne une idée. Dans d'autres cas, nous ne disposons que de ces vestiges archéologiques pour essayer de comprendre des sociétés qui, par bien des aspects, étaient sans doute très différentes des nôtres.

Ci-dessus **Cette tête olmèque, haute de 2,80 m, provient de San Lorenzo, dans les plaines côtières du sud du Mexique. On pense que les têtes colossales de ce type sont les portraits de chefs ou de souverains.** *À gauche* **Deux aqueducs, dont celui de San Lazaro, ravitaillaient la ville romaine de Mérida, dans le sud de l'Espagne.**

Les Sept Merveilles

LES SEPT MERVEILLES du monde antique rassemblent des monuments d'époques et de styles divers, qui étaient considérés comme des « merveilles », c'est-à-dire propres à susciter l'admiration ou la crainte chez ceux qui les contemplaient. Ces monuments se distinguaient par leurs dimensions (le plus vaste monument en pierre), la splendeur de leur décor (les plus belles sculptures), les prouesses techniques réalisées (le plus grand bronze coulé) ou par la combinaison de ces différents éléments.

Dans le monde occidental, l'idée de dresser une liste des merveilles créées par les hommes est grecque. Au Vᵉ siècle av. J.-C., Hérodote parle des « trois plus grandes œuvres de la Grèce », édifiées par les Samiens sur l'île de Samos : il s'agissait d'un tunnel abritant un canal, d'un môle protégeant le port et du grand temple d'Héra. Les Sept Merveilles du monde antique ne sont que le développement de cette idée.

Suite aux conquêtes d'Alexandre le Grand, au début de la période hellénistique, les anciennes civilisations d'Égypte, de Babylone et de Perse sont devenues partie intégrante d'un nouveau monde cosmopolite, dominé par la culture et la langue grecques. Le choix du nombre sept est sans doute emprunté au Proche-Orient comme, un peu plus tard, la semaine de sept jours. Les Sept Merveilles, situées dans des royaumes conquis par Alexandre, ne sont pas toutes grecques : elles comptent les pyramides égyptiennes, déjà très anciennes, et les jardins de Babylone – ou ses murailles selon d'autres versions. En classant leurs propres créations à côté de ces monuments, les Grecs les comparaient avec les

Les pyramides de Gizeh, en Égypte, ont été érigées entre 2550 et 2470 av. J.-C. environ. Ce sont les plus anciennes des Sept Merveilles du monde antique.

réalisations de ces anciens royaumes, désormais gouvernés par les successeurs d'Alexandre. Cependant, leurs œuvres dominent, bien entendu, le classement : cinq des Sept Merveilles ont en effet été sculptées, moulées ou construites par des artistes et architectes grecs ou hellénistiques (la liste d'Antipater en compte quatre sur sept).

La plus ancienne liste des Sept Merveilles est datée du IIIᵉ ou du IIᵉ siècle av. J.-C. Mais ce n'est pas encore tout à fait la liste que nous connaissons aujourd'hui. Un court poème, attribué soit à Antipater de Sidon (mort vers 125 av. J.-C.) soit à Antipater de Thessalonique (entre 20 av. J.-C. et 20 ap. J.-C. environ), en conserve une des toutes premières versions. Le poète glorifie tour à tour la statue de Zeus à Olympie, le colosse de Rhodes, les jardins suspendus de Babylone, les pyramides d'Égypte, le mausolée d'Halicarnasse et le temple d'Artémis à Éphèse. À la place du phare d'Alexandrie, il mentionne les murailles de Babylone, au chemin de ronde assez large pour qu'un char puisse y circuler. Alors que la nature de la liste et le nombre sept sont déjà fixés, le contenu ne l'est pas encore. À l'époque romaine, le palmarès ne cesse de changer, car les auteurs y incluent les monuments de leur temps.

Ainsi, à la fin du Iᵉʳ siècle ap. J.-C., le poète latin Martial y intègre l'amphithéâtre flavien, ou Colisée, qui vient d'être achevé à Rome. Au début du Moyen Âge, au VIIᵉ siècle, l'évêque Grégoire de Tours y inclut l'Arche de Noé et le temple de Salomon. Curieusement, le phare d'Alexandrie n'apparaît sur les listes connues qu'après l'époque romaine. Il sera cependant un élément essentiel des Sept Merveilles remises en vogue à la Renaissance.

Chacune des Sept Merveilles illustre un sommet de l'habileté humaine dans un domaine technique. Ainsi les pyramides sont l'exemple le plus abouti de l'art de construire en pierre, et les jardins de Babylone, celui de l'exploitation la plus ingénieuse d'un cours d'eau. Le colosse de Rhodes est le moulage en bronze le plus spectaculaire. Le concept même des Sept Merveilles n'est en fait qu'une fiction, une expression littéraire. Malgré ses déclarations, Antipater n'a jamais vu ni les jardins suspendus de Babylone, qui avaient disparu depuis plusieurs siècles, ni le colosse de Rhodes, déjà écroulé. Mais peu importe. L'archéologie a prouvé que les Sept Merveilles étaient effectivement des réalisations majeures et elle a mis en évidence le génie des Anciens.

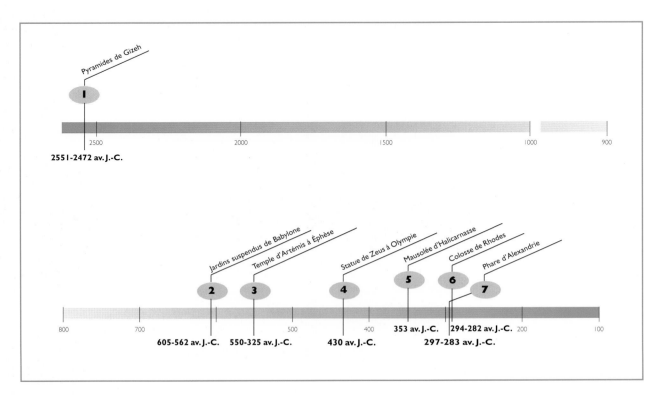

Pyramides de Gizeh

1

2500 2000 1500 1000 900

2551-2472 av. J.-C.

Jardins suspendus de Babylone

Temple d'Artémis à Éphèse

Statue de Zeus à Olympie

Mausolée d'Halicarnasse

Colosse de Rhodes

Phare d'Alexandrie

2 **3** **4** **5** **6** **7**

800 700 500 400 353 av. J.-C. 294-282 av. J.-C. 200 100

605-562 av. J.-C. **550-325 av. J.-C.** **430 av. J.-C.** **297-283 av. J.-C.**

Les pyramides de Gizeh

Datation : vers 2551-2472 av. J.-C.
Localisation : Gizeh, Égypte

« Quand on approche de ces colosses, leurs formes anguleuses et inclinées les abaissent et les dissimulent à l'œil ; [...] mais dès qu'on vient à mesurer par une échelle connue cette gigantesque production de l'art, elle reprend toute son immensité. »

VIVANT DENON, 1803.

LES PYRAMIDES DE GIZEH sont les seules Merveilles du monde antique qui existent encore. Bien qu'elles aient perdu leur revêtement en calcaire blanc et qu'elles soient entourées de temples en ruine, elles conservent toute leur majesté. Leurs dimensions colossales impressionnent toujours les visiteurs. Leur construction a été l'une des entreprises les plus fascinantes de l'histoire de l'humanité, et les méthodes utilisées par les anciens Égyptiens font toujours l'objet de discussions entre les spécialistes.

À ce jour, on a recensé en Égypte plus de quatre-vingt pyramides, qui ont été bâties sur une période de 1 000 ans. Celles de Gizeh, qui sont les plus hautes, figurent parmi les mieux préservées grâce à la qualité de leur construction. Elles sont l'œuvre de trois pharaons de la IVᵉ dynastie : Khéops (*Khoufou* en égyptien), Khéphren (*Khafrê*) et Mykérinos (*Menkaourê*). La pyramide

Pyramides de Gizeh : derrière celle de Khéops se dressent celles de Khéphren et Mykérinos. Devant la pyramide de Khéops s'étend une cavité en forme de barque. Une autre fosse a livré un navire en bois qui devait permettre à Khéops de naviguer dans l'au-delà.

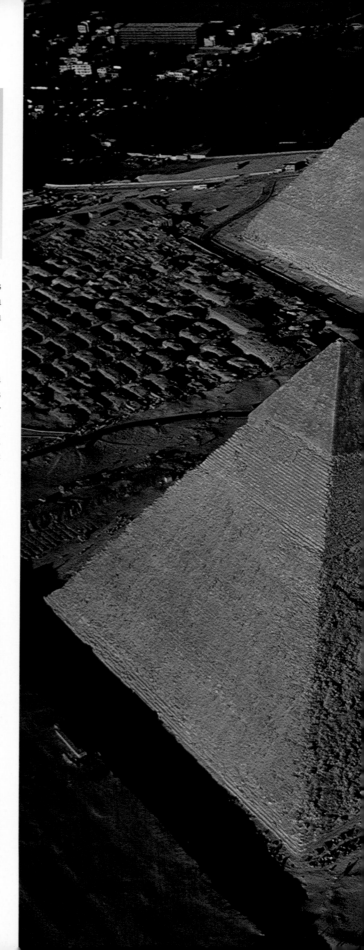

FICHE SIGNALÉTIQUE

La pyramide de Khéops

Durée de la construction	environ 23 ans
Longueur d'un côté à la base	230,33 m
Hauteur originelle	146,59 m
Inclinaison	51°50'40''
Déviation moyenne par rapport au vrai nord	0°3'6''
Volume estimé	2 600 000 m³
Nombre de blocs utilisés	2 300 000 environ
Poids moyen des blocs	2, 5 tonnes environ
Poids des dalles de couverture en granite	50 à 80 tonnes
Nombre d'ouvriers	20 000 à 30 000

de Khéops (v. 2551-2528 av. J.-C.) est la plus haute des trois. Surnommée la Grande Pyramide, elle a détenu pendant 4 000 ans le record du plus haut édifice du monde.

La fonction des pyramides

Les pyramides de l'Ancien (2700-2200 av. J.-C.) et du Moyen Empire (2033-1710 av. J.-C.) sont des tombes destinées à protéger le corps du souverain de leur énorme masse. Leur forme revêt une signification symbolique. Elle évoque une rampe montant vers le ciel qui permet au roi de gagner le firmament. Elle représente aussi la première butte de terre qui émergea des eaux du chaos primordial, lors de la création du monde. Matérialisation des rayons obliques du soleil perçant à travers les nuages, elle est également un emblème solaire. Quelle que soit sa fonction symbolique, cette forme s'est imposée tout naturellement aux Égyptiens qui voulaient construire le plus haut édifice possible. Quel meilleur moyen d'y parvenir que d'amonceler les matériaux en formant une solide pyramide ?

La pyramide, dressée à l'intérieur d'une enceinte, n'est qu'un élément du complexe royal. Un temple funéraire lui est accolé sur la face orientale. Il est relié par une longue chaussée, décorée de reliefs, au temple de vallée, situé près du Nil ou d'un canal. Lorsque Hérodote a visité Gizeh, au Vᵉ siècle av. J.-C., la chaussée de Khéops était presque intacte. Les reliefs qui la décoraient ont autant impressionné le « père de l'histoire » que les pyramides elles-mêmes.

Le choix et la préparation du terrain

Le choix du site était très important. Le plateau de Gizeh a été retenu parce qu'il dominait la vallée du Nil et parce qu'il se trouvait à l'ouest du fleuve, sur la rive où se couche le soleil et où sont enterrés les morts. En outre, le plateau calcaire était suffisamment résistant pour supporter le poids colossal des pyramides et il pouvait fournir les pierres pour leurs noyaux.

À gauche **Les pyramides de Gizeh vues du sud-ouest : au premier plan, la pyramide de Khéphren, derrière, celle de Khéops. Autour de la pyramide de Khéops se trouvent les tombes des nobles, et au sud-est, les petites pyramides des épouses du pharaon. La pyramide de Khéphren a conservé son revêtement en calcaire blanc au sommet.** *Ci-dessus* **Vue de la voûte en encorbellement de la grande galerie, dans la pyramide de Khéops.**

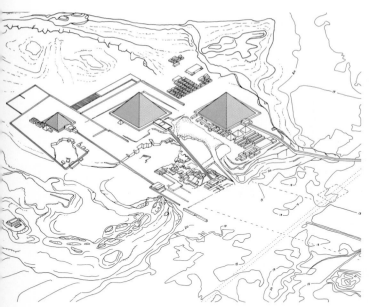

Ce relevé topographique montre le plateau de Gizeh avec les pyramides, les monuments annexes et les carrières où ont été extraites les pierres formant le noyau des pyramides.

Les Égyptiens préparaient le terrain en traçant un plan grossier de la pyramide et en nivelant le sol. Avec des instruments simples, comme le vérificateur de niveau avec équerre et le fil à plomb, ils ont obtenu des résultats d'une précision étonnante – le niveau du sol qui entoure la pyramide de Khéops ne varie que de 2 cm. Autour de la base de l'édifice, les ouvriers ont égalisé le terrain pour obtenir des fondations de même hauteur. En revanche, à l'intérieur de ce périmètre, ils ont laissé la roche naturelle : ce robuste noyau a servi d'appui aux premières assises de pierre de la pyramide.

Lorsque la préparation du terrain était terminée, les arpenteurs traçaient le plan exact de la base carrée du monument. Les quatre côtés de la pyramide étaient orientés face aux points cardinaux. Les astronomes alignaient d'abord la face est ou la face ouest d'après le nord, qu'ils repéraient en observant les étoiles circumpolaires. Là aussi, les Égyptiens ont atteint un haut niveau de précision. Les côtés de la Grande Pyramide ne dévient que de 3′6″ par rapport au vrai nord. Dès que l'une des faces était alignée, on déduisait la position des autres côtés à l'aide de la géométrie, puis on les dessinait sur le sol.

Récemment, on a voulu attribuer une signification particulière à la diagonale que dessinent les trois pyramides de Gizeh. En fait, il ne peut s'agir d'un plan élaboré dès l'origine puisque les pyramides sont des projets séparés, réalisés à des époques différentes. L'ab-

sence de lien entre leurs enceintes montre bien qu'il n'y a pas eu de conception d'ensemble. La diagonale est le résultat du processus de construction. Pour aligner les pyramides sur le vrai nord, on les a bâties sur une ligne oblique par rapport au bord du plateau. En décalant les pyramides pour qu'elles soient face à la lisière du plateau, on était sûr d'avoir une vue dégagée sur les étoiles septentrionales, dont l'observation présidait à l'orientation des monuments.

La taille et le transport des pierres

Les blocs qui ont servi à ériger le noyau de la Grande Pyramide proviennent de carrières situées au sud du monument. Ils ont été taillés en suivant la méthode utilisée pour creuser la tranchée autour du sphinx. Pour le revêtement, les bâtisseurs ont préféré au calcaire local, de médiocre qualité, le beau calcaire blanc des carrières de Tourah, sur l'autre rive du Nil ; ce matériau a été transporté par bateau, jusqu'au port situé au pied du plateau de Gizeh. En moyenne, les blocs de la pyramide pèsent 2,5 tonnes. Leur taille décroît un peu vers le sommet. Les dalles du revêtement en granite de la salle funéraire et les bouchons placés dans les couloirs dans l'espoir de décourager les voleurs provenaient des carrières d'Assouan, à 935 km au sud de Gizeh. Le granite apparaît également dans la première assise du revêtement de la pyramide de Khéphren et dans les seize premières assises de la pyramide de Mykérinos.

Une fois arrivés au port, les blocs étaient chargés sur des traîneaux en bois qui étaient tractés à l'aide de cordes, jusqu'à la base de la pyramide. Le nombre d'ouvriers halant la charge variait en fonction du poids. À Licht, on a mis au jour une des routes suivies par les

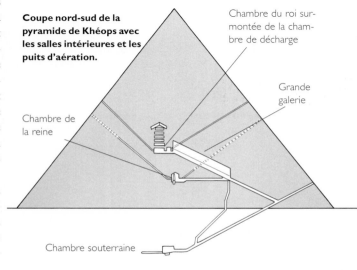

Coupe nord-sud de la pyramide de Khéops avec les salles intérieures et les puits d'aération.

Chambre du roi surmontée de la chambre de décharge

Grande galerie

Chambre de la reine

Chambre souterraine

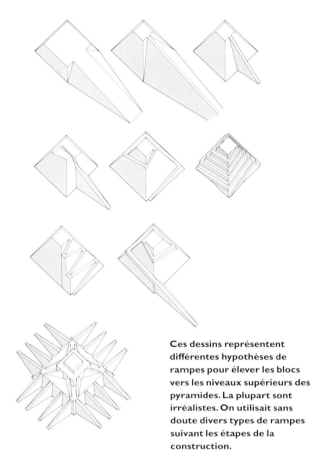

Ces dessins représentent différentes hypothèses de rampes pour élever les blocs vers les niveaux supérieurs des pyramides. La plupart sont irréalistes. On utilisait sans doute divers types de rampes suivant les étapes de la construction.

déblais qui remplissent les carrières en proviennent peut-être. D'autres sites montrent que diverses formes de rampes ont été utilisées. Des raisons pratiques permettent d'exclure certains types de structures. On ne peut imaginer une rampe perpendiculaire menant au sommet de la pyramide de Khéops, faute d'un espace suffisant pour la construire. De même, on ne peut envisager une rampe en spirale car elle aurait caché les angles pendant la construction, ce qui aurait entraîné des déséquilibres dans les proportions.

On a probablement eu recours à diverses solutions en fonction de la difficulté croissante rencontrée. 96 % environ du volume de l'édifice se concentrent dans les deux tiers inférieurs de la pyramide. Pour ériger les premières assises, une série de petites rampes pouvaient approvisionner les ouvriers en matériaux à un rythme soutenu. Dans le tiers supérieur, la cadence se ralentissait, car il devenait plus difficile de hisser les blocs ; près du sommet, une bonne part d'improvisation a dû être nécessaire pour élever et mettre en position les dernières pierres.

Les blocs ne recevaient leur forme définitive qu'après avoir été mis en place, de façon à s'ajuster parfaitement aux pierres voisines. Les blocs du revêtement de la Grande Pyramide sont si bien assemblés qu'il est souvent impossible de glisser une lame de couteau entre eux. On comblait les cavités avec un mortier de gypse qui servait peut-être également de lubrifiant pour faciliter la mise en place des blocs. La construction de

matériaux jusqu'à une pyramide du Moyen Empire (2033-1710 av. J.-C.). Elle était formée de traverses en bois lisses, encastrées dans le chemin de terre. Ce type de voie réduisait considérablement la friction et facilitait le glissement des traîneaux.

Contrairement à une opinion assez répandue, les pyramides n'ont pas été bâties par des esclaves, mais par une main-d'œuvre réquisitionnée. Une partie des ouvriers travaillait en permanence, mais la plupart étaient saisonniers. En été, au moment où la crue du Nil empêchait les paysans de s'occuper des champs, les équipes étaient certainement au complet. Outre les ouvriers employés à la construction proprement dite, un personnel important veillait au ravitaillement du chantier. On a estimé récemment que le chantier de la pyramide de Khéops employait entre 20 000 et 30 000 personnes, logées à proximité.

Les rampes et la construction

Comment les Égyptiens ont élevé les blocs au fur et à mesure de la construction de la pyramide ? C'est une question qui n'est pas encore complètement résolue et qui a suscité nombre d'hypothèses. Aujourd'hui, les égyptologues s'accordent sur l'utilisation de rampes, démontées après l'achèvement des pyramides. À Gizeh, il n'en reste aucune trace certaine, mais les

Dans la Grande Pyramide, la « chambre du roi » est recouverte de dalles de granite. Elle renferme toujours le sarcophage, également en granite.

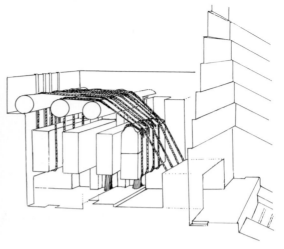

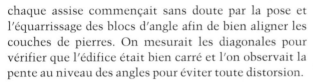
À gauche **À la base de la pyramide de Khéphren, le revêtement est resté inachevé. Seuls les blocs du centre ont été égalisés. Sur les pierres non nivelées, on voit encore le bossage qui facilitait la manipulation des blocs.**

chaque assise commençait sans doute par la pose et l'équarrissage des blocs d'angle afin de bien aligner les couches de pierres. On mesurait les diagonales pour vérifier que l'édifice était bien carré et l'on observait la pente au niveau des angles pour éviter toute distorsion.

L'aménagement intérieur des pyramides

Des trois pyramides de Gizeh, c'est celle de Khéops qui présente l'agencement intérieur le plus complexe. Elle renferme trois salles dont une creusée dans la roche, sous le niveau du sol. Les deux autres sont construites dans le corps du monument. La chambre du roi, entièrement revêtue de dalles de granite d'Assouan, abrite un sarcophage taillé dans le même matériau. Elle est surmontée par cinq chambres de décharge, traversées de poutres en granite qui réduisent la poussée exercée par la maçonnerie sur le plafond de la salle funéraire. Dans la grande galerie, les bâtisseurs ont résolu ce problème par une voûte en encorbellement. Des puits longs et étroits, de 20 cm de côté, sont percés dans les parois des deux chambres supérieures. Ils sont alignés sur Orion et les étoiles circumpolaires vers lesquelles était censée voyager l'âme du roi. Pour fermer l'entrée des passages, les architectes ont mis au point un système de herses et de blocs-bouchons. Mais les voleurs les ont contournés en creusant des galeries.

Les chambres des pyramides de Khéphren et de Mykérinos sont creusées dans la roche souterraine. La pyramide de Khéphren ne renferme que deux salles simples, au plafond en pente. Celle de Mykérinos abrite une série complexe de couloirs et de salles.

Les finitions

Si l'on taillait les angles des pierres du revêtement au moment de leur pose, en revanche on n'équarrissait pas la surface extérieure, qui protégeait le parement tant que duraient les travaux. Ces bossages sont encore visibles sur le revêtement en granite des assises inférieures de la pyramide de Mykérinos, qui est resté inachevé. C'est lors de la phase finale de la construction que les blocs étaient égalisés, en descendant du sommet vers la base. Jusqu'au Moyen Âge, les pyramides n'ont subi d'autres outrages que les passages creusés par les voleurs. À cette époque, elles ont servi de carrières pour la construction du Caire. Il était plus facile de prélever ces belles pierres de calcaire blanc que de tailler de nouveaux blocs. La partie du revêtement qui subsiste au sommet de la pyramide de Khéphren nous donne néanmoins une idée de la splendeur passée de ces monuments. L'exploration et l'étude du plateau de Gizeh, commencées au XVIIe siècle, se poursuivent encore aujourd'hui.

Les jardins suspendus
de Babylone

Datation : 605-562 av. J.-C.
Localisation : Babylone, Irak

« À mon avis, un jardin de cette dimension et de ce genre n'a jamais existé à Babylone. »

E. A. WALLIS BUDGE, 1920.

AVEC LEURS MAJESTUEUX bosquets et leurs fontaines, suspendus à des arches entrelacées, les jardins de Babylone recréaient le splendide paysage des montagnes de l'Iran dans la morne plaine de Mésopotamie. Ils mariaient le rêve et la virtuosité technique. Contrairement aux six autres Merveilles du monde antique, ils n'exaltaient pas la gloire, mais l'amour. Ils auraient été offerts par un roi à son épouse qui se languissait de son pays natal. Cette charmante histoire est-elle véridique ? Nabuchodonosor et Amytis se sont-ils jamais promenés ensemble sur ces allées ombragées ? Est-ce là qu'Alexandre, mourant, tenta d'apaiser sa fièvre ?

Reconstitution des jardins suspendus de Babylone. Les arbres plantés sur les hauteurs fascinaient les visiteurs. Les terrasses rappellent un théâtre. Les sources d'où bondissent les cascades restent invisibles.

FICHE SIGNALÉTIQUE

Surface	120 m de côté
Hauteur	25 m
Piliers verticaux	largeur : 6, 6 m, espacement 3, 3 m
Techniques d'irrigation	tuyaux, vis, canaux

Les descriptions antiques

Le premier historien à mentionner ces jardins est Bérose, un prêtre babylonien dont les écrits datent de 270 av. J.-C. environ. Il affirme que Nabuchodonosor (605-562 av. J.-C.) avait bâti en quinze jours un nouveau palais dont les fondations de pierre ou terrasses reproduisaient un paysage de montagne et étaient plantées d'arbres. Tel était, pour Bérose, le « soi-disant » jardin suspendu créé pour le plaisir de la reine.

Cela est tout à fait plausible. Il n'était pas rare de sceller des alliances par des mariages royaux, et il est probable que Nabuchodonosor a épousé une princesse perse. Un texte de Nabuchodonosor, manifestement connu de Bérose, décrit le nouveau palais, construit « en quinze jours », en partie en pierres et « aussi haut qu'une montagne ». Ce document ne fait pas allusion à un parc, mais les palais en possédaient généralement.

Les récits des Grecs ont ensuite complété ces informations. L'un d'eux rapporte que les jardins mesuraient 120 m de côté et 25 m environ de hauteur, soit autant que les murailles de la ville. Disposés en terrasses comme un théâtre, ils étaient parsemés de petits édifices. Les soubassements comportaient de nombreux murs, larges de 7 m environ et espacés de

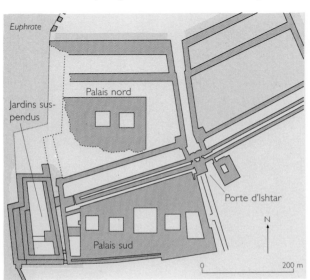

3 m, qui supportaient des poutres de pierre. Sur celles-ci reposaient trois couches de matériaux différents : des roseaux dans du bitume, deux assises de briques et, pour terminer, un revêtement  de plomb. La terre du jardin reposait sur ce dispositif. Des appareils cachés prélevaient l'eau dans le fleuve, qui coulait en contrebas, pour arroser les arbres.

Un deuxième auteur dénombre 20 murs de soutènement. Un troisième déclare que le jardin reposait sur des voûtes de briques et de bitume, et que des vis d'Archimède, placées le long d'un escalier, acheminaient l'eau. Un autre encore décrit une structure souterraine avec des colonnes de pierre soutenant des poutres taillées dans des troncs de palmier qui, au lieu de pourrir, nourrissaient les racines des arbres plantés au-dessus ; l'ensemble du jardin était irrigué par un réseau ingénieux de fontaines et de canaux.

L'emplacement des jardins

Ces descriptions contradictoires ont amené à douter de l'existence même des jardins. Pourtant, à l'exception des troncs de palmier imputrescibles, aucune des particularités architecturales évoquées n'a de quoi surprendre. Les voyageurs grecs ont sans doute vu une structure en bois

À gauche **Un roi assyrien se délasse dans un jardin, vers 645 av. J.-C.**
Ci-dessous **Fragment de relief figurant un palais planté d'arbres à Ninive. Cette cité aux somptueux jardins a été détruite par les Babyloniens qui l'ont néanmoins copiée.**

s'élevant au-dessus du palais, et il faudrait en rechercher la trace dans les ruines actuelles. Malheureusement, des palais de Babylone, il ne reste plus aujourd'hui que les fondations, car leurs superbes briques cuites ont été prélevées au fil des siècles pour être réutilisées.

On a tout d'abord cherché les jardins dans la partie supérieure du palais d'été, qui mesure environ 180 m de

Vis prise dans un cylindre ; angle optimum 37°

Ci-dessus **La vis d'Archimède : l'eau s'élève lorsque la vis tourne. D'anciens textes provenant d'Irak semblent décrire cet appareil bien avant son invention par Archimède, le savant grec qui lui a donné son nom.** *Page opposée* **Plan de Babylone avec l'un des emplacements présumés des jardins suspendus.**

côté et qui comprend des puits élaborés. Mais l'espace ne convient pas à des terrasses et à des arbres. Un archéologue a situé les jardins au-dessus des voûtes de briques du palais sud, à un endroit où il y a aussi des puits. Mais ces voûtes forment le sous-sol d'un édifice administratif, peut-être une prison.

Sur le plan de la ville, on remarque que les palais nord et sud sont flanqués au nord et à l'ouest, près des rives de l'Euphrate, par des structures d'une singulière épaisseur. Une ou plusieurs d'entre elles ont pu accueillir des jardins en terrasses. La plus impressionnante est le bastion ouest. Cette enceinte de 190 m sur 80 m est constituée de murs de 20 m d'épaisseur, faits de briques posées dans du bitume. Du côté nord, se trouvent des salles. Au sud s'étend un espace carré pourvu d'une sorte d'escalier dans un angle. Dans cette curieuse structure, aurait pu être aménagé un jardin carré, ayant les dimensions requises, orné de pavillons d'été et d'une montagne artificielle en terrasses.

Le mystère demeure. De nouvelles fouilles ou la découverte d'un document du règne de Nabuchodonosor le résoudront peut-être un jour. En attendant, chacun est libre d'imaginer les jardins suspendus, avec ou sans ses voûtes et ses fontaines.

Le temple d'Artémis à Éphèse

Datation : vers 550-325 av. J.-C.
Localisation : Éphèse, Turquie

« Les arts de la Grèce et la richesse de l'Asie se sont unis pour ériger un somptueux édifice sacré. »
EDWARD GIBBON, vers 1776.

SON ARCHITECTURE GRANDIOSE et ses dimensions exceptionnelles ont valu au temple d'Artémis à Éphèse de figurer parmi les Sept Merveilles du monde antique. Beaucoup plus vaste que le Parthénon (p. 111), il comptait parmi les plus grands temples construits par les Grecs. La ville d'Éphèse s'élevait sur la côte ionienne, aujourd'hui en Turquie. Elle tirait d'importantes ressources du pèlerinage à son sanctuaire d'Artémis, où était adorée la mystérieuse « Diane des Éphésiens », une ancienne divinité anatolienne assimilée à la déesse grecque Artémis.

L'Artémision d'Éphèse fut l'un des premiers temples grecs construits entièrement en marbre. Les Éphésiens l'ont érigé vers 550 av. J.-C., sur l'emplacement d'anciens sanctuaires. Ils ont bénéficié du concours financier de Crésus, le richissime souverain du royaume voisin de Lydie. En 356 av. J.-C., Érostrate, qui voulait faire passer son nom à la postérité, incendia le monument. Celui-ci ne fut remplacé que quelques décennies plus tard, par un nouvel édifice qui était une copie assez fidèle du précédent. L'Artémision existait encore à l'époque romaine, comme l'atteste l'écrivain

FICHE SIGNALÉTIQUE

Le temple de Crésus	(temple D)	vers 550 av. J.-C.
55 sur 110 m (sur la plus haute marche)		
Le temple classique	(temple E)	vers 325 av. J.-C.
78,5 sur 131 m		
Portée entre les colonnes	6,5 m	
Blocs de l'architrave		
Longueur	8,75 m	
Poids	40 tonnes	
Colonnes		
Hauteur	20 m	
Diamètre	6,5 m environ	

latin Pline, émerveillé par ses dimensions et sa construction. Le fronton était percé par trois grandes fenêtres, celle du centre étant la fenêtre d'apparition qui permettait aux fidèles, rassemblés dans l'autel, de voir la statue de la déesse; l'autel était un édifice à colonnes, indépendant, dressé en avant du temple.

Le temple d'origine mesurait 55 m sur 110 m au niveau de la plus haute marche du podium. Il était bordé sur trois côtés par une double colonnade et précédé par un profond vestibule à colonnes. Lors de la reconstruction, au IVᵉ siècle, les bâtisseurs ont remployé les fondations et une partie de l'édifice précédent qu'ils ont surélevé de 2 m. Ils ont ceint le temple de degrés et orné de reliefs les bases des 36 colonnes dressées à l'entrée de l'édifice. Ce décor était inhabituel dans un temple grec. Les colonnes elles-mêmes étaient à 40 ou 48 pans. Au-dessus de l'architrave, courait une frise et apparaissaient des évacuations d'eau en forme de tête de lion. Avec une portée entre les colonnes qui excédait souvent 6,5 m et qui impliquait l'utilisation de blocs longs de 8,75 m, les architectes ont poussé leur art jusqu'à ses extrêmes limites.

Reconstitution du temple classique d'Artémis et de l'autel d'Éphèse.

31

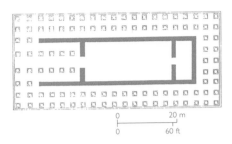

0   20 m
0   60 ft

Plan du temple classique et de l'autel.

La construction du temple

On raconte que Chersiphron, le premier architecte du temple, pensa se suicider lorsqu'il fut confronté au problème de la pose du grand linteau sur la façade d'entrée. Cette anecdote est révélatrice de la difficulté de l'ensemble de l'entreprise. Vers 515 av. J.-C., les Grecs utilisaient déjà des grues, mais celles-ci ne pouvaient pas soulever les blocs colossaux. L'élévation des pierres n'a pas été pas le seul problème rencontré par l'architecte, qui a également dû s'assurer que les blocs de l'architrave soit mis parfaitement en place. À cette fin, il fit édifier une rampe en sacs de sable, sur laquelle furent hissées les pierres, jusqu'au niveau de leur futur emplacement. Une fois les blocs positionnés au-dessus des colonnes, les sacs furent lentement vidés de façon à abaisser le niveau de la rampe jusqu'à ce que les pierres s'immobilisent sur les chapiteaux.

Le transport des blocs de marbre, extraits dans des carrières éloignées de 11 km et dont certains pesaient jusqu'à 40 tonnes, constituait un autre défi. Il était impossible de les acheminer sur des chariots. Chersiphron trouva une solution : les tambours des colonnes furent fixés sur des pivots centraux, à l'intérieur d'un cadre en bois. Ils pouvaient ainsi être tirés par des bœufs, comme d'immenses rouleaux. Métagénès, le fils de Chersiphron, reprit cette idée pour déplacer les architraves rectangulaires dont il fit emboîter les extrémités dans d'énormes roues en bois.

C'est ainsi que de la nécessité naît l'invention. Les dimensions colossales du temple ont obligé les bâtisseurs à imaginer de nouvelles techniques pour transporter et hisser les pierres. Mais, en dépit de leur grande ingéniosité, les méthodes de Chersiphron n'ont pas été adoptées ailleurs. Malheureusement, le temple n'est plus là aujourd'hui pour témoigner de l'immense talent de l'architecte. Il ne reste que le podium, mis au jour par les archéologues, et une colonne solitaire, qui a été remontée.

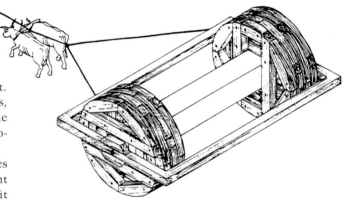

Ci-dessus **La méthode de Métagénès pour le transport des architraves.** *À gauche* **Vue des maigres vestiges du temple d'Artémis et de la colonne reconstituée.**

La statue de Zeus
à Olympie

Datation : vers 430 av. J.-C.
Localisation : Olympie, Grèce

« [Phidias] a figuré Zeus assis, sa tête touchant presque le plafond. On a l'impression que si le dieu se levait, il arracherait le toit. »

STRABON, Ier siècle ap. J.-C.

VERS 437 AV. J.-C., Phidias, exilé d'Athènes pour des raisons politiques, était cependant connu comme le plus grand sculpteur grec de son temps. Il avait déjà réalisé une statue chryséléphantine (en or et en ivoire) d'Athéna pour le Parthénon et une statue de la même déesse, haute de près de 10 m, dressée sur l'Acropole. À la demande du conseil d'Olympie, il se rendit dans ce centre religieux afin d'exécuter une statue, qui sera reconnue plus tard comme l'une des Sept Merveilles du monde antique.

Phidias fut chargé de concevoir une image de culte de Zeus olympien et de l'ériger dans le temple dorique, bâti entre 466 et 456 av. J.-C., qui était dédié à ce dieu. Il a créé une œuvre exceptionnelle, en or et en ivoire, de 13 m de hauteur, reposant sur une base en marbre de 1 m de hauteur, qui occupait la totalité de l'espace à

Le sanctuaire d'Olympie était fréquenté par de nombreux Grecs qui venaient également assister aux Jeux olympiques. Le complexe religieux, en constant développement, possède des monuments de toutes les époques.

l'extrémité est du temple : une véritable prouesse, tant du point de vue des dimensions de la sculpture que des matériaux utilisés. On ne pouvait contempler la statue colossale qu'à distance, car des écrans peints autour de la base empêchaient de la considérer de près.

Phidias a représenté Zeus assis sur un trône – debout, la même figure aurait dépassé 18 m de hauteur. Dans sa main droite, le maître de l'Olympe tenait une Victoire ailée, symbole du triomphe aux Jeux olympiques. Dans sa main gauche, un sceptre décoré et incrusté de métal, insigne de sa fonction de roi des dieux ; sur le sceptre se dressait un aigle, son emblème. Le corps de la divinité, en ivoire, était paré d'une tunique et de sandales en or. Sur ses vêtements étaient gravés des lis et des animaux. Sur sa tête était posée une couronne de rameaux d'olivier. Le trône, en ébène et en ivoire, rehaussé d'or et de pierres précieuses, était décoré de scènes et de personnages mythologiques ; c'était en lui-même un chef-d'œuvre. Les pieds de Zeus reposaient sur un grand tabouret, précédé par un récipient en marbre noir qui recueillait l'huile d'olive versée sur la statue, sans doute pour empêcher l'ivoire de se craqueler.

Les rares œuvres de Phidias qui nous sont parvenues montrent que cet artiste excellait dans les sculptures de grande taille et dans le travail de l'ivoire. Lorsqu'il a réalisé la statue d'Athéna pour le Parthénon, c'était la première fois qu'un sculpteur entreprenait de façonner l'ivoire sur une échelle aussi colossale. La technique, qui était loin d'être simple, exigeait de maîtriser aussi bien l'art du métal et du bois que celui de l'ivoire.

Le noyau de la statue

L'ivoire a été fixé sur un noyau de bois local, de quelque 780 m³, à peu près de même hauteur que la statue, et formé de plusieurs morceaux assemblés sur place – il aurait été impossible de faire entrer dans le temple un noyau d'un seul bloc. Phidias a modelé légèrement le bois sur lequel il a adapté la musculature soigneusement façonnée dans l'ivoire et le métal.

L'atelier où le sculpteur-orfèvre a conçu et réalisé les différentes parties de la statue, se trouvait à l'extérieur, à l'ouest du sanctuaire. Directeur des travaux, Phidias était responsable du moulage et de la sculpture des parties les plus délicates. Mais plusieurs artisans ont sans doute participer à la préparation des matériaux, du noyau en bois, et ont aidé Phidias à fixer l'ivoire et l'or. L'approvisionnement et le transport des matières premières étaient du ressort d'autres personnes.

Le travail de l'ivoire et de l'or

Certains spécialistes ont supposé que l'ivoire utilisé avait été obtenu en morcelant des défenses d'éléphants. Cependant, la précision des détails de la statue de Zeus, comme les muscles de la poitrine, indiquerait que Phidias a utilisé une autre technique, probablement empruntée aux fabricants de meubles. Pour obtenir de fines feuilles d'ivoire, les menuisiers déroulaient les défenses au lieu

FICHE SIGNALÉTIQUE	
776 av. J.-C.	Célébration des premiers Jeux olympiques
466-456	Libon d'Élis bâtit le temple de Zeus
Vers 430	Phidias réalise la statue de Zeus olympien
Moitié du IIᵉ siècle	Damophon restaure la statue et ajoute sans doute quatre colonnes sous le trône pour supporter le poids de la statue
37-41 ap. J.-C.	Caligula tente, sans succès, de transférer la statue à Rome
391	Les chrétiens proscrivent le paganisme. À Olympie, l'atelier de Phidias est transformé en église tandis que le sanctuaire est abandonné. La statue de Zeus olympien est transportée à Constantinople.
425	Un incendie détruit le temple de Zeus
462	La statue de Zeus olympien disparaît dans les flammes à Constantinople

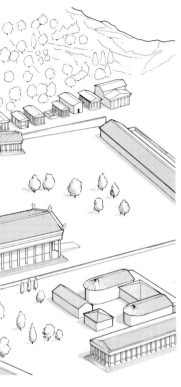

À *gauche* **Reconstitution du sanctuaire d'Olympie avec le temple de Zeus au centre.** À *droite* **L'atelier de Phidias qui a été converti en église en 391 ap. J.-C.**

Ci-dessous **Plan du sanctuaire d'Olympie au Vᵉ siècle av. J.-C.**

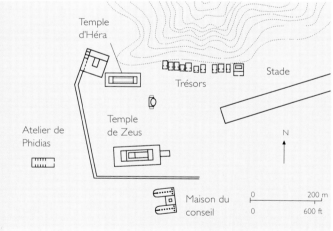

moules en terre cuite. Dès qu'elles étaient prêtes, les pièces d'ivoire, encore humides et naturellement adhésives, étaient transportées dans le temple et fixées au noyau de bois avec des rivets.

L'or, travaillé selon diverses techniques, a été utilisé pour les sandales et la tunique du dieu, pour la Victoire et l'aigle qu'il brandit, ainsi qu'en plusieurs endroits du trône. Pour décorer certaines sections du trône, on a probablement martelé de grandes feuilles d'or sur une empreinte. D'autres parties, comme les têtes de lion encadrant le tabouret et les draperies de la tunique de Zeus, sont en or massif, fondu à de très hautes températures et coulé dans des moules en terre cuite ; certains des moules qui ont servi à réaliser les détails des draperies ont été retrouvés.

Une fois achevé l'habillage de la statue, morceau par morceau, on a poli l'ivoire et fait briller l'or de l'ensemble. Nombreux sont ceux que l'œuvre de Phidias a émerveillé, à commencer par les auteurs anciens comme Strabon, Cicéron, Callimaque et Pausanias.

de les découper. Ces feuilles, une fois ramollies, étaient plus faciles à façonner et offraient l'avantage de couvrir une surface plus importante que les morceaux.

D'après les sources antiques, plusieurs méthodes et matériaux, tous connus de Phidias, étaient employés pour assouplir et mouler l'ivoire, notamment le feu, la bière ou le vinaigre ; on le faisait aussi bouillir avec de la mandragore. Les feuilles d'ivoire destinées à être plaquées sur le trône étaient assouplies et lissées ; celles pour façonner les chairs étaient pressées dans des

Grâce aux fondations, qui ont été préservées, ainsi qu'aux tambours des colonnes et aux blocs de construction éparpillés sur le site, on peut imaginer l'aspect qu'offrait jadis le mausolée.

Le mausolée d'Halicarnasse

Datation : 335 av. J.-C.
Localisation : Bodrum, Turquie

« Ce monstrueux sépulcre bâti par Artémise pour son époux Mausole, roi de Carie… »

WILLIAM BIRNIE, 1606.

LE MAUSOLÉE d'Halicarnasse, situé sur la côte sud-ouest de la Turquie, abritait la dépouille de Mausole, souverain de Carie. Le tombeau grandiose a été achevé après la mort du roi, en 353 av. J.-C., par sa sœur et épouse Artémise. L'édifice monumental éclipsait toutes les tombes contemporaines du monde grec, à la fois par ses dimensions et par sa splendeur. Il mesurait près de 45 m de hauteur et couvrait une surface de plus de 1 216 m². On connaît les détails de la construction de ce monument, dont il reste peu de vestiges, grâce aux récits historiques et aux fouilles archéologiques.

Grâce aux fondations, qui ont été préservées, ainsi qu'aux tambours des colonnes et aux blocs de construction éparpillés sur le site, on peut imaginer l'aspect qu'offrait jadis le mausolée.

Podium

		Colonnade	
Hauteur	20,2 m	Hauteur	12 m
Longueur	38 m		
Largeur	32 m	**Quadrige**	
Volume de pierres	24 563 m³	Hauteur	6 m

Pyramide

Hauteur	6,8 m
Volume de pierres	2 853 m³

Diverses hypothèses de reconstitution du mausolée ont été proposées, qui varient pour la forme du podium et, surtout, pour l'agencement des statues. *Ci-dessous* **Mausolée avec un podium à degrés, proposé par G. B. Waywell.** *Page opposée* **Reconstitution de K. Jeppesen.**

L'édifice était de plan presque carré – les côtés est et ouest étaient légèrement plus longs que les côtés nord et sud. Posé sur un haut podium de 38 m sur 32 m, le tombeau était entouré sur ses quatre côtés par une colonnade ionique, et couronné par une pyramide de 24 degrés. Le noyau de l'édifice, en pierre volcanique verte, était recouvert d'un parement en calcaire bleu et en marbre blanc. Un réseau de canalisations et de galeries souterraines maintenait la structure interne à l'abri de l'humidité tout en servant de fondations. Le monument se dressait au cœur d'une enceinte de 2,5 ha, fermée par un mur et accessible par une porte d'entrée monumentale située du côté est.

Cinq des meilleurs sculpteurs du monde grec ont réalisé le décor. Quatre d'entre eux ont été chargés d'une face de l'édifice, et le cinquième du quadrige colossal qui surmontait la pyramide. Deux frises continues se déroulaient autour du podium : l'une figurait le combat des Lapithes et des Centaures, l'autre, la bataille des Grecs et des Amazones. S'y ajoutaient deux rangées de personnages en ronde bosse et une de lions – grandeur nature, si ce n'est plus –, qui se dressaient sur des piédestaux en calcaire bleu.

On ignore à quelle date le mausolée s'est effondré. Peut-être a-t-il été victime d'un tremblement de terre. Certains pensent qu'il n'a jamais été achevé. Au XVᵉ siècle, les chevaliers de Saint-Jean ont utilisé les ruines comme carrière, pour fortifier leur château à Bodrum, et ils ont brûlé le marbre pour fabriquer un mortier de chaux. En 1522, les mêmes chevaliers ont mis au jour la chambre funéraire de Mausole, située à la base du monument. Son contenu a été rapidement pillé.

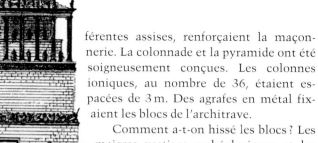

La construction du Mausolée

À en croire Pline l'Ancien, la hauteur totale du monument était de 45 m dont presque un tiers occupé par la colonnade. La pyramide s'élevait, d'après les estimations, à 6,80 m de hauteur. Les vestiges subsistants indiquent que le quadrige atteignait 6 m de hauteur, plus de deux fois la grandeur nature. Le podium mesurait donc 20,2 m de hauteur. Pour le bâtir, il a fallu tailler, transporter et mettre en place quelque 24 563 m³ de pierres. Seule la lave verte utilisée à l'intérieur a été extraite à proximité. De récentes analyses ont montré que les autres pierres provenaient de carrières éloignées. Le marbre de la frise des Amazones a été importé de l'île voisine de Kos, tandis que celui de la frise sculptée sous le quadrige était du marbre phrygien provenant de la région d'Afyon (à 300 km au nord-ouest). C'est sans doute grâce au rôle politique majeur qu'il jouait dans la région que Mausole a pu réunir des matériaux d'origines aussi diverses. Les fouilles entreprises au XIXᵉ siècle, puis dans les années 1960 et 1970, ont mis au jour le plan de l'édifice et ont permis de mieux comprendre les méthodes de construction. Le mausolée a été édifié sur le site d'une ancienne nécropole, ce qui a obligé les bâtisseurs à niveler le terrain et à combler les salles et les couloirs souterrains pour consolider le terrain. Les fondations et le noyau du podium ont été bâtis avec des blocs de lave, longs de 1 m. Des blocs adjacents, joints par des tiges en métal, contribuaient à consolider et à soutenir les murs. Des chevilles en métal, liant des blocs de dif-

férentes assises, renforçaient la maçonnerie. La colonnade et la pyramide ont été soigneusement conçues. Les colonnes ioniques, au nombre de 36, étaient espacées de 3 m. Des agrafes en métal fixaient les blocs de l'architrave.

Comment a-t-on hissé les blocs ? Les maigres vestiges archéologiques et les imprécisions des sources anciennes ne permettent pas de répondre avec certitude. On a probablement eu recours à des grues pour soulever les tambours des colonnes, de dimensions colossales, qui, une fois en place, ont été solidement réunis les uns aux autres par des chevilles en bois. Les blocs du podium ont sans doute été élevés de la même façon, peut-être en glissant des cordes dans des tenons taillés dans les pierres déjà installées. Les blocs de la pyramide ont posé davantage de problèmes : il a fallu un appareil particulièrement solide pour supporter le poids des blocs et les hisser à une hauteur comprise entre 32 m et 39 m.

Ces statues, mis au jour au nord du mausolée, pendant les fouilles de 1857, sont peut-être des représentations d'Artémise et de Mausole. Elles sont aujourd'hui exposées au British Museum, à Londres. Sur la reconstitution ci-contre, elles ont été situées au centre de la colonnade.

Il n'a pas été plus simple, loin de là, de mettre en place le décor sculpté. Le risque de casser les pierres en les manœuvrant est bien plus préoccupant lorsqu'il s'agit de sculptures finement ciselées et fragiles. Pourtant, on a soulevé des œuvres aussi grandes que nature ou même davantage.

C'est la richesse de son ornementation, et surtout de ses statues, qui a valu au mausolée d'Halicarnasse de figurer parmi les Sept Merveilles du monde antique. Il en reste de nombreux fragments dont certains portent encore des traces de peinture. Sur les chevelures et les barbes, on a relevé du brun-rouge, et sur les vêtements du rouge, du bleu et du pourpre. Les lions qui montaient la garde au bord du toit étaient ocre jaune.

Comment étaient disposées ces statues ? On ne le sait pas exactement. Le podium comportait-il des degrés avec des bordures servant de piédestal ? Les partisans de cette hypothèse ne s'accordent pas sur le nombre de degrés. D'autres restent fidèles aux comptes rendus historiques qui ne décrivent pas un podium à degrés ; aussi ne savent-ils pas où placer les statues.

On est mieux informé sur la salle funéraire. Il s'agit d'une chambre rectangulaire, édifiée dans la base de l'édifice, accessible par un escalier et fermée par des portes en marbre. Dans l'entrée se trouve un gros bloc de pierre cubique qui conserve la trace des trous et des fentes des chevilles servant à le fixer.

En 1522, les chevaliers de Saint-Jean ont découvert dans cette pièce une urne ou un cercueil en marbre. Lorsqu'ils revinrent sur le site, le sarcophage avait été brisé. Il ne restait plus que quelques rondelles d'or et des fragments de tissu en or éparpillés ici et là. Les fouilles récentes ont mis au jour d'autres rondelles. C'est tout ce que l'on sait du caveau de Mausole.

Cette œuvre fait partie des trois reliefs figurant la bataille des Grecs et des Amazones, qui sont conservés au British Museum. Découverts près des fondations du mausolée, ils appartenaient à une frise continue qui entourait le monument.

Pourquoi a-t-on construit un monument aussi sophistiqué pour le roi de Carie ? Le rôle politique du souverain apporte peut-être une réponse. Mausole avait réussi à fonder un empire Carien rassemblant des Grecs et des non-Grecs.

En associant dans son tombeau les architectures grecque, lycienne et égyptienne, il proclamait un désir d'unité culturelle et politique. Mausole a en outre innové un créant un équilibre entre l'architecture et la sculpture que bien d'autres édifices imiteront.

Avec sa sépulture, souvent copiée à plus petite échelle par les monuments hellénistiques et romains, Mausole a atteint une forme d'immortalité.

Il nous a aussi laissé le mot « mausolée » qui désigne tout monument funéraire de très grandes dimensions.

Reconstitution artistique du mausolée d'Halicarnasse.

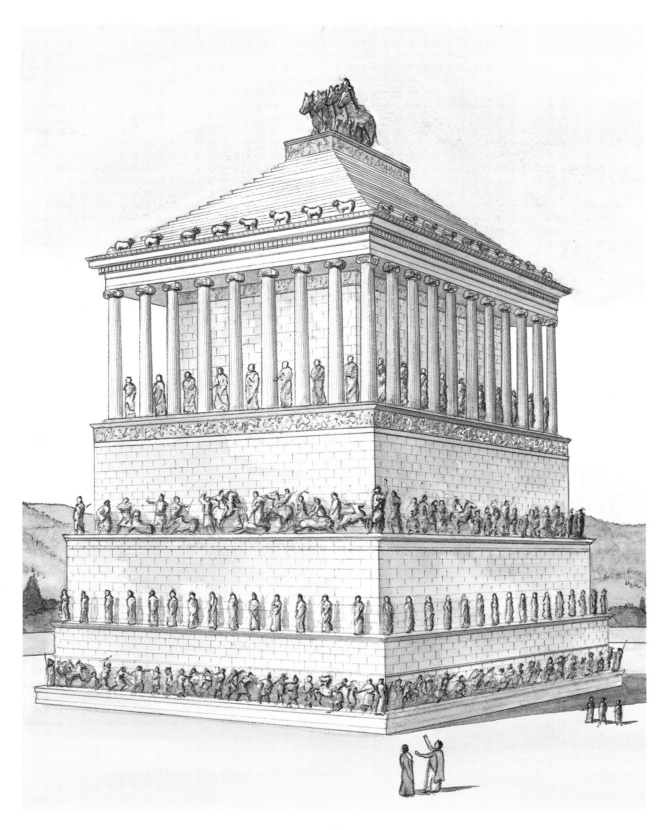

Le colosse de Rhodes

Datation : 294-282 av. J.-C.
Localisation : île de Rhodes, Grèce

« Peu de gens peuvent entourer l'un de ses membres de leurs bras et ses doigts sont plus gros que la plupart des statues. »

Histoire Naturelle, PLINE L'ANCIEN.

LE COLOSSE DE RHODES est la moins connue des Sept Merveilles du monde antique. On ne possède aucune description du temps où il était dressé. Contrairement à beaucoup d'autres statues classiques, il ne semble pas avoir inspiré de copies. On s'interroge encore sur son emplacement exact. S'élevait-il dans le port ? Il était en effet d'usage, à l'époque, d'ériger des statues colossales sur une plate-forme à l'entrée des ports pour impressionner les marins étrangers. Certains historiens pensent qu'il se trouvait plutôt dans les terres, au sommet de l'actuelle rue des Chevaliers, sur un terrain occupé aujourd'hui par une ancienne école turque. Grâce à Philon de Byzance, on sait comment le Colosse a été fabriqué. La fonte de cette gigantesque statue, de 33 m de hauteur – ses doigts étaient plus grands que la plupart des statues d'alors –, était une véritable prouesse technique qui lui valut de devenir l'une des Sept Merveilles.

Le Colosse avait été dédié à Hélios, dieu du Soleil et patron de Rhodes, pour le remercier d'avoir contraint Démétrios Poliorcète, roi de Syrie, à lever le siège de la ville en 305 av. J.-C. Lorsque « le Preneur de villes » – tel était son surnom – battit en retraite, il abandonna ses engins de siège. C'est la vente de ces armes qui finança l'exécution du Colosse.

Le projet fut confié à Charès qui a sans doute dessiné un personnage à la chevelure bouclée, agitée par le vent et surmontée d'une couronne de flammes triangulaires ; cette coiffure était en effet caractéristique du dieu solaire. L'artiste a peut-être donné au Colosse un visage réaliste, presque de chérubin, aux lèvres légèrement entrouvertes, proche du portrait d'Hélios frappé sur les pièces de monnaie de l'époque. La statue étincelante qui dominait la ville, émouvait aussi bien les Rhodiens que les étrangers.

FICHE SIGNALÉTIQUE

Hauteur	33 m
Poitrine	18,5 m
Aisselles (longueur)	6,2 m
Cuisses	3,5 m
Chevilles	1,5 m

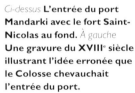

Ci-dessus **L'entrée du port Mandarki avec le fort Saint-Nicolas au fond.** *À gauche* **Une gravure du XVIIIᵉ siècle illustrant l'idée erronée que le Colosse chevauchait l'entrée du port.**

Portrait d'Hélios sur une pièce de monnaie rhodienne.

La construction du Colosse

Les dimensions du Colosse ne permettaient pas de fondre indépendamment les membres et le corps que l'on aurait ensuite réunis. Philon rapporte que Charès a moulé toute la statue in situ, par étapes progressives. En 294 av. J.-C., il a commencé par couler les pieds dans un moule fixé sur une base en marbre blanc. Puis il a couler les jambes au-dessus des pieds, dans des moules soigneusement sculptés, et ainsi de suite jusqu'à ce que Colosse prit forme. La structure était donc creuse, soutenue à l'intérieur par un cadre en fer composé de barres transversales et lesté de blocs de pierre.

En même temps que Colosse, s'élevait la butte de terre sur laquelle travaillait les artisans chargés du moulage et de la fonte. Charès n'a pas vu à quoi ressemblait le Colosse avant que la dernière pièce ait été mise en place et que la butte de terre ait été dégagée. C'est là que réside tout son talent. Le Colosse n'est apparu dans toute sa splendeur qu'à l'achèvement des travaux.

Les quantités de bronze requises pour la fonte de la statue ont sans doute englouti toutes les réserves de cuivre et d'étain de l'île. Important carrefour commercial, Rhodes a importé les matériaux complémentaires. Peut-être que les problèmes d'approvisionnement en

Hypothèse de reconstitution du colosse de Rhodes. Seule une posture simple pouvait garantir la stabilité de la statue. Ses dimensions, son matériau et sa situation dominante suffisaient au Colosse pour attirer l'attention.

bronze expliquent en partie pourquoi le Colosse ne gagnait que 2 m à 2,5 m par an. Si la statue progressait lentement, c'était aussi parce qu'il fallait beaucoup de temps pour fondre et mouler le bronze, construire et surélever le tertre de terre, et façonner le Colosse lui-même. Afin que la statue résiste aux vents et aux intempéries, on lui a donné une forme de colonne : ses bras étaient plaqués le long du corps ou dressés au-dessus de la tête ; leur poids et leurs dimensions auraient rendu toute autre posture périlleuse.

On peut exclure l'idée, formulée par un pèlerin au XVᵉ siècle, que le Colosse dominait l'entrée du port. Dans ce cas, la portée entre les jambes aurait été de 120 m, ce qui est inimaginable.

Le Colosse est devenu extrêmement célèbre en dépit de sa brève existence. Achevé en 282 av. J.-C., il a été renversé par un tremblement de terre en 226 av. J.-C. Ses ruines sont restées une attraction touristique jusqu'à ce qu'un marchand syrien les ait emportées au VIIᵉ siècle.

Le phare d'Alexandrie

Datation : 297-283 av. J.-C.
Localisation : Alexandrie, Égypte

« Pharos est une petite île oblongue. [...] l'extrémité orientale de l'île est formée par un rocher [...] surmonté d'une tour à plusieurs étages, admirablement construite en marbre blanc, qui porte le même nom que l'île. »

STRABON, vers 64 av. J.-C.-21 ap. J.-C.

LE PHARE D'ALEXANDRIE est la Septième Merveille du monde antique. La construction de cet édifice, qui guidait les navires vers le port de la ville, a duré quinze années et a coûté la somme considérable de 800 talents. Commencé par Ptolémée Ier, il a été dédié sous le règne de Ptolémée II, vers 283 av. J.-C. Après les pyramides de Gizeh, il est le plus haut monument du monde antique.

Le phare s'élevait sur une île située à l'entrée du port d'Alexandrie, à l'emplacement de la forteresse de Qatbaï, bâtie par les Arabes au Moyen Âge. La tour centrale de la forteresse se dresse sans doute sur les fondations du phare à qui elle emprunte peut-être son plan de niveau et ses dimensions. La majeure partie des pierres utilisées pour construire ce fort provient du phare. Mais malgré les représentations schématiques figurant sur des pièces de monnaie ou des mosaïques, et les descriptions des auteurs classiques ou arabes, il est difficile de restituer l'aspect exact du monument. La tour d'Abousir, non loin d'Alexandrie, qui a sans doute pris modèle sur le phare, n'apporte guère plus de précisions. En 1961, un plongeur alexandrin a retrouvé, au fond de l'eau, au pied du fort de Qatbaï, des blocs colossaux et des vestiges de statues qui proviennent peut-être du phare. Depuis 1994, une équipe d'archéologues et de plongeurs français explore cette partie du port.

Un plongeur de l'équipe française de fouilles sous-marines examine un énorme bloc qui a peut-être jadis appartenu au phare.

FICHE SIGNALÉTIQUE

Hauteur	135 m environ
Coût	800 talents
Portée du signal lumineux	35 km environ

Le phare, formé de trois étages, atteignait environ 135 m de hauteur. L'étage inférieur était carré. Ses salles abritaient une garnison permanente, leurs animaux et leurs provisions. L'entrée, surélevée, était accessible par une rampe prenant appui sur la plate-forme qui entourait le phare. Un mur interne servait de soubassement aux parties supérieures de l'édifice auxquelles conduisait un escalier intérieur en colimaçon. L'étage du milieu était de forme octogonale, et l'étage supérieur, de forme circulaire. Au sommet se dressait une statue de Zeus.

La construction du phare

Nous pouvons émettre quelques hypothèses quant à la construction du phare. Il était bâti en pierre blanche, du calcaire local plutôt que du marbre, comme on le croit souvent. À certains endroits, on a utilisé le granite, beaucoup plus solide que le calcaire et capable de soutenir les lourdes charges pesant sur la base de la tour et sur les linteaux des portes. Nombre des blocs reposant au fond de l'eau sont de granite, et certains pèsent jusqu'à 75 tonnes.

Alexandrie était une des capitales du monde hellénistique. Aussi le monument était-il de style grec et non égyptien. Les archéologues français ont cependant retrouvé des statues égyptiennes dans le voisinage. Devant le phare se dressaient les statues colossales d'un Ptolémée et de son épouse. Pour hisser les pierres sur ce très haut monument, les bâtisseurs ont utilisé les techniques de construction des Grecs, grues et engins de levage y compris. Peut-être ont-ils aussi emprunté la rampe intérieure en spirale pour acheminer les matériaux dans les étages supérieurs.

Où doit-on situer le feu qui éclairait le phare ? Au sommet certainement, mais sous la statue de Zeus ou à côté ? Des animaux de bât transportaient peut-être le combustible en haut de la rampe, puis des engins de lavage prenaient le relais jusqu'au sommet. La lumière était sans doute amplifiée et orientée à l'aide d'un système de miroirs dont il ne reste aucune trace.

Plusieurs fois endommagé et restauré, le phare a survécu jusqu'au XIVᵉ siècle. Il a été gravement abîmé par un tremblement de terre, avant le XIIᵉ siècle ; on a ensuite étayé sa base et construit une mosquée au sommet. L'édifice s'est effondré en 1303, à la suite d'un nouveau séisme. En 1479, le fort de Qatbaï l'a remplacé.

Page opposée **Reconstitution artistique du phare d'Alexandrie.** *Ci-dessus* **Représentation schématique du phare sur une pièce de monnaie datant de l'empereur romain Commode (180-192 ap. J.-C.).** *À droite* **Détail d'une mosaïque de la basilique Saint-Marc, à Venise, qui montre un navire arrivant dans le port d'Alexandrie (XIIIᵉ siècle) ; le phare existait encore lorsque la mosaïque a été exécutée.**

Tombes et nécropoles

BEAUCOUP de monuments célèbres ne sont ni des palais, ni des temples destinés aux vivants, mais des sépultures pour les morts. Pyramides en Égypte, tombe de l'empereur chinois Qin Shi Huangdi, tumulus funéraires en Europe, tous ont été construits pour durer éternellement et pour impressionner les hommes qui les contemplaient. En Égypte, les habitations, y compris les palais royaux, étaient en briques de terre crue. Elles ont laissé peu de traces alors que les temples et les tombes, bâtis en pierre ou creusés dans la roche, ont résisté aux outrages du temps.

Certains des ouvrages architecturaux les plus imposants des temps anciens sont donc des tombeaux grandioses, qui dominaient le paysage environnant. Parmi les Sept Merveilles du monde antique, deux entrent dans cette catégorie : les pyramides de Gizeh et le mausolée d'Halicarnasse. Les sépultures des souverains nabatéens à Pétra, avec leurs façades richement décorées qui masquent de simples chambres taillées dans la roche, sont un autre exemple de ces extraordinaires monuments funéraires. À Angkor Vat, au Cambodge, la tombe prend la forme d'un temple orné de sculptures et chargé de symboles ; elle indique la place du souverain semi-divin dans l'ordre cosmique. Les pyramides mochicas au Pérou, ou le tertre en forme de trou de serrure de l'empereur Nintoku au Japon, visaient eux aussi à émerveiller les hommes.

Mais ce n'est pas l'unique fonction de ces vastes monuments qui devaient également pourvoir aux besoins du mort dans l'au-delà, selon les croyances

La tombe mégalithique de Newgrange, qui abrite une chambre funéraire, est datée de 3 100 av. J.-C. C'est l'un des plus grands monuments funéraires préhistoriques de l'Europe de l'Ouest.

des époques et des sociétés concernées. La super-structure recouvre souvent des salles funéraires complexes. La tombe de Qin Shi Huangdi située au pied du mont Li et scellée après les funérailles, n'a pas encore livré ses secrets. Mais, d'après les chroniques anciennes, elle renfermerait un palais souterrain arrosé par des fleuves de mercure.

Les chambres funéraires sont souvent plus élaborées que la superstructure. C'est le cas de celle de Pakal, roi maya de Palenque, plus remarquable que la pyramide qui la recouvre. À Mycènes, rien ne révèle l'existence de la salle funéraire du trésor d'Atrée, une construction étonnante par ses dimensions et sa forme conique, qui est enterrée sous une colline. Il en va de même des tombes égyptiennes de la vallée des Rois, telle celle de Sethi Ier, qui renferme un splendide décor.

Contrairement à ceux qui sont enterrés, les monuments funéraires qui s'élèvent au-dessus du sol pouvaient délivrer durablement des messages, aujourd'hui plus ou moins faciles à déchiffrer. La nécropole étrusque de Cerveteri, en Italie, abrite des tombes de dimensions et de styles différents, appartenant à une période de plusieurs siècles. On observe ici l'évolution des traditions funéraires, liées aux transformations de la société. Les grandes

tombes circulaires de la première phase cèdent la place à des rues bordées de tombes plus modestes et plus uniformes ; cette dernière organisation reflète peut-être le paysage urbain de l'ancienne cité de Cerveteri.

Les tombes préhistoriques, comme celle de Newgrange en Irlande, gardent leur secret. Ce monument, qui étonne par ses dimensions et le décor sculpté sur les pierres de la bordure circulaire, dans le couloir et la chambre, a exigé des efforts considérables de la part des bâtisseurs.

Les ossements humains découverts à l'intérieur, piétinés et éparpillés par des générations de visiteurs, n'ont guère livré d'informations sur les pratiques funéraires des hommes préhistoriques. On remarque cependant que tous les ans, lors du solstice d'hiver, le soleil levant filtre à travers le toit à caisson qui surmonte l'entrée pour éclairer le sol de la salle.

Il est difficile de concevoir un symbole plus explicite : le soleil mourant de la fin de l'année illumine le lieu de l'inhumation, offrant ainsi au défunt l'espoir de la résurrection. En l'absence de sources écrites, il est difficile d'interpréter ces croyances avec certitude, mais la structure de la tombe nous en donne une idée générale.

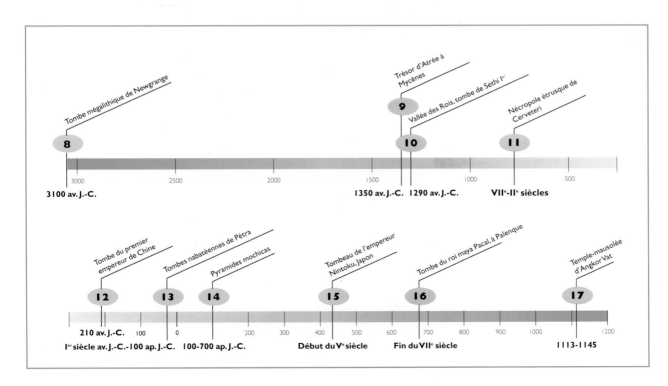

50

La tombe mégalithique de Newgrange

Datation : vers 3100 av. J.-C.
Localisation : vallée de la Boyne, Irlande

« J'ai également vu dans ce royaume un monument très curieux. Dressé dans un lieu appelé Newgrange, c'est un tertre ou tumulus d'une hauteur considérable, entouré de grandes pierres élevées sur une extrémité, autour de la base. »

EDWARD LHWYD, 1700.

NEWGRANGE, un des plus grands monuments funéraires de l'Europe occidentale, s'élève sur une colline orientée face au sud, qui surplombe la vallée de la Boyne. Il se trouve à 50 km au nord de Dublin. Érigé vers 3 100 av. J.-C., il fait partie d'une nécropole de tombes à couloir qui compte deux autres grands tumulus (Knowth et Dowth) et plusieurs petits tertres. Les tombes à couloir se caractérisent par un passage en pierres qui mène à la chambre funéraire et permet des inhumations successives. Newgrange se distingue par ses dimensions, par le caisson surmontant l'entrée et par la richesse de son décor.

Durant quelques jours autour du solstice d'hiver (21 ou 22 décembre), le toit à caisson, aménagé au-dessus de l'entrée du couloir, laisse pénétrer le soleil qui traverse le passage et éclaire la chambre funéraire. Pour parvenir à ce résultat, les hommes de la préhistoire ont dû observer le ciel pendant des années. Peut-être ont-ils indiqué la position correcte du tumulus et de ses aménagements intérieurs en effectuant leurs visées à l'aide de perches en bois. Le projet semble donc avoir été parfaitement mûri.

Ci-dessus **Newgrange et le tumulus voisin de Knowth possèdent le plus riche décor de l'art mégalithique de l'Europe de l'Ouest. Parmi les motifs, figurent des spirales et des losanges.** *À gauche* **Coupe de la tombe, montrant les rayons du soleil qui illuminent la chambre funéraire pendant le solstice d'hiver.**

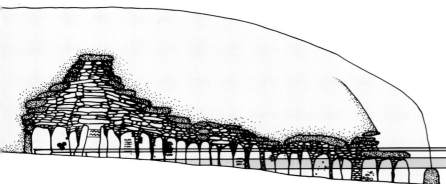

Les deux pierres les plus ornées de Newgrange se dressent à l'entrée (K1) et à l'arrière (K52) de la tombe, dans la bordure circulaire du tumulus. Contrairement aux autres pierres de la bordure, elles ont été décorées après avoir été mises en place et elles conservent des tracés du plan d'origine. Une ligne verticale y indique l'axe exact du tumulus et a peut-être servi de ligne de visée. Sans doute avait-elle aussi une signification symbolique. L'axe passe par la pierre (C8) située au fond de la chambre funéraire, près d'un angle, plus précisément par un point indiqué par deux triangles opposés. Les relevés montrent que les architectes ont utilisé une unité de mesure de 13,1 m environ. K1 est à 26 m de C8, elle-même distante de 52 m de K52. Sur le périmètre du tumulus, les points principaux sont liés les uns aux autres par la même unité de mesure. Sans doute les a-t-on calculés avant de dessiner le reste de la bordure.

Pour construire la bordure circulaire, le couloir et la chambre, il a fallu 550 dalles environ. À quelques rares exceptions près, elles sont toutes en grauwacke, une ardoise grossière gris-vert dont il existe des affleurements près de Newgrange. Ces grosses pierres ont probablement été ramassées et non pas extraites. Cependant, le transport des blocs jusqu'à la colline de Newgrange, effectué par la petite équipe des bâtisseurs, constitue un exploit.

La construction de la tombe

La bordure circulaire, le couloir et la chambre ont été construits en même temps. La couverture de la chambre a été l'opération la plus complexe. Dans certaines tombes de ce type, la salle est couverte d'un seul gros bloc de pierre. Les bâtisseurs de Newgrange ont adopté une autre solution : ils ont érigé une voûte en

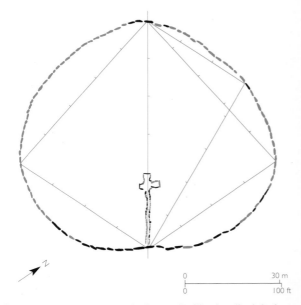

FICHE SIGNALÉTIQUE	
Quantité de matériaux du tumulus	200 000 tonnes
Pierres de la bordure circulaire	97
Pierres ornées de la bordure	31
Pierres du couloir et de la chambre	450 environ
Pierres décorées du couloir et de la chambre	44
Diamètre maximum de la bordure	85,3 m
Longueur du couloir	18,95 m
Hauteur de la voûte en encorbellement	6 m

0	30 m
0	100 ft

Ci-dessus **Plan de Newgrange indiquant l'utilisation d'unités de mesure de 13,1 m.** *À gauche* **Newgrange après la restauration qui a suivi les fouilles des années 1962-1975.**

encorbellement, en superposant des assises de pierres qui se rapprochent progressivement jusqu'au sommet, fermé par une seule dalle.

Les pierres habilement empilées forment une structure très solide. En se tassant ou en s'inclinant, elles se sont liées entre elles encore plus fermement. Cette technique, qui a réclamé moins d'ouvriers que la pose d'une énorme dalle de couverture, exigeait une grande habileté de la part des quelques douzaines d'hommes qui l'ont mise en œuvre.

Ceux-ci ont également prouvé leur savoir-faire en aménageant la fenêtre ouverte au-dessus de l'entrée. Une fois le couloir et la chambre achevés, ils ont élevé le tumulus.

Les terrasses caillouteuses de la Boyne leur ont fourni de grandes quantités de pierres érodées par l'eau. Les bâtisseurs ont également utilisé du granite noir et de la granodiorite du nord de l'île, ainsi que du quartz blanc des monts Wicklow, au sud. À l'aide des morceaux de quartz, de granite et de granodiorite retrouvés près de l'entrée, les archéologues ont reconstitué le tumulus de Newgrange en lui donnant la forme d'un tambour et en entourant ses parois abruptes d'un impressionnant mur de quartz incrusté de granite et de granodiorite.

Mais cette reconstitution est hypothétique. Rien ne prouve que le quartz, le granite et la granodiorite ne proviennent pas plutôt d'une cour pavée.

Il n'est cependant pas douteux que Newgrange, avec sa bordure de pierres décorées et probablement recouvertes de couleurs vives, qui dissimulaient la chambre funéraire surmontée d'une étonnante voûte en encorbellement où pénétrait le soleil du solstice d'hiver, était jadis un édifice extraordinaire.

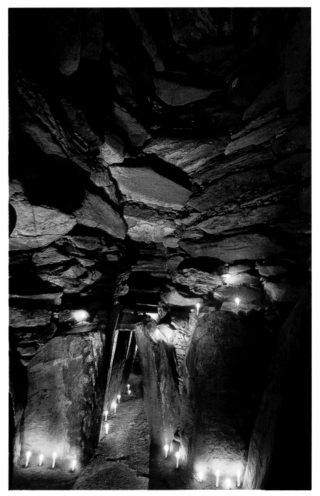

Ci-dessus **Vue du couloir et de la haute voûte en encorbellement qui domine la chambre funéraire de Newgrange.**

Le trésor d'Atrée à Mycènes

Datation : vers 1350 av. J.-C.
Localisation : Mycènes, Péloponnèse, Grèce

*« Le plan de la tombe révèle une réflexion élaborée, une intention précise ainsi qu'une imagination hardie [...].
Le maître inconnu de l'âge du bronze qui a conçu et bâti le trésor d'Atrée prend place parmi les grands
architectes du monde. »*

A. J. B. WACE, 1949.

LE TRÉSOR d'Atrée, qui est en réalité un tombeau, doit son nom au fait que l'on a longtemps cru que l'édifice abritait les trésors du roi Atrée, le père d'Agamemnon. On ignore l'identité du destinataire de la sépulture, construite vers 1350 av. J.-C., au sud-ouest de la citadelle de Mycènes. Avec une chambre principale qui s'élève à plus de 13 m de hauteur et un couloir d'entrée long de 37 m, le tombeau est tout à fait digne d'un roi. Sa monumentalité témoigne de la puissance et de la richesse du mort et de la communauté à laquelle il appartenait. Le trésor d'Atrée, remarquable réalisation de l'architecture antique, se distingue par ses dimensions et par la qualité de ses finitions.

La tombe à tholos mycénienne était réservée aux grands dignitaires ou aux membres de la classe dirigeante. Creusée dans une colline, elle est de plan circulaire – d'où son nom. Elle est surmontée par une voûte parabolique qui lui donne une forme conique. Peut-être originaire de Crète, la tombe à tholos a remplacé les simples tombes à puits, en usage de l'âge du bronze moyen au bronze récent. On en connaît des exemples plus anciens, mais cette forme domine surtout à partir du début de l'âge du bronze récent, époque à laquelle elle se répand largement en Grèce continentale. Il existe des variantes régionales, mais en général la forme et la fonction demeurent les mêmes.

La construction de la tombe

La tombe est entièrement bâtie avec des pierres soigneusement taillées. La façade était parée de marbre vert et rouge. La porte d'entrée était flanquée de demi-colonnes soutenant chacune une demi-colonne plus petite. Celles-ci étaient décorées de motifs en zigzags

Ci-dessus **Le dromos et la porte d'entrée du trésor d'Atrée. Une pierre sculptée condamnait jadis la cavité triangulaire au-dessus de l'entrée.** *À droite* **Vue de l'intérieur de la tombe par E. Dodwell (1827) ; à gauche, l'entrée de la chambre annexe.**

FICHE SIGNALÉTIQUE

Dromos (couloir d'entrée)		**Stomion** (porte d'entrée)	
Longueur	37 m	Largeur	2,6 m
Largeur	6 m	Hauteur	5,4 m

Chambre	
Diamètre	14,5 m
Hauteur	13,2 m

et spirales. Des spirales ornaient également la pierre qui remplissait jadis l'espace triangulaire, aujourd'hui vide, qui domine le linteau de la porte.

Les bâtisseurs ont d'abord taillé le couloir d'entrée dans la colline et dégagé les déblais. La durée de cette opération a été fonction du nombre de paysans disponibles. Elle a sans doute été de deux mois ou plus. Puis, les ouvriers ont creusé l'espace réservé à la tombe. Les premières pierres posées ont été celles du couloir afin d'éviter que les parois ne s'effondrent. Les pierres de construction provenaient d'une carrière locale, située à 1 km de la tombe. Les carriers taillaient la roche autour du bloc désiré avant de le dégager avec des coins et des leviers. La mise en place de la première assise n'a pas présenté de difficultés. Il en a été autrement pour les assises supérieures, car il a fallu hisser les pierres. Cela a demandé beaucoup d'efforts et d'ingéniosité. Les blocs ont été entourés de cordes puis soulevés et mis en position par des équipes de paysans, installées au-dessus du couloir d'entrée. La même méthode a sans doute été adoptée pour réaliser la chambre. Les pierres de cette salle ne sont pas posées exactement les unes sur les autres, mais en très légère saillie, de façon à former une voûte en encorbellement qui couvre tout le

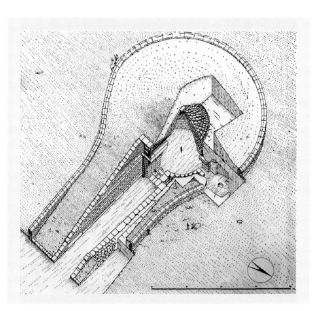

Cette reconstitution de la tombe montre la voûte et l'intérieur des chambres principale et annexe.

diamètre intérieur. Une fois la chambre construite aux deux tiers, et avant la pose des dernières assises, on a érigé l'entrée. Comme le couloir et la chambre, elle a été revêtue de blocs de parement bien ajustés. Deux linteaux monolithes, dont un de plus de 100 tonnes, ont été placés au-dessus de l'entrée. À cet endroit, les bâtisseurs ont ménagé un espace vide dans la voûte en encorbellement, de façon à ce que la poussée de la coupole s'exerce sur les murs et non sur les linteaux. Cette cavité a ensuite été obstruée par une pierre sculptée. La porte, disparue, était sans doute en bois. Il a fallu entre six mois à un an pour bâtir cette tombe à tholos. Des ouvriers ont extrait les pierres, les ont transportés et mis en place, tandis que des sculpteurs ont façonné les colonnes de l'entrée et la décoration de la façade. On peut s'étonner qu'autant d'efforts aient été accomplis pour construire une sépulture, recouverte et dissimulée aux regards après son achèvement.

La vallée des Rois : la tombe de Sethi Ier

Datation : vers 1320-1298 av. J.-C.
Localisation : Louxor, Égypte

« Par la finesse de son exécution, [la sépulture de Sethi Ier] surpasse toutes les autres tombes de Bîbân el-Mulûk. »
GEORG STEINDORFF, 1902.

LA VALLÉE des Rois, près de la ville de Louxor, est l'un des plus grands sites archéologiques du monde. Dominée par la cime pyramidale d'une montagne et dissimulée par une rangée de falaises, la vallée s'étend sur la rive ouest du Nil, en face de Karnak. Elle abrite 62 hypogées (tombes creusées dans la roche) appartenant à des rois, des reines et des grands dignitaires du Nouvel Empire (v 1580-1085 av. J.-C.). La tombe la plus connue, celle de Toutankhamon (v. 1361-1352 av. J.-C.), a été découverte en 1922 par Howard Carter. Elle doit sa célébrité au fabuleux trésor qu'elle renfermait, et non à son architecture ou à ses peintures. C'est en effet l'une des sépultures les plus petites et les moins marquantes de la vallée. La plus belle et la plus complète est celle du roi Sethi Ier (v. 1320-1298 av. J.-C.). Très bien conçue et superbement décorée, elle compte parmi les monuments funéraires les plus remarquables de l'Antiquité.

La tombe de Sethi Ier, destinée à protéger la momie et les biens du mort, n'est qu'un élément du complexe funéraire. Elle est associée à un temple funéraire, où l'on rendait le culte au pharaon défunt, érigé à quelque 2 km à l'est du tombeau, près du Nil. Sethi Ier a également fait

1 **Creusement d'une salle qui est ensuite enduite de plâtre.**
2 **Chambre funéraire : préparation de la décoration.**
3 **Correction des dessins et sculpture des reliefs.**
4 **Salle latérale : peinture des reliefs.**
5 **Le sarcophage est descendu dans la chambre funéraire.**

FICHE SIGNALÉTIQUE

Durée de la construction	16 ans environ
Longueur de la tombe	110 m environ
Nombre d'ouvriers	entre 30 et 50 hommes
Volume de pierres extrait	3 000 m³ environ

édifier un cénotaphe et un temple à Abydos (à une centaine de kilomètres au nord), la ville sainte d'Osiris, le dieu des morts.

La conception de la tombe

Chaque nouveau pharaon avait à peine enterré son prédécesseur qu'il commençait à travailler à sa propre tombe. Le choix de l'emplacement était très important.

Les premiers hypogées ont été creusés à flanc de falaise. Les suivants, y compris celui de Sethi Ier, se sont rapprochés de la vallée. Il existait probablement un plan général indiquant la position des sépultures, afin d'éviter que les nouvelles excavations ne débouchent dans d'anciennes tombes ; néanmoins de tels accidents se sont parfois produits. En effet, si les premiers rois avaient installé leur dernière demeure dans cette vallée

isolée, c'était en grande partie pour des raisons de sécurité, et ils avaient pris soin de bien dissimuler l'entrée de leur tombeau. Après Sethi Ier, les entrées se sont faites beaucoup moins discrètes.

L'hypogée de Sethi Ier se compose d'une série de couloirs descendants, de salles à piliers et d'un large puits destiné à arrêter les voleurs. Il a pris modèle sur la tombe du roi Horemheb (v. 1352-1320 av. J.-C.). On a retrouvé des plans des tombes royales, tracé sur un papyrus. Certains plans n'ont peut-être pas fait partie du processus de création et auraient été dessinés après coup pour conserver la trace du monument achevé. Le programme décoratif de la tombe de Sethi Ier, soigneusement élaboré et archivé, a ainsi pu servir de modèle pour les tombes de ses successeurs. La majeure partie du décor s'inspire de textes religieux qui évoquent le voyage nocturne du Soleil, auquel est assimilé le pharaon, et la renaissance de l'astre à l'aube. Il comporte également des représentations de Sethi Ier en compagnie de différentes divinités et des scènes astronomiques.

La **Vallée des Rois** : le sommet de l'entrée de l'hypogée de **Séthi Ier** est visible dans le coin inférieur gauche.

Ci-dessus **Tailleur de pierre, avec un ciseau et un maillet de bois. Croquis sur un éclat de calcaire, en provenance du village des ouvriers de la nécropole, à Deïr el-Médineh.**

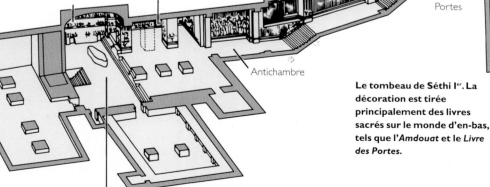

Amdouat

Amdouat et plafond astronomique

Livre des Portes

Livre des Portes

Tombe de Sethi Ier

Antichambre

Salle du sarcophage

Le tombeau de **Séthi Ier**. La décoration est tirée principalement des livres sacrés sur le monde d'en-bas, tels que l'*Amdouat* et le *Livre des Portes*.

Le creusement de la tombe

Un rituel de fondation précédait les travaux, qui consistait à déposer des offrandes et des modèles d'outils dans des puits – certains ont été mis au jour – situés à l'extérieur des tombes. Le sol était ensuite déblayé, puis les tailleurs de pierre entraient en action : ils creusaient le calcaire tendre de la vallée, de qualité très variable d'un endroit à l'autre. Parfois, des fissures importantes conduisaient à modifier le plan initial, et certains nodules de silex, incrustés dans les parois, ne pouvaient être ôtés. Les artisans taillaient la pierre avec des lames ou de ciseaux, en cuivre ou en bronze, et des maillets en bois. Les scribes tenaient le compte précis des entrées et des sorties des outils pour éviter les vols. Les ciseaux en métal, qui s'usaient facilement, retournaient souvent dans les ateliers où ils étaient aiguisés. Des ouvriers munis de paniers en osier évacuaient hors de la tombe les éclats de calcaire que les tailleurs de pierre détachaient de la roche.

Dès que le creusement de la première salle était achevé définitivement, les plâtriers préparaient les parois pour la décoration. Quand le calcaire était de bonne qualité, une fine couche de gypse suffisait pour égaliser la surface. Dans le cas contraire, on pouvait utiliser du plâtre pour remplir les fissures.

Litanies de Rê

Amdouat

La décoration

Dès que les plâtriers quittaient une salle, les artistes les relayaient. Les dessinateurs traçaient à l'encre rouge les dessins préparatoires des scènes et des textes qui devaient décorer les différentes parois. L'échelle des hiéroglyphes et des personnages variait en fonction du nombre de registres, ou longues bandes, qui divisaient la paroi. Le dessin terminé, le chef des dessinateurs l'examinait et apportait si nécessaire ses corrections à l'encre noire. Les tombes étaient souvent inachevées au moment du décès des souverains. C'est pourquoi de nombreux dessins n'ont jamais été sculptés.

Les sculpteurs succédaient aux dessinateurs pour transformer les dessins en reliefs saillants. Après que les sculpteurs avaient taillé les hiéroglyphes et les autres motifs en ôtant la pierre autour des contours indiqués, leur maître sculptait les détails des figures qui apparaissaient en saillie. Les peintres s'occupaient ensuite des finitions. Avec des brosses végétales, ils appliquaient des couleurs obtenues à partir de pigments minéraux, délayés avec de l'eau dans de petits pots. Les contours étaient soulignés par du noir, du rouge ou du blanc. Le plafond de la tombe n'était pas sculpté, mais peint.

Pendant les travaux, la tombe grouillait de vie. Le creusement, le plâtrage, le dessin, la sculpture et la peinture avaient lieu en même temps. Les artistes voyaient passer continuellement des paniers emplis d'éclats de calcaire. Plus les hommes s'enfonçaient dans la tombe, plus la lumière naturelle faiblissait jusqu'à disparaître complètement. Pour s'éclairer, ils utilisaient des coupes en terre cuite emplies de graisse ou d'huile, dans lesquelles brûlaient des mèches en lin. En se fondant sur le nombre de bougies livrées aux ouvriers, scrupuleusement enregistré par les scribes, on a calculé que la journée de travail dans la vallée des Rois était de huit heures.

À droite **Décor peint sur le plafond de la chambre funéraire de Séthi Iᵉʳ, montrant les constellations septentrionales.**

La déesse Nephthys, protectrice des morts, avec ses ailes déployées : c'est l'un des plus fins reliefs peints de la chambre funéraire de Séthi Iᵉʳ.

Les ouvriers de la tombe

On a la chance de bien connaître la vie des hommes qui ont travaillé aux tombes royales. Ils habitaient Deir el-Medineh, de l'autre côté de la montagne qui sépare la vallée du Nil. Un sentier reliait le village à la nécropole royale, dont l'entrée était sévèrement contrôlée pour garantir la sécurité des tombes. Les ouvriers de Deir el-Medineh étaient exceptionnellement cultivés pour l'époque. Ils nous ont laissé de nombreux témoignages écrits – lettres, notes, comptes, documents légaux – sur leur vie quotidienne.

Placés sous l'autorité d'un contremaître, ils étaient divisés en deux équipes, la « droite » et la « gauche ». Mais on ignore si chacune était effectivement affectée à un côté de la tombe. Le nombre d'ouvriers variait en fonction des phases de la construction. Si le roi était âgé ou malade lorsqu'il accédait au pouvoir, il mobilisait sans doute une équipe importante pour accélérer le travail.

Le tombeau de Ramsès II, le fils de Sethi Iᵉʳ, a d'abord employé 52 hommes, puis 35 vers la fin des travaux. Les registres indiquent que l'absentéisme était fréquent. Parmi les raisons invoquées figuraient : la momification de proches, des querelles familiales, la préparation de la bière et l'ivresse. Les ouvriers de Deir el-Medineh ont aménagé pour eux-mêmes de fort jolies tombes sur les pentes de la montagne, au-dessus du village.

L'histoire récente

Lorsque l'aventurier italien Giovanni Belzoni a découvert la tombe de Sethi Iᵉʳ, en 1817, elle était dans un état de conservation remarquable. Les couleurs étaient aussi vives que le jour de la fermeture de la sépulture. Depuis, la tombe a beaucoup souffert. Les pilleurs ont détruit nombre de reliefs en détachant des morceaux de la paroi pour les revendre. Les voyageurs du XIXᵉ siècle et du début de XXᵉ ont noirci les plafonds avec leurs torches. Les flots de touristes qui les ont suivis ont endommagé les peintures en se frottant accidentellement aux parois. L'accroissement de l'humidité provoqué par la respiration des visiteurs a eu des effets catastrophiques sur les peintures. La tombe est fermée au public. Elle le restera tant que des solutions pour préserver ce monument unique n'auront pas été trouvées.

La nécropole étrusque de Cerveteri

Datation : VIIᵉ au IIᵉ siècle av. J.-C.
Localisation : Latium, Italie centrale

« Elles sont si tranquilles et amicales, ces tombes creusées dans le roc souterrain. On n'éprouve nulle oppression en y descendant. Cela doit être dû en partie au charme particulier et naturel des proportions, qui existe dans toutes les œuvres étrusques non altérées par les Romains. »

D. H. LAWRENCE, 1932.

« Nécropole » signifie « ville des morts ». C'est exactement ce qu'est celle de Cerveteri, une sorte d'agglomération conçue pour l'au-delà. Délabrés ou bien ordonnés, les édifices de ce cimetière dégagent une impression de bien-être, comme ceux d'une cité longuement occupée. Pourtant, la nécropole n'a jamais été « habitée », comme en témoigne son surnom de *Banditaccia*, qui dérive de *terra bandita*, la « terre interdite ».

Les habitants de la ville étrusque de Cerveteri, située sur un plateau face à la nécropole, ont créé à la Banditaccia une réplique de leur espace urbain et domestique. Creusé dans la pierre volcanique et destiné à durer éternellement, le cimetière évoque aujourd'hui la cité disparue. Si la plupart des tombes ont été depuis longtemps profanées et pillées, la nécropole a cependant conservé son identité étrusque. Ses bâtisseurs n'ont pas cherché à créer la merveille que l'on admire aujourd'hui. Ils ont simplement aménagé un lieu familier et rassurant, avec des éléments empruntés à la vie quotidienne.

Une voie principale, défoncée par les roues des chars, forme l'axe longitudinal de la Banditaccia. Appelée Via degli Inferi, ou rue des Enfers, elle reliait jadis la cité des morts à la porte nord de la Cerveteri des vivants. Tous les cortèges funéraires, composés des proches du défunt et de musiciens, empruntaient cette voie bordée de sépultures, aujourd'hui envahie par la végétation ; la déposition du corps s'accompagnait de festivités célébrées devant l'entrée de la tombe.

La vue que l'on a aujourd'hui de la Via degli Inferi est trompeuse. Les restaurations ont en effet mis en évidence des tombes et leurs entrées qui étaient jadis discrètement dissimulées. On distingue encore les deux principales phases de construction du site. Les

Vue aérienne de la nécropole de la Banditaccia. La Via degli Inferi est bordée par des tombes circulaires des VIIᵉ et VIᵉ siècles av. J.-C.

Intérieur de la tombe des Boucliers et des Sièges (milieu du VIe siècle av. J.-C.). Les linteaux, les chevrons et les lits reproduisent dans la pierre des modèles originaux en bois. Le trône est peut-être la réplique d'un siège en bronze.

grands tumulus circulaires, abritant parfois plusieurs tombes, datent de la première phase qui s'étend du VIIe au VIe siècle av. J.-C. La terre empilée au-dessus leur donne un aspect grandiose. On accède aux chambres funéraires, creusées dans le tuf, par une porte aménagée dans l'enceinte. Les tertres, qui semblent disposés au hasard, sont entourés par des petites tombes satellites, de même forme. Ces sépultures reflètent sans doute le régime aristocratique de la cité archaïque de Cerveteri.

Avec la seconde phase, qui commence vers 500 av. J.-C., apparaît une nette uniformisation. Les séries orthogonales des tombes, de forme cubique et régulière, semblent obéir à un programme. Cette évolution correspond peut-être à l'émergence d'un modèle urbain plus « égalitaire ». Lorsque l'espace a commencé à s'amenuiser à l'intérieur de la nécropole, les familles ont installé de grands hypogées souterrains. Ceux-ci ont renoué avec une certaine extravagance, comme en témoigne la tombe dite des Reliefs (fin du IVe siècle av. J.-C.), dont les parois sont ornées de sculptures polychromes en stuc.

Jusqu'à son abandon, au Ier siècle av. J.-C., après que Cerveteri est passée sous administration romaine, la Banditaccia s'est couverte de tombes ressemblant à des maisons. Cette volonté de copier l'architecture domestique explique la présence de fausses poutres de plafond – les sépultures creusées dans la roche n'ont pas de toit à soutenir – et celle de hachures qui évoquent le chaume des toitures. On a également taillé dans la roche des sièges et des lits qui reproduisent des meubles en bois.

À l'origine, bien d'autres éléments évoquaient la vie quotidienne. Ainsi, la tombe archaïque des Dolia doit son nom à onze immenses jarres destinées à conserver des vivres. Certains aménagements relèvent d'une pure fantaisie architecturale, d'autres sont inspirés par des croyances religieuses. Les bases carrées ou rondes des grandes tombes circulaires ne dérivent apparemment pas des cabanes en bois. La disposition intérieure de colonnes, taillées dans la pierre et coiffées de chapiteaux variés (y compris de forme éolienne, originaire d'Asie Mineure, dans la tombe aux Chapiteaux, du milieu du VIe siècle av. J.-C.), évoque plus un temple qu'une demeure. Peut-être s'agissait-il de sépultures de prêtres. Il est par ailleurs certain que les Étrusques considéraient leurs ancêtres défunts comme des demi-dieux.

FICHE SIGNALÉTIQUE

Surface accessible du site   10 hectares
Nombre de tombes   plus de 1 000

La tombe du premier empereur de Chine

Datation : 210 av. J.-C.
Localisation : province de Shaanxi, Chine

« L'univers entier est le royaume de Qin Shi Huangdi. »
Texte d'une stèle, 219 av. J.-C.

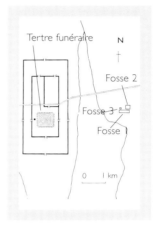

LE TOMBEAU du premier empereur de Chine, Qin Shi Huangdi, mort en 210 av. J.-C., se trouve à mi-chemin entre le mont Li et l'actuelle Xi'an. À ce jour, il n'a pas encore été fouillé. D'après la description qu'en a faite, au Iᵉʳ siècle av. J.-C. le grand historien chinois Sima Qian, le tombeau fut conçu comme une représentation de l'univers. Sa construction a mobilisé plus de 700 000 hommes (deux fois plus que celle de la Grande Muraille). Il serait empli d'objets précieux et de reproductions de palais et édifices administratifs. Un habile mécanisme y ferait couler des réseaux de mercure évoquant la mer, les fleuves Jaune et Bleu (Huang He et Yangzi Jiang) ainsi que toutes les grandes rivières de Chine. Au plafond figureraient les constellations célestes, et sur le sol, les configurations géographiques. Le tombeau avait été pourvu de lampes à huile de baleine, censées brûler indéfiniment, et d'arbalètes à déclenchement automatique pour accueillir les éventuels pillards. Sima Qian, fasciné par cette accumulation de merveilles, n'a même pas mentionné l'armée en terre cuite, qui nous impressionne tant aujourd'hui.

La tombe devait inspirer une crainte révérencielle aux sujets de l'empereur de Chine. Le tumulus, haut de 115 m, était planté d'arbres et revêtu d'herbe. Il était entouré par une double muraille, de 10 m à 12 m de hauteur, ponctuée par des tours aux angles et aux entrées. À l'intérieur de cette enceinte s'élevaient de vastes temples, des édifices réservés à l'empereur et des bâtiments administratifs. Le complexe funéraire de Qin Shi Huangdi, qui s'étend bien au-delà de la tombe de l'empereur, couvre 2,5 km². Les archéologues y ont découvert 400 dépôts contenant du matériel funéraire. Outre l'armée d'argile, on a retrouvé deux magnifiques quadriges en bronze, manœuvrés chacun par un conducteur. On a également mis au jour une fosse reproduisant une écurie et des centaines de petites fosses contenant

À gauche **Plan du complexe funéraire. Les fosses de l'armée impériale se trouvent du côté est.** *Ci-dessous* **Après deux millénaires d'existence, le tumulus de la tombe atteint encore 50 m de hauteur. Sa circonférence est de 1,5 km.**

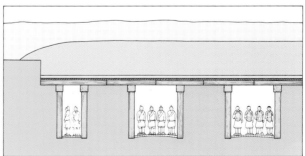

Les fosses abritant l'armée de terre cuite étaient couvertes de planches, posées sur des traverses que soutenaient de solides poteaux encastrés dans les murs de la tranchée. Les planches étaient revêtues de nattes tapissées d'argile.

Superficie du complexe funéraire : 2,5 km²

Tumulus

Nord-sud	350 m
Est-ouest	345 m
Hauteur	(à l'origine) 115 m
	(actuelle) 43-76 m

Mur extérieur

Nord-sud	2165 m
Est-ouest	940 m
Largeur de la base	8 m
Hauteur	(à l'origine) 10-12 m
	(actuelle) sur une petite partie 2-3 m

Mur intérieur

Nord-sud	1 355 m
Est-ouest	580 m

Mur souterrain

Nord-sud	460 m
Est-ouest	392 m
Profondeur	2,7 à 4 m sous la surface du sol

Distance entre le mur extérieur et la fosse n° 1 emplie de soldats : 1 225 m

des personnages agenouillés à côté de sépultures de chevaux ou de squelettes de chevaux. Cet ensemble évoquait les écuries et les ménageries impériales.

Hormis le tumulus et des fondations en terre, peu de vestiges dépassent aujourd'hui du sol. Néanmoins, les tuiles, les tuyaux et le matériel en bronze retrouvés par les archéologues nous renseignent sur l'architecture du complexe. Les édifices étaient construits de manière traditionnelle, sur une plate-forme en terre. Des poteaux de bois, posés sur des socles en pierre, supportaient les toits couverts de tuiles. Les murs, non porteurs, en briques et en blocaille, étaient revêtus d'un enduit de plâtre. Le sol était pavé de larges dalles ornées de motifs en creux. La plate-forme soutenant les constructions abritait une installation hydraulique, formée de citernes et de tuyaux. On a retrouvé des pièces de bronze, qui renforçaient les joints d'angle des piliers et recouvraient les poutres du plafond, auxquelles étaient fixés des milliers de pendentifs. Ceci correspond aux descriptions de l'époque qui font état de chevrons décorés de perles, d'ornements de jade et de plumes vertes.

Si la tombe elle-même n'a pas encore été ouverte, l'étude de sépultures antérieures et postérieures donne des indi-

La fosse n° 1 contenait 6 000 soldats rangés en ordre de bataille et répartis dans onze couloirs parallèles de 200 m de longueur. Le sol, pavé de briques, était légèrement convexe pour faciliter l'écoulement des eaux.

cations sur son architecture. À l'époque des Royaumes combattants (475-221 av. J.-C.), on a érigé les premières tombes à tumulus et agrandi les traditionnelles tombes à puits. Dans ces dernières, le cercueil était posé au fond d'une fosse tapissée de bois, et le mobilier funéraire, installé sur des tablettes latérales. Au fil du temps, ces sépultures se sont enrichies de plusieurs salles, creusées sur le côté de la fosse et destinées au matériel funéraire. Avec leurs murs en terre cuite, recouverts de plâtre et décorés de peintures figurant des rideaux, des fenêtres et des garde-fous, les tombes souterraines ressemblaient à des palais. Les parois de certaines salles étaient en outre ornées de peintures de laque et incrustées de jade ou de plaques de pierre. Des couches de sable, de charbon et d'argile protégeaient le fond de la fosse de l'humidité.

La tombe souterraine la plus complexe, découverte à ce jour, se trouve à Pingshan (province de Hebei). Le second étage de son tumulus à degrés est entouré d'une galerie couverte par un toit de tuiles. Des murs en pierre, avec des contreforts prenant appui sur de larges fondations également en pierre, enserraient la chambre funéraire dont les assises en poutres de cyprès étaient liées par un alliage de métal. La tombe avait deux niveaux. Au-dessus de la chambre funéraire se trouvait une construction carrée en bois, soutenue par une structure formée de poteaux et de poutres.

Après le règne de Qin Shi Huangdi, les tombes horizontales sont devenues encore plus réalistes. À Mancheng (province de Hebei), le tombeau du prince Liu Sheng, mort en 113 av. J.-C., imitait un palais et son mobilier. Il comprenait des écuries pour les chevaux et les chars, des magasins pour le vin et les aliments, et une vaste salle d'audience. Au fond se trouvait la chambre sépulcrale. Vêtu d'un linceul en plaquettes de jade, le prince était allongé dans un cercueil laqué et recouvert de jade. Le vestibule et les chambres latérales possédaient, comme les vraies maisons, une ossature en bois et un toit de tuiles. La chambre funéraire était revêtue de dalles de pierre et percée de portes en pierre. Des barrières en fer, coulées sur place, fermaient l'entrée.

La tombe de Qin Shi Huangdi se compose donc certainement de nombreuses salles ou édifices copiant un complexe palatial. Sima Qian a décrit des revêtements en bronze et des fleuves de mercure. Or, les analyses du sol ont détecté une forte con-

Ce quadrige de bronze, manœuvré par son conducteur, est formé de quelque 3 500 pièces et pèse 1 200 kg.

centration de mercure. À 3 m en dessous du tumulus, les archéologues ont découvert des rampes menant à un mur entourant la chambre funéraire. Le mur possède des tours d'angle comme la muraille d'un palais. Il est percé de cinq ouvertures sur la façade principale, à l'est, et d'une seule sur les trois autres faces.

Les matériaux et l'organisation

La réalisation du complexe funéraire de Qin Shi Huangdi a été une entreprise colossale. À la main-d'œuvre qui a creusé les fosses, élevé les murs et le tumulus, s'ajoutaient les dizaines de milliers de personnes chargées de l'approvisionnement en nourriture ainsi que du transport des matériaux et du combustible pour les fonderies et les fours. Le chantier mobilisait des charpentiers, des bronziers, des joailliers et des artisans travaillant la terre cuite. Il employait également des milliers d'ouvriers pour extraire du cinabre, le mercure destiné à irriguer les fleuves souterrains.

À gauche **Les traits des visages et les coiffures reflètent les diverses origines ethniques des soldats du vaste empire.** *Page opposée* **Un soldat, avec une armure légère (à gauche) et un général d'infanterie avec ses épaulettes.**

L'entreprise a été menée à bien grâce à une discipline rigoureuse, une administration sans faille et au système de production en série développé par les Chinois. La formule mise au point mille ans plus tôt, à l'âge du bronze, pour fabriquer des dizaines de milliers de vases rituels en bronze à l'aide de moules en terre cuite, a été transposée dans d'autres domaines. La méthode consistait à diviser le travail entre des équipes spécialisées dans une tâche et dirigées par des inspecteurs contrôlant rigoureusement la qualité. On obtenait ainsi des pièces identiques et donc interchangeables. Grâce à ce procédé, les Chinois ont créé des œuvres techniquement parfaites, de qualité toujours égale et en nombre pratiquement illimité.

Les figures ont été façonnées dans des moules creux en argile grossière. Il y avait deux moules différents pour le côté gauche et le côté droit des chevaux, ou pour le devant et le dos des hommes. Il en existait de deux sortes pour les pieds, et huit pour les têtes. Malgré le nombre relativement restreint des moules, il suffisait de modifier les angles de pose de la tête et des membres pour créer des personnages très différents. Après avoir assemblé et fait sécher les figures, on les recouvrait de plusieurs couches d'argile fine dans lesquelles on sculptait les détails tels que la bouche et les yeux. Le nez, les oreilles, les sangles et les boutons des uniformes, moulés séparément, étaient ajoutés avant la cuisson à 950-1 000 °C. Les statues étaient ensuite peintes. En combinant le moulage, le modelé individuel et la sculpture des détails, les artisans chinois sont parvenus a façonner 7 000 personnages si vivants, que certains spécialistes ont cru qu'il s'agissait de véritables portraits.

La même technique de production a été employée pour fabriquer les tuyaux, les tuiles, les briques et les éléments de construction en bronze. Ces pièces interchangeables, obtenues par moulage, permettaient de créer des structures complexes, la condition préalable étant de définir très précisément les objets avant de commencer leur réalisation. Les détails sont d'une minutie étonnante. Les tuyaux d'écoulement, par exemple, sont ornés de motifs imitant des cordes qui les empêchent de glisser. Leurs extrémités sont cannelées pour garantir un meilleur assemblage. Les tuyaux sortant des citernes ont été recourbés pour accélérer le débit d'eau.

Les armes et les quadriges de bronze montrent le même souci du détail et de la qualité. Les épées à double tranchant, traitées au chrome pour éviter la corrosion, pourraient encore fendre un épais bouclier. L'alliage utilisé pour les différentes parties des harnais qui attellent les chevaux aux chars, varie en fonction de la tension que celles-ci devaient supporter.

Les tombes nabatéennes de Pétra

Datation : Ier siècle av. J.-C.-100 ap. J.-C.
Localisation : Pétra, Jordanie

« Il est étonnant qu'un peuple ait taillé dans la roche, avec beaucoup d'effort, des temples, des théâtres, des édifices publics ou privés, des tombes, et qu'il ait ainsi construit une cité à la lisière du désert, dans une région sans eau, inhospitalière et dépourvue de tout ce dont l'homme a besoin pour survivre. »

A. H. LAYARD, 1887.

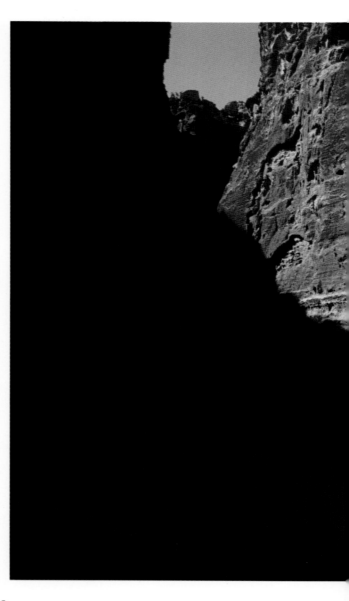

À PÉTRA, la cité rose du désert, la nature et les hommes se sont associés pour créer un des sites les plus remarquables du monde. Dans les falaises de grès rose, veiné de jaune, de bleu, de vert ou de mauve, les Nabatéens ont taillé des édifices d'une grande finesse.

L'ancienne cité, au sud du désert jordanien, était située au carrefour des pistes de caravanes, là où elles bifurquaient vers l'ouest, le port de Gaza et l'Égypte, vers la Syrie au nord et vers la Mésopotamie à l'est. Pétra devait sa prospérité au commerce de l'encens, acheminé par les chameaux depuis le Yémen, à 1 600 km au sud. Les Nabatéens contrôlaient la partie nord de cette route. L'encens, que l'on brûlait sur les

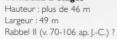

FICHE SIGNALÉTIQUE

Trésor du pharaon (Khazneh Fir'aoun)
Hauteur : 39,1 m
Largeur : 25,3 m
Obodas II (30-9 av. J.-C.) ?

Tombeau à urne
Hauteur : 26 m
Largeur : 16,49 m
Arétas IV (9 av. J.-C.-40 ap. J.-C.) ?

Tombeau corinthien
Hauteur : 28 m
Largeur : 27,55 m
Malichos II (v. 40-70 ap. J.-C.) ?

Deir
Hauteur : 48,30 m
Largeur : 46,77 m
Un prince royal (v. 70-90 ap. J.-C.) ?

Tombeau à étages
Hauteur : plus de 46 m
Largeur : 49 m
Rabbel II (v. 70-106 ap. J.-C.) ?

autels des dieux, était indispensable à la célébration des rites religieux du monde antique. Il était recherché aussi bien en Perse que dans le monde gréco-romain, et il atteignait des prix exorbitants. Les taxes prélevées par les autorités des territoires qu'il traversait étaient également très élevées. Entre 400 av. J.-C. et 100 ap. J.-C., elles ont enrichi Pétra qui s'est couverte de monuments d'une grande splendeur. À partir du IIe siècle av. J.-C. la cité a été dirigée par des souverains, maîtres d'un royaume qui s'étendait vers le Sinaï et la péninsule Arabique.

Le Siq, un étroit défilé bordé de falaises hautes de plus de 80 m, forme l'entrée principale de Pétra. Il débouche sur la Khazneh Fir'aoun, ou Trésor du pharaon.

Des demeures pour les morts

Les Nabatéens avaient coutume d'enterrer leurs morts dans les falaises de grès qui entouraient la ville. Les hypogées se comptent aujourd'hui par centaines. La plupart sont formés d'une unique salle creusée dans la roche tendre. Cette dernière était facile à tailler et il était aisé d'y aménager des tombes modestes. Au Ier siècle av. J.-C. sont apparus des tombeaux beaucoup plus imposants dont certains étaient peut-être des sépultures royales, même si aucun ne peut être attribué avec certitude à un roi précis. À partir de cette époque, l'élite de Pétra a demandé à ses bâtisseurs de connaître les dernières modes architecturales des grandes cités hellénistiques comme Alexandrie, de les imiter et de les adapter. Le

Le principal groupe de tombeaux « royaux ». Ils sont en grande partie creusés dans la roche. Le « tombeau à étages », à gauche, possède la façade la plus monumentale de Pétra. Certaines parties de cet immense tombeau ont été construites avec des blocs de pierre.

style de Pétra, qui se distingue par ses urnes et ses demi-frontons, est donc un mélange d'éléments locaux et d'emprunts, comme le style baroque au XVIIᵉ siècle.

L'architecture funéraire de Pétra était une sorte d'architecture à l'envers, un art de construire par soustraction. Au lieu d'ériger des murs et des colonnes, on dégageait dans la roche les espaces entre ces éléments. Avant de sculpter une façade, de haut en bas, les tailleurs de pierre égalisaient la paroi rocheuse. Ils contrôlaient sans doute leur travail à l'aide de fils à plomb et de rai-nures où circulait de l'eau (des sortes de niveaux à eau). Les trous percés sur les côtés des tombes servaient peut-être à fixer les échafaudages. Avant d'évider l'intérieur des tombeaux, les bâtisseurs devaient se livrer à des calculs très précis, la moindre erreur pouvant provoquer de désastreuses chutes de pierre. Si l'on parvenait à évacuer comme prévu les tonnes de roche superflues, on obtenait un édifice rupestre bien plus résistant qu'un monument construit. Les salles aménagées derrière la façade sont généralement petites : il s'agit d'une salle extérieure, parfois pourvue de banquettes, et d'une chambre funéraire, le plus souvent taillée dans le mur du fond. Les façades élaborées des tombes de Pétra demeurent presque intactes malgré des siècles d'abandon, les tremblements de terre, l'érosion et le vandalisme. Ces sépultures, enchâssées dans les falaises, donnent un aperçu plus vivant de l'architecture du début de notre ère que n'importe quelles ruines, y compris celles de la puissante Alexandrie.

Les détails finement sculptés des façades sont certainement l'œuvre de tailleurs de pierre locaux. D'après les signatures retrouvées dans les tombes de Madain Salih, un autre site nabatéen, on suppose qu'un tailleur de pierre exerçait sa profession pendant 25 ans environ. Le dur travail d'excavation était sans doute accompli par des esclaves.

La cité rose
Jadis, les tombeaux étaient revêtus d'un plâtre à base de calcaire réduit en poudre et de sable, et ils étaient peints de couleurs vives. Le vent et le sable ont fait tomber le plâtre, laissant la roche à nu.

Mais les couleurs très variées du grès, qui semblent changer au fil des heures et des saisons, redonnent vie à ces tombes d'une manière que leurs créateurs n'avaient pas imaginée.

Placée à partir de 64 ap. J.-C. sous protectorat romain, Pétra perdit son indépendance en 106, date à laquelle elle fut intégrée à la province d'Arabie de l'Empire romain. Une des dernières grandes sépultures de la cité fut d'ailleurs celle d'un gouverneur romain.

En 446, le grand « tombeau à Urne » a été converti en église. L'abandon de la piste de l'encens, au profit des routes maritimes de la mer Rouge, porta un coup fatal à la vie urbaine dans cette partie du désert.

Finalement, les tombes furent négligées, les statues se dégradèrent, et les chambres funéraires devinrent des refuges pour les bergers.

Les pyramides mochicas

Datation : vers 100-700 ap. J.-C.
Localisation : nord de la côte du Pérou

« Au temps du paganisme des Indiens, [il] était l'un des sanctuaires les plus importants existant dans ce royaume. Les gens venaient en pèlerinage d'un peu partout afin d'honorer leurs vœux et leurs promesses, pour rendre hommage et faire des offrandes. »

ANTONIO VASQUEZ DE ESPINOZA, 1628.

ENTRE 100 et 700 ap. J.-C., les Mochicas ont dominé une série de vallées sur la côte désertique du nord du Pérou. Ils ont construit d'immenses pyramides à degrés, en terre, comme la Huaca del Sol et la Huaca de la Luna, les plus grands monuments de leur temps en Amérique. Ornées de peintures murales et de frises figurant des dieux et des rituels, certaines pyramides abritaient les tombeaux de nobles mochicas. Les potiers, tisserands et métallurgistes ont créé de remarquables œuvres d'art dont une partie était destinée à accompagner ces seigneurs dans l'au-delà. La plupart des tombes mochicas ont été saccagées depuis longtemps. À Sipán, certaines ont échappé au pillage. La variété et la richesse de leur matériel funéraire donne une idée des trésors que renfermaient jadis les autres sépultures.

La construction de la Huaca del Sol (pyramide du Soleil) et de la Huaca de la Luna (pyramide de la Lune), dans le centre politique et religieux de la vallée du fleuve Moche, a débuté vers 100 ap. J.-C. Les dom-

Vue aérienne de la Huaca del Sol ou pyramide du Soleil. On distingue difficilement le plan en croix du monument, gravement endommagé au XVIIe siècle par les chercheurs de trésor espagnols.

FICHE SIGNALÉTIQUE

Surface couverte par les temples et la localité	300 ha
Population estimée	10 000

Huaca de la Luna
Six phases de construction en 600 ans

Base	290 m nord-sud
	210 m est-ouest
Hauteur	32 m
Nombre d'adobes	50 millions environ

Huaca del Sol
Huit phases de construction, achevée vers 450 ap. J.-C.

Longueur	345 m
Largeur	160 m
Hauteur	40 m
Nombre d'adobes	143 millions environ

mages provoqués par des siècles de pillage, les pluies rares mais torrentielles, et l'avancée des dunes de sable, rendent difficile l'étude de la communauté qui vivait dans la cité. À son apogée, celle-ci a peut-être compté jusqu'à 100 000 habitants, y compris des artisans et des artistes dont le talent a donné naissance aux deux Huacas.

La Huaca del Sol

À l'origine, la Huaca del Sol mesurait environ 345 m de longueur et 160 m de largeur. Elle dominait la vallée de quelque 40 m. Les vestiges actuels ne rendent pas compte de sa splendeur originelle. En 1602, les chercheurs de trésor espagnols ont détourné le cours du fleuve afin qu'il emporte une partie de la pyramide. Une rampe, accolée à la face nord, gravement endommagée, donnait

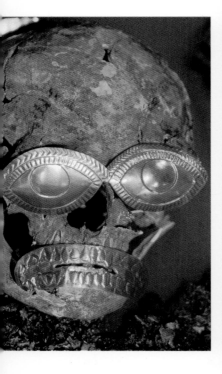

Ci-dessus **Le crâne avec des yeux et des dents en or, qui provient de la tombe I de Sipán, appartenait à un seigneur local.** *À droite* **Reconstitution de la tombe du seigneur de Sipán. Les plates-formes proches des temples renfermaient de riches sépultures.**

accès aux degrés de la Huaca, en forme de croix, et à son sommet. Le monument était peint en rouge. La Huaca del Sol était soit la résidence des dirigeants mochicas, soit un édifice à vocation administrative. Face à elle, la Huaca de la Luna jouait un rôle religieux.

Les archéologues ont identifié huit étapes dans la construction de la Huaca del Sol. La dernière, qui remonte à 450 ap. J.-C. environ, est la plus importante. Les bâtisseurs ont utilisé quelque 143 millions d'adobes (briques de terre moulées et séchées au soleil) qu'ils ont empilées en hauteur, en sections ressemblant à des colonnes. Dans certaines sections, les briques portent des empreintes de main ou de pied, des cercles, des gri-

bouillis et divers autres signes. On a retrouvé plus d'une centaine de marques différentes. Peut-être permettaient-elles de distinguer les briques fabriquées par les divers groupes de population, astreints à un système de corvée par leurs seigneurs.

La Huaca de la Luna

La Huaca de la Luna, bâtie au pied du Cerro Blanco, est un édifice d'adobes, haut de 32 m environ, qui mesure 290 m du nord au sud, et 210 m d'est en ouest. Les fouilles ont mis en évidence six phases de construction, étalées sur 600 ans. Des couloirs et des rampes reliaient les trois degrés de la pyramide et quatre places dont cer-

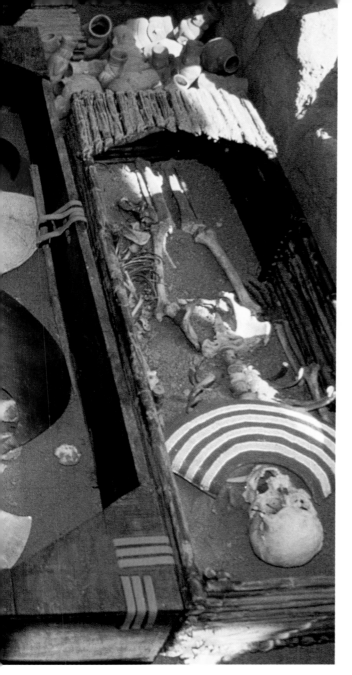

humaine, avec des crocs, figurée avec un couteau en forme de croissant dans une main, et une tête tranchée dans l'autre.

Les sacrifices humains

À la Huaca de la Luna se déroulaient les sacrifices humains, ainsi que les rites funéraires qui commémoraient le scellement des édifices antérieurs et annonçaient de nouveaux épisodes de construction. Dans un enclos situé derrière cette pyramide, les archéologues ont trouvé les restes de plus de quarante hommes, âgés de 15 à 30 ans, preuve de la pratique de sacrifices humains. Les ossements éparpillés étaient enterrés dans d'épaisses couches de sédiments, ce qui indiquerait que les victimes ont été sacrifiées pendant les pluies torrentielles que provoque périodiquement le courant el Niño, lorsqu'il repousse le courant de Humboldt venant du Pacifique. Les hommes ont, semble-t-il, été d'abord battus avec des massues, puis ont été précipités dans l'enclos du haut d'un éperon rocheux. Certains squelettes ont les membres tournés vers l'extérieur, comme s'ils avaient été attachés à des pieux. D'autres ont les fémurs tordus au niveau des articulations du bassin. Nombreux sont les os qui portent des marques d'entaille. Plusieurs victimes ont été décapitées, et leur mâchoire inférieure arrachée. Ces sacrifices ont été consécutifs non pas aux pluies torrentielles assez régulières d'el Niño, mais à des catastrophes telles que ce courant en provoque une fois par siècle. Ils ont sans doute eu pour but de prier les dieux de faire cesser la pluie et de les remercier après la fin du déluge.

Sipán

En 1910, des voleurs ont découvert une tombe au pied de la Huaca de la Luna, qui contenait plusieurs masques en or, indiquant que les personnes ensevelies à cet endroit appartenaient probablement à l'élite mochica. Le pillage de la Huaca de la Luna a été si intensif que l'on ignore tout du contenu des tombes voisines. Heureusement, à Sipán, un site mochica situé à 100 km environ au nord de la Huaca de la Luna, les archéologues ont découvert les tombes inviolées de seigneurs. Dans une plate-forme située au pied de l'un des plus grands tertres d'adobes de Sipán, plusieurs tombes royales ont livré de magnifiques objets en or et en argent. Le décor de beaucoup d'entre eux évoquent des cérémonies de sacrifices, comparables à celles pratiquées à Moche. Les terribles témoignages de la Huaca de la Luna et de Sipán montrent que le sacrifice humain était un aspect essentiel de la religion ou des rites mochica.

taines étaient couvertes. À l'époque de la colonisation espagnole, des voleurs ont creusé un énorme puits qui a détruit plus des deux tiers du dernier étage.

50 millions d'adobes ont permis d'ériger cette pyramide et créer les plates-formes de nouvelles constructions, qui ont recouvert d'anciennes places. Les funérailles des prêtres qui présidaient les rituels célébrés à la Huaca de la Luna, s'accompagnaient du scellement des tombes déjà existantes. Des peintures murales et des frises ornaient les cours. Certains murs extérieurs étaient peints en blanc, rouge et ocre jaune. Nombre de représentations évoquent « Celui qui décapite », le dieu associé aux sacrifices humains : divinité à moitié

Le tombeau de l'empereur Nintoku, Japon

Datation : IVᵉ-Vᵉ siècle
Localisation : Sakai, département d'Osaka, Japon

« An 67 [du règne de Nintoku], hiver, 10ᵉ mois, 5ᵉ jour. L'empereur a progressé dans la plaine de Ishitsu, jusqu'à Kahachi où il a fixé la site du misasagi [tombe]. 18ᵉ jour. La construction du misasagi a commencé. »
NIHONGI, 697.

I L Y A 1600 ANS, dans l'actuel département d'Osaka, a été érigé l'un des plus vastes monuments funéraires du monde ancien, sur une plate-forme surplombant un cours d'eau. Des documents datant des siècles postérieurs décrivent ce « kofun », ou tombe-tumulus, de 486 m de longueur, comme la sépulture de l'empereur Nintoku. D'après la tradition japonaise, Nintoku a été le seizième empereur du Japon et il a régné de 313 à 399 environ. Son tumulus est entouré de 15 kofun plus petits qui abritent les dépouilles d'empereurs ou de dignitaires du début de l'histoire du Japon, et forment ce que l'on appelle le groupe de Mozu.

Les vues aériennes montrent que le kofun de Nintoku a la forme d'un trou de serrure, caractéristique des tombeaux des premiers souverains japonais. Le tumulus central est isolé par trois douves concentriques, séparées par des terre-pleins plantés d'arbres. L'ensemble du complexe couvre 32,3 hectares. Le tumulus à trois degrés présente une avancée de chaque côté de la plate-forme antérieure. Ce plan, tout comme la forme en trou de serrure, s'inspire peut-être des tombes chinoises. La construction en gradins, qui facilite l'érection des tombes gigantesques, a également été utilisée pour des sépultures moins élevées et donc moins difficiles à bâtir. Les bâtisseurs n'ont donc pas choisi cette méthode uniquement pour des raisons pratiques, mais aussi pour des motifs symboliques que l'on ignore.

Le kofun de Nintoku a été un immense chantier. Plus de 1 000 hommes ont été mobilisés pendant plus de quatre années pour déplacer les quelque 1 387 533 m³ de terre du tumulus. Une fois achevé, on a recouvert le tertre de cailloux et ses pentes de 20 000 cylindres de terre cuite ou « haniwa », disposés en sept rangées. Ces poteries, fabriquées en série dans des fours installés à proximité, protégeaient symboliquement la tombe et son occupant. Certains haniwa n'étaient pas cylindriques : l'un avait la forme d'une tête humaine (peut-être d'une femme chaman), et un autre, celle d'un cheval. Le haniwa à tête de femme rappelle ceux que les archéologues ont mis au jour près du four de Mozu Umeo-cho, non loin à l'est. Cette découverte plaide en faveur d'une production locale. Les poteries du mausolée de Nintoku marquent

FICHE SIGNALÉTIQUE

Longueur du tumulus	486 m
Surface	32,3 ha
Diamètre du tertre circulaire à l'arrière	249 m
Largeur du tertre trapézoïdal à l'avant	305 m
Volume du tumulus	1 387 533 m³
Nombre de cylindres haniwa	20 000 environ

La construction des grandes tombes à tumulus des premiers souverains japonais a exigé des efforts jusque-là inconnus dans cet archipel.

Ci-dessus **Le tumulus de Nintoku domine le groupe de Mozu, nécropole des premiers empereurs japonais et de leurs dignitaires.**
À gauche **Les vues aériennes rendent bien compte des dimensions colossales de la tombe de Nintoku.**

d'une sépulture secondaire, révélant une petite chambre funéraire du type « tombe à puits ». La salle, mégalithique, mesurait 4 m de longueur sur 1,5 m de largeur. Elle renfermait un lourd couvercle de sarcophage en pierre, long de 2,5 m, presque aussi large que la chambre. On a trouvé une armure et des armes en fer, des parures en bronze doré et une coupe en verre perse qui ont été étudiées avant d'être replacées dans la tombe. L'occupant de ce kofun, à en juger par son équipement, était un personnage de haut rang. Les fouilles accomplies dans les plus modestes tombes en forme de trou de serrure indiquent que le caveau de Nintoku doit se situer à l'arrière du tumulus.

Le mausolée de Nintoku fait partie de la série de grandes tombes en forme de trou de serrure – les plus vastes de cette forme au Japon – érigées pour la plupart au V^c siècle dans la plaine d'Osaka et dans les montagnes du bassin de Nara. Elles désignent cette région comme le centre de l'ancien royaume Yamato. Les souverains de cet État ont été les premiers à dominer une grande partie du Japon et à établir des relations avec la Corée et la Chine. Les dimensions colossales de la tombe de Nintoku célèbrent à la fois l'ingéniosité des bâtisseurs et le pouvoir, encore récent, du souverain.

le début de la longue tradition des haniwa figuratifs au Japon. Dans les tombeaux postérieurs, les haniwa, plus variés, représentent des soldats, des musiciens, des acrobates, des édifices, des bateaux, des chiens, des sangliers sauvages et des cerfs. Ces figures illustrent certains aspects de la vie de l'élite japonaise au V^c siècle.

Le kofun de Nintoku n'a pas encore été fouillé. Cette sépulture, comme toutes celles des anciens empereurs est placée sous la protection de la Maison Impériale (les fouilles des chambres funéraires sont interdites pour respecter le repos des ancêtres impériaux). Quelques études limitées et les fouilles de tombes similaires nous donnent cependant quelques indications sur son contenu.

En 1872, un léger glissement de terrain a provoqué l'écroulement d'une partie de la plate-forme antérieure

La tombe du roi maya Pacal à Palenque

Datation : 675-702 ap. J.-C.
Localisation : Palenque, Chiapas, sud du Mexique

« L'Amérique, soutiennent les historiens, a été peuplée par des sauvages ; mais des sauvages n'auraient jamais pu élever ces édifices ou sculpter ces pierres. »
JOHN LLOYD STEPHENS, 1842.

L A CIVILISATION maya de l'âge classique récent s'est épanouie dans les forêts tropicales du sud-est de l'Amérique Centrale entre 600 et 900 ap. J.-C. Elle se distingue par ses temples, ses palais, ses terrains de jeu de balle et ses routes. Ses plus grands monuments sont les temples-pyramides, qui s'élèvent à plus de 60 m de hauteur. Malgré leurs dimensions impressionnantes, ces édifices ne sont pas constitués de blocs colossaux. Ils sont formés d'un noyau de terre et de blocaille, recouvert par des murs extérieurs assez minces. Les blocs de pierre de la maçonnerie, assez petits pour être transportés par un seul ouvrier, disparaissaient sous d'épaisses couches de plâtre et de peinture. Si les Mayas utilisaient parfois de gros blocs pour des éléments de la façade, comme les escaliers et les balustrades, ils réservaient ceux-ci surtout aux stèles, aux autels et parfois aux tombes ornées de reliefs.

La tombe de Pacal est une salle voûtée, profondément enfoncée sous la pyramide. Bâtie avec d'immenses blocs de calcaire, elle abrite un très beau sarcophage.

FICHE SIGNALÉTIQUE

Pyramide

Longueur maximum	60 m
Largeur maximum	42,5 m
Hauteur	27,2 m

Sommet du temple

Longueur	25,5 m
Largeur	10,5 m
Hauteur (crête du toit y compris)	11,4 m
Blocs les plus lourds	12 à 15 tonnes

Sarcophage (monolithe de calcaire)

Longueur	3 m
Largeur	2,1 m
Profondeur	1,1 m
Poids	8 tonnes environ

Volume de la pyramide et du temple : 32 500 m³
Main-d'œuvre : 125 000 journées de travail

Le temple des Inscriptions, édifié à la fin du VIIᵉ siècle, a été conçu pour abriter la tombe du roi Pacal, le plus grand souverain de Palenque. La tombe située au niveau du sol, à la base de la pyramide, est reliée au sommet du monument par un grand escalier aménagé dans le noyau de blocaille.

Le roi Pacal est figuré en relief sur le couvercle du sarcophage qui abritait encore sa dépouille au moment de la découverte.

Le temple des Inscriptions

Érigé au VIIe siècle, à Palenque, un des grands centres mayas du sud du Mexique, il s'agit sans doute du monument le plus célèbre de l'âge classique récent. Adossé à une colline pentue, ce temple a failli s'écrouler durant la construction.

L'architecte a dû modifier le plan original pour consolider les côtés de l'édifice. De simples ouvriers ont construit le noyau du monument avec du calcaire et de la blocaille prélevés à proximité, et du plâtre fabriqué localement.

Plus que le temple lui-même, c'est la tombe installée au-dessous qui confère toute son importance au monument et en fait l'un des plus raffinés de cette période de l'histoire maya. Ce sont des artisans expérimentés qui ont taillé ses gros blocs de calcaire, provenant de carrières situées à quelques kilomètres.

La tombe

En 1949, l'archéologue mexicain Alberto Ruz Lhuillier a découvert une dalle de pierre percée de trous dans le sol du temple des Inscriptions, au sommet de la pyramide. Le bloc cachait l'entrée d'un passage menant à un gigantesque escalier qui descendait jusqu'à la base de la pyramide. En 1952, après quatre saisons passées à vider les déblais obstruant l'escalier, les chercheurs sont parvenus à l'entrée d'une vaste tombe en maçonnerie, orientée sur les points cardinaux. En découvrant la première tombe royale des plaines mayas, ils ont prouvé que les États mayas de l'âge classique récent étaient gouvernés non par des prêtres, comme le croyaient la plupart des historiens, mais par des dynasties de rois. La découverte a montré que certains temples-pyramides mayas étaient, comme les pyramides d'Égypte, les tombeaux de souverains. Le temple des Inscriptions a été conçu dès l'origine comme un monument funéraire, car l'escalier et la chambre du sarcophage font partie intégrante de la construction.

Des pierres soigneusement taillées, pesant entre 12 et 15 tonnes, ont été utilisées pour bâtir la tombe. De vastes dalles de calcaire recouvrent le sol de la chambre funéraire, dominée par une voûte en encorbellement de 6 m de hauteur. Le sarcophage, long de 3 m, est le plus grand des monolithes. Lorsque Alberto Ruz Lhuillier et son équipe ont soulevé le couvercle rectangulaire, ils ont découvert un squelette d'homme, allongé dans une cavité en forme de V retourné. Un masque en mosaïque de jade couvrait le visage du défunt. D'autres parures de jade, de nacre et de pyrite avaient été déposées dans le cercueil.

Les inscriptions et le décor

Les murs de la salle et le sarcophage, y compris le couvercle et les supports, étaient décorés de reliefs et d'images sculptées dans le stuc. Des textes hiéroglyphiques et des dates accompagnaient les personnages, des hommes ou des dieux vêtus de costumes complexes. Au moment de la découverte, seules les dates ont pu être traduites. Depuis, les épigraphistes ont largement déchiffré l'écriture maya de l'âge classique récent, et l'on comprend mieux la signification complexe des associations d'images. On peut aussi replacer la tombe et le temple dans leur contexte historique.

Ci-dessus **Le couvercle du sarcophage représente Pacal au moment de sa mort. Vêtu comme le dieu du Maïs, il descend dans le royaume souterrain de ses ancêtres pour renaître en tant que divinité ancestrale.** *Ci-dessous* **Le masque de jade qui recouvrait le visage du roi défunt.**

gramme de sculptures élaboré pour le sommet du temple, le nouveau souverain se réclame de son illustre père et de ses ancêtres royaux.

L'affirmation de ces liens de parenté n'est pas simplement symbolique. Alberto Ruz Lhuillier a découvert, d'un côté de l'escalier, un conduit qui reliait le sol du temple à la chambre funéraire. Celui-ci permettait au roi mort de « participer » aux rituels accomplis par ses descendants dans le temple.

Les images et les inscriptions de la chambre funéraire, et surtout celles du couvercle du sarcophage, sont très instructives. Au moment de sa mort, Pacal s'enfonce entre les mâchoires d'un serpent surnaturel, qui évoquent les portes de l'au-delà où séjournent les ancêtres. Il est revêtu de la tenue du dieu du Maïs, divinité associée à la création du monde et à la résurrection. Derrière Pacal se dresse le grand arbre du monde sur lequel s'enroule un serpent céleste. Au sommet est perché un oiseau fantastique, associé au chamanisme et à la sorcellerie. Cette représentation signifie qu'après sa mort Pacal est ressuscité sous la forme d'un dieu et d'un ancêtre sacré.

Ceux qui ont conçu les thèmes décoratifs du temple et de la tombe ont situé la mort et la transformation du plus puissant roi de Palenque dans un contexte historique, mythologique et dynastique plus large. Les dates du calendrier associent l'avènement de Pacal à un ancêtre divin vieux de 1 246 826 ans et lient sa naissance à un jour éloigné de plusieurs milliers d'années. D'autres textes commémorent les événements importants de la vie du roi, tels que son mariage ou la visite du souverain du royaume voisin de Tikal.

Les ancêtres jouaient un rôle essentiel dans la culture maya. Sur les parois du sarcophage de Pacal sont figurées six générations d'ancêtres, hommes et femmes de la famille royale. Neuf autres hommes, sculptés dans le stuc des murs de la tombe, représentent sans doute les prédécesseurs de Pacal. D'après les noms et titres en glyphes, les personnages sculptés aux extrémités du couvercle et sur les supports du sarcophage sont des « sahals », c'est-à-dire des grands dignitaires de la cour. Peut-être s'agit-il des architectes et des hauts fonctionnaires qui ont supervisé la construction du temple et de la tombe.

Le sujet principal figure sur le couvercle du sarcophage, qui est un chef-d'œuvre de l'art maya. Il représente le destinataire de la tombe qui est aussi le protecteur du temple des Inscriptions. Il se nomme Hanab Pacal. Dixième roi de la dynastie de Palenque, il est monté sur le trône en 615, à l'âge de douze ans. Vers 675, après avoir voué sa vie à la célébration des rites, à la diplomatie et à la guerre, il a entrepris la construction de son temple funéraire. Pacal est décédé huit ans plus tard, à l'âge de 80 ans, laissant à son fils Kan Balam le soin d'achever le monument. Dans le pro-

Commencée vers 675, la tombe a été achevée avant la mort du fils et successeur de Pacal, vers 702. Si, durant ce

Le temple des Inscriptions à Palenque.

laps de temps, on a travaillé au monument 90 jours par an, à la saison sèche, le chantier n'a alors mobilisé guère plus de 50 ouvriers. Si, comme il est probable, le temple et la tombe ont été bâtis plus rapidement, en une décennie par exemple, le nombre d'ouvriers a été trois fois supérieur, ce qui reste modeste. Le transport des matériaux, la fabrication et la pose du plâtre sont les opérations qui ont exigé le plus de temps. Cependant, il ne faut pas oublier le travail des artisans et des artistes qui ont sculpté et peint les reliefs, mais aussi mis en place les blocs de pierre colossaux.

À Palenque, les Mayas ont associé construction monumentale et symbolisme complexe. Depuis que l'on possède les clés de l'art et de l'écriture maya, ce grand monument funéraire n'est plus un anonyme, comme Stonehenge. Il fait référence à des hommes et à des femmes qui ont existé et dont on connaît les noms et les titres. Nous pouvons apprécier non seulement les admirables compétences techniques des Mayas, mais encore ce que le temple des Inscriptions signifiait pour son commanditaire et ses bâtisseurs. La découverte de la tombe de Pacal a bouleversé nos connaissances sur la société maya de l'âge classique récent et nous a révélé sa vision du monde.

Le temple-mausolée d'Angkor Vat

Datation : 1113-1145
Localisation : Angkor, Cambodge

« [Angkor Vat] figurerait avec honneur à côté de nos plus belles basiliques, et [...] l'emporte pour le grandiose sur tout ce que l'art des Grecs ou des Romains a jamais édifié. »

HENRI MOUHOT, 1868.

CHEF-D'ŒUVRE architectural et prouesse technique, le temple-mausolée d'Angkor Vat est la plus vaste pyramide à degrés élevée au Moyen Âge sur le continent asiatique. Il se dresse au milieu des ruines d'Angkor, capitale de l'ancien Empire khmer qui englobait le Cambodge et une partie du Viêt-nam, du Laos et de la Thaïlande. Angkor Vat, le tombeau du souverain Sûryavarman II, est peut-être de tous les monuments funéraires du monde celui qui a exigé le plus d'efforts. Le complexe funéraire comprend une pyramide à degrés haute de 65 m, richement ornée, et cinq cours concentriques, orientées sur les points cardinaux. La cour extérieure est entourée d'une douve et d'un mur d'enceinte. L'entrée principale, précédée d'une chaussée dallée longue de 200 m, est percée sur le côté ouest de cette muraille. On accède au monument principal, qui se dresse au centre de la cour, par une autre chaussée qui aboutit à un mur d'enceinte intérieur percé de trois portes sur chaque côté.

Ce bas-relief, qui orne la première cour, figure Sûryavarman II entouré de sa cour, dans sa salle d'audience.

FICHE SIGNALÉTIQUE

Ensemble du complexe
Hauteur 65 m
Surface 1 km²
Volume 272 336 m³

Cour extérieure
Douve 180 m de largeur
Mur d'enceinte 1 000 m sur 815 m

Tours d'angle
Hauteur 32 m

Tour centrale
Hauteur 42 m

Première terrasse
Hauteur 3,2 m
Surface 187 m sur 215 m

Deuxième terrasse
Hauteur 6,4 m
Surface 100 m sur 115 m

Troisième terrasse
Hauteur 12,8 m
Surface 75 m sur 73 m

À l'intérieur de cette deuxième cour sont superposées trois autre cours en terrasses. La première terrasse est délimitée par une galerie soutenue par un mur et par deux rangées de piliers. Elle est pourvue de portes tournées vers les points cardinaux et d'édifices d'angle. Le mur est orné de sculptures inspirés du Ramayana et du Mahabharata, les grandes épopées indiennes, et de reliefs qui décrivent la vie de cour, les guerres et de l'enfer selon les Khmers. Une cour à péristyle relie l'entrée principale à la deuxième terrasse. Celle-ci est également bordée par une galerie percée de portes aux points cardinaux, et dominée par des tours d'angle. La chaussée principale raccorde l'entrée ouest à un escalier central, très raide, qui conduit à la troisième terrasse. Sur cette

81

Le côté ouest du monument central, vu de la plate-forme cruciforme.

esplanade de forme carrée s'élèvent douze escaliers, orientés vers les points cardinaux. Les escaliers d'angle et leurs arcades sont surmontés de quatre tours couronnées de pinacles en forme de lotus. D'autres arcades mènent de la porte principale à la tour centrale, haute de 42 m. Celles-ci se termine par un pinacle en forme de lotus.

Une page d'histoire

Sûryavarman II (1113-1145) est le constructeur d'Angkor Vat. Seigneur régional, lié à des princes, il a défait deux rivaux avant de se proclamer souverain d'Angkor. Il s'est ensuite battu contre les ennemis tra-ditionnels des Khmers, les Chams et les Annamites. Malgré dix-neuf années passées à guerroyer, il réussit presque à achever Angkor Vat, un des quinze principaux monuments royaux d'Angkor. Fondée en 889 par Yaçovarman Ier au nord du Grand Lac (Tonlé Sap), Angkor, qui s'appelait à l'origine Yaçodharapura, est restée la capitale du royaume pendant 500 ans. Entourée d'une douve carrée de 4 km de côté, elle est centrée sur le Bayon, un temple construit sur une colline. Les édifices de Yaçovarman Ier ont servi de modèles à ses successeurs qui ont bâti leurs propres pyramides à degrés dans la cité. Angkor Vat est l'aboutissement de cette évolution.

Les matériaux et les techniques de construction

Les bâtisseurs d'Angkor Vat n'ont eu recours ni au mortier ni à la voûte. Ils ont utilisé deux sortes de grès, l'un à grain moyen pour les murs, et l'autre à grain fin pour les parois finement sculptées des galeries. Les deux grès ont été extraits au mont Kulên, à 45 km au nord-ouest d'Angkor. Les blocs ont sans doute été transportés par la voie fluviale. Les pierres ont descendu le Siem Reap avant d'emprunter un réseau de canaux. En 1861, Henri Mouhot, un des premiers Européens à avoir visité la cité oubliée, a remarqué que la plupart des blocs était percés sur un côté par des trous de 2,5 cm de diamètre et de 3 cm de profondeur. Plus les blocs étaient grands, plus les trous y étaient nombreux. Après avoir considéré que ces cavités recevaient les chevilles en fer joignant les pierres entre elles, on suppose aujourd'hui que des chevilles servant à mettre les blocs en place y étaient fixées. La mise en place des blocs nécessitait également l'usage d'éléphants, de cordes en fibre de coco, de poulies et d'échafaudages en bambou.

La voûte en encorbellement, formée d'assises de pierre en saillie, liées par leur poids et par la gravité, remplace la vraie voûte, inconnue des Khmers. Certaines tours de la première et de la deuxième terrasse ont conservé des vestiges de leurs armatures en bois. Les techniques du travail du bois ont été appliquées à la pierre. Ainsi, les piliers des trois galeries sont reliés aux murs par des poutres en pierre fixées par des tenons et des mortaises. Ailleurs, on trouve des blocs solidement assemblés par des queues d'aronde. Ces techniques, qui caractérisent les styles architecturaux, les limitent aussi. Les voûtes en encorbellement et les poutres en pierre, qui ont une portée réduite, ont obligé les bâtisseurs à opter pour des édifices étroits et d'un seul étage.

À première vue, Angkor Vat semble bâti en grès. En réalité, cette pierre n'a servi que pour les dalles de revêtement et certains éléments architecturaux. En creusant des tranchées pour vérifier la solidité des fondations, on a constaté que celles-ci étaient faites de couches de sable et de galets, recouvertes d'é-

paisses dalles de latérite, une terre locale qui peut être découpée en blocs et qui durcit au contact de l'air. Les ouvriers non qualifiés ont mené à bien la majeure partie de la construction. Les ouvriers expérimentés, moins nombreux, ont réalisé les tâches plus délicates. Le fait que les terrasses décorées reposent sur des fondations ordinaires n'enlève rien à la splendeur d'Angkor Vat.

La fonction du monument

La fonction d'Angkor Vat a inspiré de multiples hypothèses. On y a vu un observatoire astronomique, une représentation des quatre âges du monde selon la religion hindoue, ou la réplique des écuries célestes du dieu Indra. On pense désormais qu'il s'agit d'un temple-mausolée comme les autres pyramides à degrés de la cité d'Angkor. Alors que certains souverains khmers étaient des

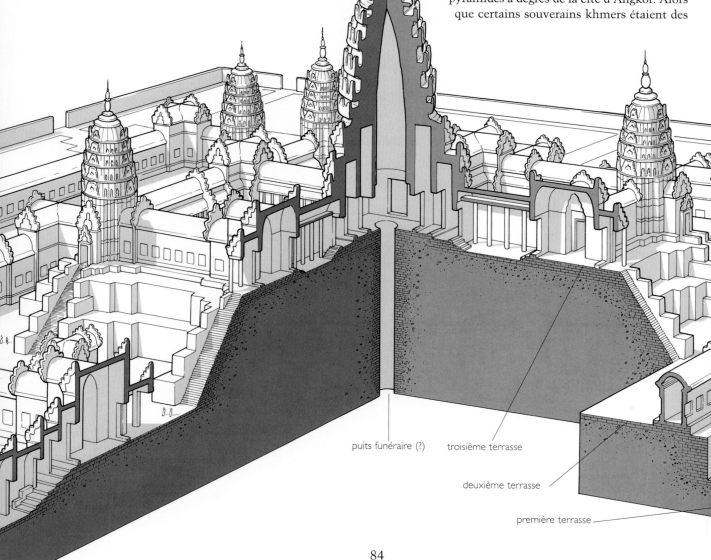

puits funéraire (?)   troisième terrasse

deuxième terrasse

première terrasse

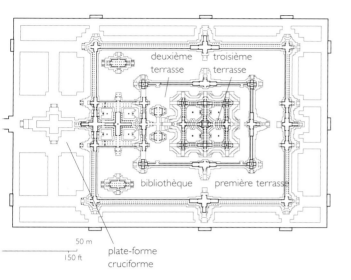

Ci-dessus **Plan du monument central.**
Ci-dessous **Coupe simplifiée du monument central.**

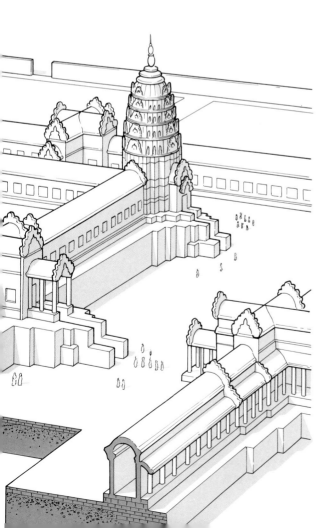

adeptes de Çiva, Indra ou Bouddha, Sûryavarman II a dédié son monument à Vishnu. L'ouest étant associé à Vishnu, cela expliquerait pourquoi l'entrée de ce monument est orientée dans cette direction. Le nom posthume de Sûryavarman II est Paramavisnuloka, c'est-à-dire « Celui qui est allé vers le monde suprême de Vishnu ». C'est à Angkor Vat que se déroulait le culte funéraire rendu à ce souverain, dont les restes incinérés étaient sans doute conservés dans la chapelle centrale.

De multiples dignitaires et des fonctionnaires de moindre rang étaient affectés au culte célébré à Angkor Vat. Ils formaient une ville dans la ville. Une inscription indique que le Ta Prohm, un temple-mausolée plus modeste qu'Angkor Vat, élevé entre 1189 et 1219, employait 80 000 personnes. Cela donne une idée de l'importance du personnel d'Angkor Vat. Il est possible que se soient dressés jadis, dans les espaces vides de la cour extérieure, des édifices périssables abritant le personnel du culte. Seuls les dieux possédaient en effet des maisons en pierre.

Angkor Vat est donc plus qu'un temple-mausolée. C'est un véritable microcosme, à la fois temple et représentation du royaume, voire de l'univers. Pour certains historiens, la statue de la chapelle centrale ne figure pas uniquement Vishnu, mais aussi Sûryavarman II, tandis que les statues des dix-neuf avatars du dieu, dans les petites chapelles, représentent aussi les dix-neuf gouverneurs des provinces. Pour d'autres, le monument est une réplique de l'univers. Les douves matérialisent l'océan primordial, et le mur d'enceinte extérieur, la chaîne de montagnes qui entoure le monde. La tour centrale et les quatre tours d'angle évoquent les cinq pics du mont Meru, le centre de l'univers où vivent les dieux. Les bas-reliefs, qui décrivent le monde souterrain et la création de l'univers ainsi que des scènes du Ramayana et du Mahabharata, confirment cette interprétation.

Angkor Vat célèbre la splendeur et la puissance de Sûryavarman II, ainsi que son essence divine. La construction de cette merveille, qui a épuisé les ressources du royaume khmer, allait être durement ressentie par ses successeurs.

Temples et sanctuaires

AU LONG DE LEUR HISTOIRE, toutes les sociétés humaines ont investi une grande partie de leurs plus vives énergies dans les monuments érigés à leurs croyances. Là où des religions institutionnalisées s'étaient implantées, les gouvernants ont mobilisé les efforts de populations entières pour la construction de temples. Le sanctuaire de Karnak, en Égypte, ou le Grand Temple aztèque de Tenochtitlán, au Mexique, sont des professions de foi destinées à impressionner aussi bien les dieux que les hommes. Les puissants qui ont organisé de tels travaux agissaient assurément pour le compte de leurs peuples, mais ils recherchaient également les faveurs des divinités en proclamant de manière ostentatoire leur piété. De plus, le temple consacré à un dieu et portant le nom du potentat dévot servait à glorifier ce dernier, sa légitimité, sa puissance et ses réalisations. L'étape ultime, l'apothéose – au sens premier, la « déification d'un homme » – était de considérer les souverains eux-mêmes comme des divinités et de construire des temples en leur honneur et de leur vivant. Nul contemplateur des statues colossales qui ornent le temple d'Abu Simbel, en Égypte, ne saurait douter que le dieu est ici le pharaon Ramsès II en personne.

Ces sanctuaires sont le plus souvent les mémoriaux d'une puissance royale. Toutefois, les croyances religieuses qui unissent ou fédèrent les peuples ont parfois inspiré à ceux-ci de grandes entreprises. Stonehenge, par exemple, a été la réalisation d'une société dépourvue de pouvoir central, œuvre poursuivie peut-être sur plusieurs générations. Des siècles après l'édification du sanctuaire, des privilégiés continuaient de se faire ensevelir à proximité des cercles de pierres sacrés. On ignore cependant si, gardiens d'une tradition héritée de leurs ancêtres, ils considéraient encore ce monument comme un ouvrage sacré, ou bien s'ils y voyaient une

Les pyramides de Teotihuacán, non loin de la moderne Mexico, témoignent, par leur taille impressionnante, de la place prépondérante des croyances religieuses dans la vie de cette métropole méso-américaine majeure.

création magique, œuvre de dieux ou de héros, voire même une étrange formation d'origine naturelle.

Les temples anciens révèlent la vision que les sociétés avaient d'elles-mêmes et de leurs dieux. À Newark, dans l'Ohio, le plan astronomique des massifs en brique crue indique une société pour laquelle l'observation des cycles lunaires avait une grande importance. Certains sanctuaires témoignent également de véritables prouesses techniques : la coupole du Panthéon, à Rome, est la plus grande du genre jamais construite. Ils sont fréquemment l'expression de traditions architecturales extrêmement sophistiquées, qu'il s'agisse des mosquées en terre séchée à Tombouctou, en Afrique occidentale, des sanctuaires rupestres d'Ajanta, en Inde, ou naturellement du Parthénon, un chef-d'œuvre parmi les temples à colonnades de la Grèce classique. Sur les îles de Malte, le complexe de Ggantija et d'autres temples préhistoriques, construits en blocs de pierre massifs par les petites communautés de l'archipel, sont tout aussi impressionnants à leur façon.

Avec la pyramide du Soleil à Teotihuacán et la ziggourat d'Ur, on voit des communautés humaines s'efforcer d'atteindre le ciel afin de se rapprocher des dieux, qui contrôlent leurs destinées, et de permettre à ces derniers de descendre sur la terre. Les temples bouddhiques de Borobudur, à Java, et de Paharpur, au Bangladesh, ont été élaborés sur le modèle du mont Meru, centre céleste de l'univers et résidence des

dieux. L'orientation est souvent de première importance, comme dans le massif Monk's Mound de Cahokia (Missouri), élément d'un ensemble cosmologique censé relier le monde des hommes et celui des divinités. Les temples peuvent également être destinés à abriter des reliques sacrées qui exigent un environnement digne de leur signification et de leur importance. Le stûpa bouddhique de Sanchi, en Inde, est à considérer sous cet angle puisqu'il est censé recouvrir des cendres du Bouddha lui-même. Il en va de même du centre cultuel de Chavín, au Pérou, qui incorpore les éléments d'un schéma cosmologique montrant comment les hommes s'intègrent au système de l'univers.

Le site religieux de Chavín introduit un autre aspect : l'utilisation de procédés pour impressionner les fidèles, ici en aménageant des galeries souterraines pour amplifier le bruit des eaux s'écoulant dans les canalisations. Ceci nous rappelle que les temples n'étaient pas construits pour être admirer à distance, mais pour accueillir des rituels et des pratiques religieuses – publics ou privés – régis par la tradition et par la foi. C'est, d'une certaine manière, le pouvoir de la foi qui a édifié ces monuments extraordinaires. Inversement, ce sont les monuments, par leur échelle impressionnante, leur pouvoir de suggestion, la splendeur du cadre qu'ils fournissaient aux rites et aux cérémonies, qui renforçaient cette même foi dans l'esprit des prêtres, des gouvernants et du peuple des fidèles.

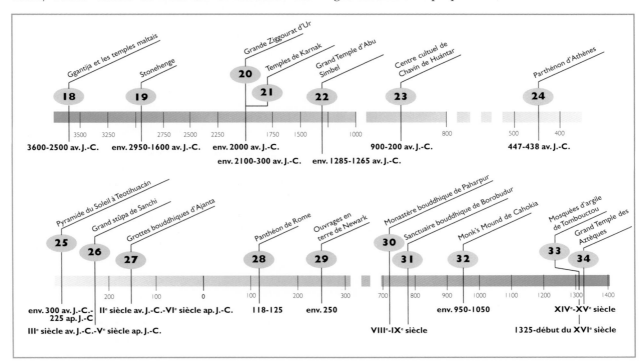

Ggantija et les temples maltais

Datation : 3600-2500 av. J.-C.
Localisation : îles de Malte, en Méditerranée

« Les habitants les appellent communément des tours (torri). On dit qu'ils ont été amassés par les géants ;
c'est pratiquement tout ce que la tradition a à dire sur le sujet. »

ALBERT MAYR, 1908.

MASSIFS ET MONUMENTAUX, les temples de l'archipel de Malte figurent au nombre des constructions les plus énigmatiques de l'Europe préhistorique. Il n'est pas étonnant, compte tenu de la taille énorme de certains blocs utilisés pour leur construction, que les indigènes les aient longtemps considérés comme l'œuvre de géants ; un de ces temples a ainsi été baptisé Ggantija, la « maison du Géant » en maltais. On connaît environ deux douzaines de ces sanctuaires, isolés ou en petits ensembles, disséminés sur les îles de Malte et de Gozo. Nous savons aujourd'hui qu'ils ont été construits entre 3600 et 2500 av. J.-C. Mais la signification de leur plan polylobé comme de leurs étonnantes sculptures – notamment des statues colossales – reste difficile à établir, et l'on ignore en quoi consistait les rituels ou les activités pour lesquels ils ont été aménagés.

Les temples sont bâtis avec deux variétés de calcaires locaux : le calcaire corallien, dur, et calcaire *globigerina*, qui est plus tendre. Le premier, plus difficile à travailler, offre l'avantage de se cliver naturellement pour fournir des blocs de pierre à bâtir, et il résiste bien aux outrages du temps. Le second, quant à lui, pouvait être travaillé en finesse, à l'aide de pics en corne et de coins en bois.

Maquette des deux temples adjacents à Ggantija, sur l'île de Gozo, illustrant le plan polylobé caractéristique des sanctuaires préhistoriques maltais.

Les constructeurs des temples avaient bien compris les qualités complémentaires de ces deux pierres : ils choisissaient le calcaire corallien, qui résiste bien aux intempéries, pour les parties extérieures ; pour l'aménagement et la décoration intérieurs – souvent d'un grand raffinement et d'une grande richesse –, ils préféraient l'autre variété, plus facile à travailler, à sculpter et à graver. Les gisements locaux étaient également déterminants dans le choix des pierres : si l'on en apportait parfois de fort loin, on préférait en général, et quelquefois exclusivement, les matériaux disponibles sur place. Les blocs de calcaire, qui pèsent parfois jusqu'à 20 tonnes, étaient sans doute transportés à l'aide de traîneaux ou de berceaux en bois. Des boules de pierre, retrouvées sur plusieurs sites de temples, aidaient probablement à installer les blocs dans leur position finale.

FICHE SIGNALÉTIQUE

Nombre de temples connus	23
Temples uniques	6
Temples couplés	5
Un groupe de 3, un groupe de 4	

Ggantija

Largeur hors tout	45,00 m
Longueur intérieure (temple sud)	26,00 m
Largeur intérieure (temple sud)	23,50 m
Hauteur conservée	7,80 m

Ci-dessus **Vue dans l'axe principal, vers l'entrée du Grand Temple de Ggantija. Les chambranles des passages sont plaqués de dalles en calcaire *globigerina*, alors que les murs sont en blocs de calcaire corallien.** *À droite* **Une des petites pièces ménagées dans l'épaisseur des murs du temple inférieur de Mnadjra.**

La construction des temples

La construction commençait vraisemblablement par l'élaboration du plan et le nivellement de l'assise rocheuse. Les sols sont souvent recouverts de *torba* (enduit préparé à partir de calcaire broyé), mais, dans plusieurs cas, ce revêtement a été remplacé par des pavés ou de grandes dalles en pierre.

Les murs des temples consistent en deux parements, intérieur et extérieur, de blocs de pierre dressés, l'espace entre les deux étant empli d'un mélange de terre et de gravats. À certains endroits, de petites pièces ou des niches ont été ménagées dans l'épaisseur des murs ainsi constitués.

Le type de pierre utilisé détermine l'aspect final. D'énormes blocs de calcaire corallien ont été soigneusement jointoyés pour les murs extérieurs de Ggantija, mais ceux-ci semblent malgré tout grossiers si on les compare aux façades en calcaire *globigerina* (partiellement restaurées) du temple d'Hagar Qim, où les assises régulières sont ancrées sur les blocs d'angle, et à celles du Temple est de Tarxien, où les angles des orthostates s'ajustent très précisément – résultat obtenu sans doute après une longue succession d'essais.

Les blocs les plus imposants étaient mis en place par le moyen combiné de leviers et de cordes. Beaucoup de blocs présentent une encoche au centre du bord longitudinal, pour recevoir l'extrémité d'un levier qui empêchait tout dérapage. Des cordes étaient probablement nouées autour des pierres, ou arrimées grâce aux perforations en V que l'on voit sur certains blocs.

Les temples s'ordonnent autour d'un axe central qui va de l'entrée à trois blocs (*trilithon*) jusqu'à la niche arrière de l'édifice. L'intérieur est doté d'autels, de cloisons, de niches et de dalles de seuil en calcaire tendre, gravés de spirales continues ou d'autres motifs en relief.

En l'absence de tout outillage métallique, les finitions se faisaient à l'aide de lames en silex. Dans certains cas, un fond orné de motifs de cupules a été créé au moyen d'un foret à arc.

Ce type de décoration était également appliqué à certains des grands éléments de structure, comme la niche décorée dans le Temple bas de Mnajdra.

À Ggantija, où l'on ne disposait pas de calcaire tendre, on a obtenu des surfaces lisses en appliquant sur des blocs de calcaire grossier de l'argile puis une couche d'enduit blanc, qui était ensuite peinte avec un badigeon rouge foncé.

Dans plusieurs temples, les assises supérieures des parements internes sont légèrement inclinées vers l'intérieur, probablement pour recevoir un toit plat fait de poutres et de nattes recouvertes de terre battue. À Tarxien, un escalier en pierre, élevé entre deux murs de temple, conduisait sans doute à un toit de ce genre. L'aspect final des temples de Malte nous est confirmé par plusieurs « maquettes » et gravures rupestres qui leur sont contemporaines.

Avec leur intérieur obscur et leur décoration élaborée, ces sanctuaires étaient les lieux d'un mystérieux pouvoir occulte.

Stonehenge

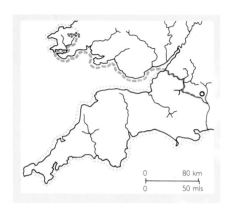

Datation : vers 2950-1600 av. J.-C.
Localisation : comté de Wiltshire, sud de l'Angleterre

« Celui qui les voit ainsi se demandera assurément par quel artifice mécanique ou par quelle force corporelle des pierres d'une telle masse ont été assemblées en un seul lieu. »
HECTOR BOËCE, 1527.

HORMIS LES PYRAMIDES, peu de constructions anciennes ont donné lieu à autant de spécula-tions que Stonehenge. Le cercle de grands piliers couronnés de minces trilithons, et les pierres bleues, plus petites, groupées à leur pied, ont longtemps laissé les archéologues dubitatifs : quel pouvait être la destination d'un tel monu-ment et comment avait-il été construit ?

Il faut d'abord savoir que Stonehenge n'a pas été édifié en une fois. Les grandes pierres que nous considérons aujourd'hui comme caractéristiques du site n'y sont en fait arrivées que relativement tard. Les débuts de Stonehenge sont beaucoup plus modestes : un simple talus avec un

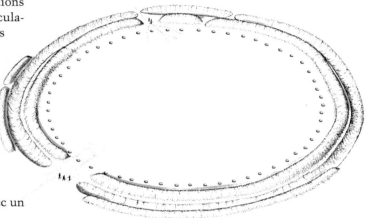

En haut **Routes possibles pour le convoyage des pierres bleues depuis leur carrière d'origine, dans les monts Prescelly (Galles du Sud).** *Ci-dessus* **Phase 1 de Stonehenge : un talus circulaire entouré d'un fossé, avec les « trous Aubrey » du côté intérieur du talus.**

Date de Stonehenge 1	2950 av. J.-C.
Premières structures en pierre à Stonehenge (phase 3)	2550 av. J.-C.
Modifications continues de la phase 3 jusqu'en...	1600 av. J.-C.
Diamètre du talus et du fossé de clôture	110 m
Diamètre du cercle de sarsens	30 m
Nombre initial de sarsens	env. 84
Nombre initial de pierres bleues	env. 82
Longueur de la plus grande pierre (bloc 56)	9 m
Poids estimé du bloc 56	40 tonnes

Pierres sarsens
30 piliers, 17 encore dressés, 8 tombés ou fragmentaires
30 linteaux, 6 en position, 2 tombés
4 pierres dressées, 2 en position
15 blocs de 5 trilithons, 2 intacts, 1 restauré, 2 tombés, soit 9 blocs en position, 6 tombés
2 pierres : 1 pierre inclinée, 1 perdue
3 pierres : 1 pierre de sacrifice, 2 perdues
Total : env. 84 pierres sarsens, dont 52 restantes et 36 plus ou moins en position

Pierres bleues
11 en cercle, 8 tombées ou fragmentaires, 10 rognons ; 60 à l'origine
6 en fer à cheval, 2 tombées ou fragmentaires, 3 rognons ; 19 initiale-ment, plus la pierre d'autel
Total : env. 82 pierres bleues arrangées en double cercle

fossé, de plan grossièrement circulaire et d'environ 110 m de diamètre ; doublant le talus à l'intérieur, un cercle de trous de poteaux, connus sous le nom de « trous Aubrey », d'après le nom de leur découvreur au XVII⁼ siècle. C'est Stonehenge 1, daté d'environ 2950 av. J.-C.

Le fossé creusé dans la craie tend ensuite à se combler, le talus à s'éroder, mais de nouvelles structures en bois sont construites : c'est Stonehenge 2. Il n'en reste que des trous de poteaux dans le calcaire, et il est bien difficile de reconstituer le genre de structure à laquelle ils appartenaient, d'autant que tous n'ont pas forcément servi à la même époque : il pourrait y avoir eu des ensembles successifs. En outre, la partie cen-trale de Stonehenge a été bouleversée par des inter-ventions plus tardives, notamment l'érection des pierres bleues et des grands piliers. Mais les pierres de Stonehenge 3 pourraient fournir une indication : ces dernières, en effet, ont été assemblées à l'imitation de structures en bois, les linteaux horizontaux étant assujettis aux piliers verticaux par des tenons et des mortaises – technique d'assemblage plus appropriée à une charpente.

La phase 3 de Stonehenge commence vers 2550 av. J.-C., avec l'arrivée des pierres bleues puis des grands blocs massifs. Alors qu'il est relativement facile d'imaginer comment le fossé et le talus de Stonehenge 1 et la charpente de Stonehenge 2 ont pu être réalisés, Stonehenge 3 représente un étonnante prouesse technique.

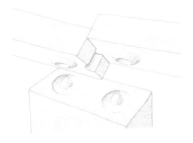

La technique d'assemblage des blocs de pierre à Stonehenge s'inspire de la charpenterie, comme en témoigne le procédé de tenons et mortaises utilisé pour assujettir piliers et linteaux en grès sarsen.

Le transport des pierres

Apporter les blocs de pierre jusqu'au site fut un véritable exploit. En effet, on a découvert en 1923 que les pierres bleues venaient des Preseli Hills, dans le sud-ouest du pays de Galles, à quelque 240 km de leur destination finale. Si certains géologues discutent toujours de l'origine de ces pierres, l'hypothèse des Preseli Hills est aujourd'hui généralement accepté. On ignore pourquoi elles ont été apportées de si loin, mais diverses expériences nous permettent d'imaginer comment. Les pierres bleues sont les plus petits blocs du site. Elles pèsent en moyenne une tonne et demie chacune, et la plus longue mesure environ 2 m. Des essais réalisés dans les années 1950 laissent supposer qu'elles ont pu être halées à l'aide d'un traîneau en bois, à travers les terres, jusqu'à Milford Haven, puis être transférées sur un radeau pour franchir le canal de Bristol et la rivière Avon, avant d'être à nouveau halées sur un traîneau, sur environ 3 km, jusqu'à Stonehenge.

Le transport des piliers monumentaux était une tout autre affaire. Ils venaient de moins loin que les pierres bleues, en fait des Marlborough Downs, 30 km au nord de Stonehenge, mais le plus grand pèse 40 tonnes et mesure 9 m de longueur. Il a certainement fallu une préparation très soigneuse du terrain qui sépare les Marlborough Downs et Stonehenge, pour traîner des blocs aussi énormes. Une expérience menée en 1994 a nécessité l'installation d'une sapine de roulement faite de poutres parallèles. La réplique d'une pierre – à l'identique, mais en béton – a été acheminée sur un traîneau en bois, une quille centrale étant placée entre les deux rails de bois pour éviter que la pierre ne se déplace latéralement lorsqu'on la tirerait. Avec de la graisse appliquée sur les rails et les patins du traîneau,

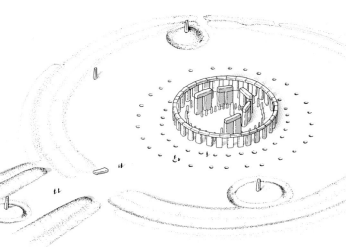

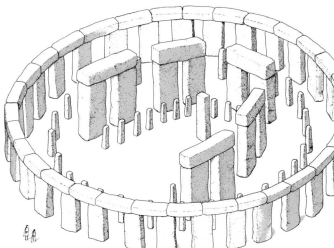

En haut **Phase 3 de Stonehenge, montrant le dispositif central des pierres et (en bas à gauche) l'allée d'accès avec la « pierre inclinée » à l'intérieur de son propre fossé d'enclos.** *Ci-dessus* **Le dispositif central de la phase 3, dans sa configuration finale, avec la « pierre d'autel » au milieu.**

cent trente personnes suffisaient pour haler la pierre, même avec une pente de 20 %. Reste naturellement qu'acheminer de cette façon quelque quatre-vingts blocs était une entreprise énorme. Il n'est donc pas étonnant que les fabulistes du Moyen Âge aient attribué Stonehenge à la magie du légendaire Merlin.

Soulever les pierres

Soulever les pierres n'était pas un exploit moindre que leur transport. Là encore, des expériences récentes ont montré qu'en utilisant les bonnes techniques, le travail peut être accompli par une équipe de moins de cent cinquante hommes. Pour ériger une réplique de grand bloc, on a employé un système de rampe et de contrepoids. Le bloc a été halé sur la rampe jusqu'à ce que son pied soit à la verticale exacte du trou préparé pour le recevoir ; puis on a fait glisser le contrepoids à la surface du grand bloc, pour basculer doucement ce dernier en position. Le succès de l'opération dépend de la conformation soigneuse du trou de réception et du contrôle précis de la manœuvre de basculement du monolithe.

Il fallait ensuite placer les linteaux, de 10 tonnes chacun, au sommet des piliers verticaux. L'opération a pu être réalisée à l'aide d'une rampe, mais il existe aussi la méthode du « berceau » ou de l'échafaudage : le linteau est déposé au pied des piliers et hissé progressivement au moyen de leviers. À chaque étape, des poutres sont glissées et appareillées sous le bloc, de façon à former un échafaudage qui, peu à peu, s'élève jusqu'au sommet des piliers verticaux. Par une manœuvre délicate, on fait alors glisser le linteau latéralement, jusqu'à ce que les deux mortaises ménagées dans le plan inférieur viennent s'adapter aux tenons saillant sur les piliers.

On ignore actuellement laquelle de ces méthodes, échafaudage ou rampe, a été utilisée pour lever les

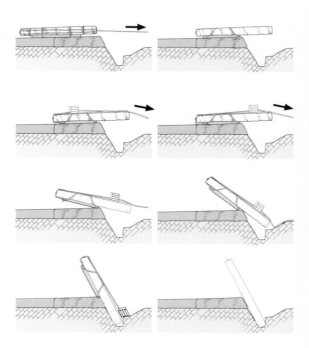

Ci-dessus **Lors d'une expérience récente, on a utilisé un système de contrepoids (ou de «pierres de bascule») pour dresser une réplique du plus grand sarsen en position. Le pied du grand bloc étant amené précisément à la verticale de son trou de pose, les pierres de bascule ont été halées jusqu'à le faire basculer.**

À droite **Le site de Stonehenge survit aujourd'hui à l'état de ruine – si tant est qu'il ait été un jour plus «complet».**

linteaux de Stonehenge. La technique de la rampe aurait exigé un travail immense, non pas tant pour le halage des blocs sur le plan incliné qu'en raison du temps requis pour monter puis démonter la rampe elle-même. Il faut se rappeler également que le centre du complexe de Stonehenge est relativement étroit et offrait peu d'espace pour un projet d'ingénierie aussi complexe ; si le halage devait avoir lieu à l'extérieur, la rampe aurait alors occupé une grande partie de la structure. La méthode de l'échafaudage progressif est bien plus simple, et les poutres pouvaient être réutilisées plusieurs fois. Quelle qu'ait été la méthode adoptée, le centre de Stonehenge a dû présenter longtemps l'aspect d'un énorme chantier de construction, avec échafaudages de poutres, cordes et rampes, pics pour creuser les trous de réception des piliers, marteaux et masses de pierre pour les mettre en forme.

La taille des pierres

À première vue, les blocs de Stonehenge peuvent paraître assez grossièrement taillés. Certes, ils ne sont pas réguliers, mais un examen plus attentif – spécialement sous une lumière oblique ou rasante – montre qu'ils ont été en fait soigneusement ouvragés. Là où les intempéries ne les ont pas effacées, apparaissent des milliers de petites facettes, produites par percussion des surfaces à l'aide de marteaux et de masses de pierre sphériques.

Les constructeurs ont incorporé maints détails subtils dans l'élaboration finale. Les côtés des piliers verticaux, par exemple, ne sont pas parallèles mais renflés au centre,

version indigène de l'entasis utilisée par les architectes grecs pour éviter, lorsqu'on regarde vers le ciel, l'illusion d'optique qui inclinerait les colonnes vers l'extérieur. Les linteaux, au moins ceux du cercle des grands piliers, ne sont pas davantage des blocs rectangulaires: leurs faces internes et externes sont incurvées. Ils sont ajustés les uns aux autres par un système à rainure et languette – procédé emprunté à l'art des charpentiers – afin de constituer un cercle parfaitement lisse et continu. La charpente est aussi à l'origine de la technique des tenons et mortaises pour assujettir les linteaux au sommet des piliers verticaux. Stonehenge n'est pas un chaos de pierres levées, mais bien une structure sophistiquée et soigneusement calculée.

L'observation du ciel

Dans les années 1960, apparut une hypothèse selon laquelle Stonehenge était une sorte d'observatoire astronomique: aménagé d'après une série d'alignements lunaires, solaires et stellaires, il aurait permis de prédire les éclipses et de faire toutes sortes de calculs pour le calendrier. La plupart de ces idées se sont révélées indéfendables, mais l'importance du solstice d'été pour ce monument est incontestable: les constructeurs de Stonehenge ont dû observer le lever estival du soleil, jusqu'à son point le plus septentrional, puis élever les structures de piliers et de pierres bleues autour de l'axe solaire ainsi fixé. La fascination du solstice d'été à Stonehenge continue d'attirer des foules chaque année.

À gauche **Un linteau de Stonehenge est hissé en position à l'aide de longs leviers et d'un échafaudage de bois en berceau.** *Ci-dessous* **Déplacement des blocs sarsens de Stonehenge: lors d'une récente expérience, la réplique d'un bloc, fixée sur un traîneau en bois, a été halée sur des rails en bois convenablement graissés.**

La Grande Ziggourat d'Ur

Datation : vers 2000 av. J.-C.
Localisation : Irak

« Au sommet se trouve un sanctuaire spacieux, à l'intérieur duquel est disposé un lit exceptionnellement large et richement décoré, avec une table d'or à côté de lui. Aucune statue d'aucune sorte n'y est dressée et personne n'occupe la salle, à l'exception d'une femme unique et très belle que le dieu – à ce que disent les prêtres – a spécialement choisie pour lui. Ils disent aussi que le dieu vient en personne dans la pièce et se couche sur le lit. Je n'en crois rien personnellement. » HERODOTE, vers 440 av. J.-C.

LA GRANDE ZIGGOURAT D'UR, en Chaldée, est le plus bel exemple survivant de l'architecture religieuse sumérienne. Bien plus tard, Hérodote a donné une description de la ziggourat de Babylone qui peut s'appliquer à celle d'Ur. Sa grande prêtresse était la fille du roi de la ville, et le temple-tour, escalier théâtral vers les cieux, était le cadre des noces de Nanna, le dieu Lune, protecteur de la cité d'Ur.

Du sanctuaire villageois au temple-tour

La Grande Ziggourat d'Ur se dresse depuis environ 2000 av. J.-C., époque où le roi Ur Nammu et son fils Shoulgi dominaient le sud de la Mésopotamie. Ils utilisèrent les ressources de leur empire pour reconstruire l'antique cité fondée deux millénaires plus tôt. Ainsi la Grande Ziggourat recouvre-t-elle sans doute les vestiges ensevelis de temples bien antérieurs.

Base du grand escalier cérémoniel de la ziggourat d'Ur, après sa restauration.

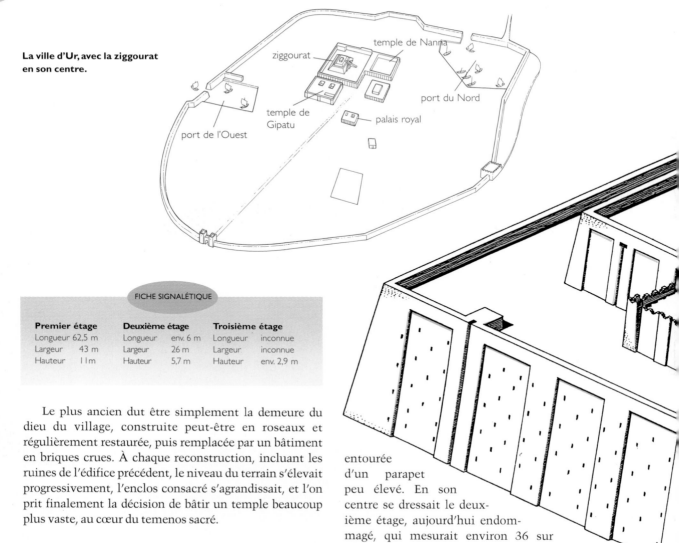

La ville d'Ur, avec la ziggourat en son centre.

ziggourat

temple de Nanna

port du Nord

temple de Gipatu

palais royal

port de l'Ouest

FICHE SIGNALÉTIQUE

Premier étage		Deuxième étage		Troisième étage	
Longueur	62,5 m	Longueur	env. 6 m	Longueur	inconnue
Largeur	43 m	Largeur	26 m	Largeur	inconnue
Hauteur	11 m	Hauteur	5,7 m	Hauteur	env. 2,9 m

Le plus ancien dut être simplement la demeure du dieu du village, construite peut-être en roseaux et régulièrement restaurée, puis remplacée par un bâtiment en briques crues. À chaque reconstruction, incluant les ruines de l'édifice précédent, le niveau du terrain s'élevait progressivement, l'enclos consacré s'agrandissait, et l'on prit finalement la décision de bâtir un temple beaucoup plus vaste, au cœur du temenos sacré.

La construction

La ziggourat (de l'assyrien *ziggouratou*) est de plan approximativement rectangulaire, les angles étant orientés selon les points cardinaux. Les murs sont légèrement inclinés – par diminution progressive de leur épaisseur – et sont décorés de redans séparés par d'étroits saillants. Les trois étages, de taille décroissante, étaient surmontés par le sanctuaire, au sommet de l'édifice. Des trous d'aération pénètrent jusqu'au cœur du massif. Ce dernier consiste en briques crues, régulièrement disposées, à plat et de chant, en lits successifs. L'extérieur est plaqué d'un mince revêtement (2,5 m d'épaisseur) de briques cuites, disposées à plat ; toutes les briques cuites de la construction ont été liées par un mortier au bitume.

Au niveau du sol, l'édifice mesure 62,5 sur 43 m. Les architectes mésopotamiens affectionnant la précision mathématique, ces proportions sont très proches d'un rapport 3/2. Le premier étage atteint 11 m de hauteur. Sa surface était pavée de briques cuites et

entourée d'un parapet peu élevé. En son centre se dressait le deuxième étage, aujourd'hui endommagé, qui mesurait environ 36 sur 26 m, soit une proportion d'à peu près 4/3. On a estimé sa hauteur à 5,7 m et celle du troisième étage (disparu) à 2,9 m, de sorte que chacun des deux étages supérieurs était à peu près moitié moins haut que celui qui lui servait de support.

L'accès se faisait par la face nord-est, où trois grands escaliers en briques cuites s'élevaient depuis le niveau du temenos jusqu'à des propylées monumentaux, situés entre le premier et le deuxième étage de la ziggourat. L'escalier central devait être réservé aux processions cérémonielles, les deux autres étant probablement destinés au service. Il y avait même de grandes cuisines à la base de l'escalier nord : les dieux, comme les prêtres, avaient besoin de nourriture et de boisson.

Les trois autres faces ne sont pas rectilignes, mais bombées au centre, comme dans certaines architectures religieuses grecques. L'impression de solidité que donne ce détail architectonique est accentuée par un renflement dans le massif de briques, au-dessus du sol.

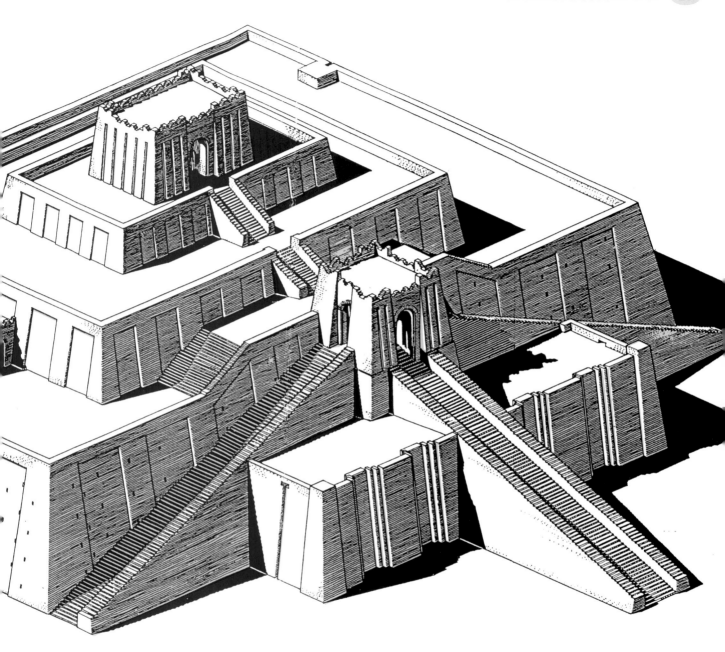

Mille cinq cents ans de vénération

La ziggourat d'Ur Nammu, périodiquement réparée, dura jusqu'au règne de Nabonide de Babylone (555-539 av. J.-C.). Passionné d'antiquité et adorateur dévot du dieu Lune, celui-ci restaura les escaliers et les étages supérieurs. Certaines briques émaillées bleues attestent que le souverain s'intéressait à l'embellissement autant qu'à la conservation des lieux. Cependant Ur déclinait : la prospérité de la ville dépendait de l'Euphrate et le cours de ce fleuve avait changé, laissant les deux ports marchands s'ensabler. Pour finir, la ziggourat resta abandonnée dans le désert, son isolement la préservant des pillards.

Reconstitution de l'aspect initial de la ziggourat d'Ur, d'après les travaux de Sir Leonard Woolley et des fouilles archéologiques récentes.

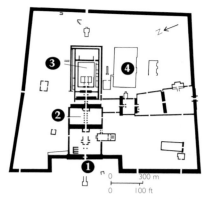

Les temples de Karnak

Datation : vers 2100-300 av. J.-C.
Localisation : Louxor, Égypte

« Il faut [...] marcher au milieu de ces structures géantes pour comprendre [...]. Les colonnes ont plus de trente pieds de circonférence, si bien qu'un homme paraît [minuscule] à côté d'elles. Les blocs qui gisent éparpillés alentour sont tellement énormes que, même sans songer à la façon dont ils ont été taillés, il est impossible d'imaginer comment ils ont été apportés là et mis à leur place. »

DAVID ROBERTS, 1838.

K ARNAK ÉTAIT LE CENTRE religieux du Nouvel Empire égyptien (1580-1085 av. J.-C.). Ses vastes ruines couvrent une surface mesurant plus de 1,2 km², juste au nord de la ville moderne de Louxor. Il s'agit de tout un ensemble de sanctuaires de diverses tailles et formes, de sacristies et d'annexes religieuses, de magasins et de resserres, de quartiers de résidence et de service, d'ateliers et de jardins, de voies processionnelles, le tout groupé en trois enceintes.

Le temenos central est le plus important car il accueille le culte d'Amon-Rê, dieu dynastique de l'Égypte depuis le Moyen Empire. L'enceinte d'Amon est trapézoïdale, et chacun de ses côtés mesure 1 km de longueur. Le temple principal est le fruit d'ajouts successifs : le devoir de tout pharaon étant de construire ou d'agrandir les temples des divinités, chacun d'eux eut à cœur de laisser sa marque dans le complexe de Karnak et dans l'espace consacré au premier des dieux, Amon-Rê. Le petit sanctuaire initial du Moyen Empire s'étendit rapidement avec l'adjonction successive de pylônes,

de salles à colonnes et de temples annexes, ornés de bas-reliefs, de statues et d'obélisques. L'ensemble fut une sorte de chantier pendant plus de deux millénaires. La nouvelle entrée principale était encore en construction lorsque le complexe fut abandonné, de sorte que le visiteur y pénètre aujourd'hui par un portail monumental encadré de pylônes inachevés.

FICHE SIGNALÉTIQUE

Surface couverte par les antiquités de Karnak env.	1 km²
Surface du temenos d'Amon-Rê	env. 0,26 km²
Salle hypostyle de Sethi Ier	
Date de construction	env. 1306-1280 av. J.-C.
Longueur	env. 104 m
Largeur	env. 52 m
Superficie couverte	env. 5 400 km²
Hauteur maximale	env. 24 m
Mur d'enceinte d'Amon-Rê	
Date de construction	env. 370 av. J.-C.
Longueur	env. 2 km
Épaisseur	env. 12 m
Hauteur	env. 256 m
Nombre de briques crues	env. 70 000 000

Les techniques de construction

On peut dégager un principe général suivi par les Égyptiens pour l'érection des grands bâtiments. Ils employaient de gros blocs de pierre pour bâtir les murs massifs, les colonnes et les éléments architectoniques tels que les pylônes. Des blocs encore plus volumineux servaient pour les architraves et les dalles de couverture : la portée de celles-ci étant nécessairement limitée, il fallait que les colonnes des salles hypostyles fussent proches les unes des autres. L'ensemble de la structure tenait ainsi essentiellement par la force de gravité.

À Karnak, l'exemple le plus impressionnant de cette technique de construction à pilier et linteau est peut-être la salle hypostyle commencée par Sethi Ier (v. 1320-1298 av. J.-C.) et achevée par son illustre fils Ramsès II (v. 1298-1235 av. J.-C.). Le vaste espace mesure environ 104 sur 52 m – soit la taille d'une église gothique – et il est peuplé de cent trente-quatre colonnes massives. Ces colonnes sont fuselées et dotées de chapiteaux à motif végétal qui allègent un peu leur apparence, mais l'impression d'ensemble est celle de la solidité massive. Avec 22,40 m de hauteur, les colonnes bordant l'axe central sont plus épaisses et plus hautes que les autres.

Elles supportent un plafond élevé prenant jour latéralement par des fenêtres « grillagées » ; chaque « grille » est en fait une dentelle de pierre réalisée dans une plaque de grès délicatement ajourée.

Les pierres de construction de Karnak provenaient des carrières de toute l'Égypte. La plupart des structures verticales sont en grès, relativement facile à travailler avec des outils en métal, et plus durable que le calcaire utilisé à Karnak sous le Moyen Empire. Les pierres très dures, comme le granit, étaient employées pour les obélisques, la statuaire et, occasionnellement, pour les encadrements de porte. Au début de la XVIIIe dynastie (v. 1550-1320 av. J.-C.), la mode s'était répandu de sculpter de petits autels dans des pierres rarement destinées à la construction, telles que la diorite noire, la quartzite rouge et « l'albâtre égyptien »(travertin).

Chaque fois qu'une nouveau chantier était lancé, les Égyptiens pratiquaient des cérémonies de fondation élaborées. Elles comprenaient le tracé du plan du

Plan *(page opposée)* **et reconstitution** *(ci-dessous)* **de Karnak :**
1. Entrée de l'enceinte d'Amon-Rê, par un pylône inachevé
2. Salle hypostyle de Sethi Ier / 3. Sanctuaire / 4. Lac sacré

Salle hypostyle de Sethi Ier. Les colonnes sont composées de tambours en pierre, superposés et parés *in situ*. Chaque fenêtre à claire-voie consiste en deux « grilles » sculptées dans de fines plaques en grès.

bâtiment et le creusement des tranchées que l'on remplissait d'une couche de sable propre, symbole de purification. Ce même sable avait aussi pour fonction pratique de fournir une base stable pour les fondations.

Les blocs utilisés pour la construction sont d'une grande taille, mais bien moindre que celle des monolithes massifs employés pour les obélisques ou les statues. Les colonnes et les statues engagées étaient également constituées de blocs manœuvrables. Des rampes, faites de briques crues, de sable et de gravats, étaient aménagées pour tirer ces blocs jusqu'à leur position finale : des vestiges de rampe de construction subsistent dans une des tours du premier pylône. Les blocs étaient mis en place au moyen de leviers, puis soigneusement dressés pour assurer le parfait assemblage des diverses sections. Murs, colonnes, architraves et plafonds étaient tous peints dans les couleurs vives qu'affectionnaient les Égyptiens, mais la plupart de ces décorations ont aujourd'hui disparu.

On se servait de mortier pour lier les blocs, mais aussi comme lubrifiant pour faire glisser les pierres en position et pour boucher les fissures éventuelles. Crampons et goujons en pierre aidaient à assujettir les blocs ensemble ; les crampons étaient habituellement taillés dans du bois dur, mais l'on trouve aussi des exemples en cuivre et en bronze, parfois fondus sur place. Ces précautions sont aujourd'hui jugées superflues, étant donné l'épaisseur des murs et la taille des blocs. Reste que les tremblements de terre ont toujours été une menace en Égypte : l'utilisation de crampons et de goujons pour lier ensemble les parties supérieures des structures réduisait considérablement les dommages potentiels qu'auraient pu provoquer le mouvement des blocs.

Des crampons renforçaient également les masses de maçonnerie telles que les pylônes. À Karnak, ces pylônes sont constitués de parements soigneusement fabriqués en pierre de taille dressées et appareillées, l'intérieur étant empli de lits de blocs de pierre posés sans beaucoup de soin. Ces derniers, fréquemment décorés, sont souvent les vestiges de structures antérieures, démantelées mais conservées. Au cours des travaux modernes de consolidation, on a pu ainsi reconstituer des sanctuaires entiers avec les éléments récupérés dans le remplissage des pylônes.

La révolution dans les techniques de construction

Un des développements les plus fascinants de la technique de construction égyptienne intervint sous le règne du pharaon Aménophis IV (v. 1379-1362 av. J.-C.) qui prit le nom d'Akhenaton (« serviteur d'Aton »). Connu de ses successeurs sous le seul surnom de « l'hérétique », il délaissa les divinités traditionnelles pour proclamer que le seul vrai dieu était le disque solaire, Aton. Non content de bouleverser la religion de l'Empire, il introduisit aussi de nouveaux styles en art comme en littérature, et il lança de nouvelles méthodes de construction. Pour la première fois dans l'histoire de l'Égypte, on tailla des blocs de pierre uniformisés, de 50 cm de longueur chacun, qui pouvaient être facilement manipulés par un seul homme. Ces blocs étaient appareillés dans des couches assez épaisses de mortier qui assuraient la cohésion et la stabilité de l'ensemble.

Cette nouvelle technique permettait de construire des édifices avec rapidité et efficacité. Comme les blocs pouvaient être facilement manipulés, des échafaudages

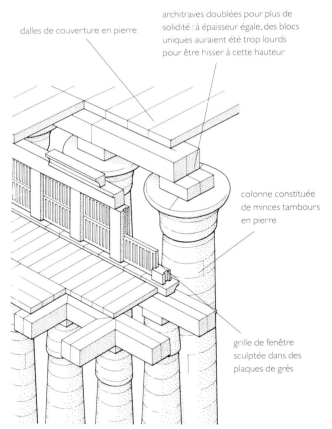

dalles de couverture en pierre

architraves doublées pour plus de solidité : à épaisseur égale, des blocs uniques auraient été trop lourds pour être hisser à cette hauteur

colonne constituée de minces tambours en pierre

grille de fenêtre sculptée dans des plaques de grès

Ci-dessus **Mode de construction de la claire-voie et du toit de la salle hypostyle.**

remplaçaient les rampes – ce qui économisait à la fois du temps et de la main-d'œuvre – et l'on n'avait plus besoin de maçons-tailleurs de pierre qualifiés pour mettre les blocs en place. Malgré des avantages manifestes, les procédés inaugurés sous Akhenaton furent abandonnés en même temps que les réformes religieuses de ce pharaon, et ses édifices furent systématiquement détruits. À Karnak, des milliers de blocs décorés provenant de ses temples ont été retrouvés dans les fondations et les remplissages des structures édifiées par ses successeurs.

Le mur d'enceinte

Chacun des trois temenos de Karnak est entouré par des murs massifs en briques crues, qui sont en eux-mêmes des structures extraordinaires. Celui du sanctuaire principal date de 370 av. J.-C. environ, et il a remplacé une enceinte plus ancienne et moins complète. Il est constitué de briques crues, séchées au soleil, jointoyées au mortier de torchis, et est renforcé par une armature de poutres et de roseaux. Il mesure environ 2 km de longueur, pour 12 m de largeur et 25 m de hauteur. Il a fallu quelque soixante-dix millions de briques pour le construire. Ces briques sont disposées

Vestiges de la rampe de construction en briques crues, du côté intérieur du pylône inachevé. Le chantier fut abandonné avant que les blocs n'eussent été dressés, et la rampe fut partiellement démontée.

en sections alternées, avec des lits successivement convexes et concaves : ce parti a sans doute une signification cosmologique–on peut y voir une représentation des eaux primordiales autour du temple–, mais il a également une utilité pratique dans la prévention des fissures et des effondrements en cas de tremblement de terre.

Restauration à Karnak

La salle hypostyle de Karnak est, à juste titre, un des plus célèbres édifices de l'Égypte, et elle illustre admirablement les qualités techniques des anciens bâtisseurs et constructeurs. À son apogée, l'ensemble du sanctuaire devait offrir un spectacle extraordinaire, mais une bonne partie a été gravement endommagée et il est parfois difficile de deviner les splendeurs de jadis dans l'enchevêtrement de ruines et de fragments déplacés à l'intérieur de l'enceinte. Par bonheur, un centre franco-égypten d'archéologues spécialisés travaille à la consolidation des structures existantes : il regroupe patiemment les milliers de blocs décorés, en essayant de reconstituer l'histoire et l'apparence originale de ce site fascinant.

Le grand temple
d'Abu Simbel

Datation : vers 1285-1265 av. J.-C.
Localisation : Abu Simbel, Égypte

« Le matin, j'atteignis finalement Abu Simbel. Sculptées sur la face de la montagne se trouvent quatre figures humaines colossales, en position assise [...]. La beauté et la taille du temple ne sont surpassées par aucun autre monument égyptien, même par les sanctuaires de Thèbes. »

DAVID ROBERTS, 1838.

L E GRAND TEMPLE de Ramsès II, à Abu Simbel, est l'un des monuments égyptiens les plus impressionnants et les mieux connus. À l'exception des murs de la cour extérieure et d'une petite chapelle solaire, l'ensemble du sanctuaire a été creusé directement dans la roche. Grâce à son isolement et à sa solidité, il est remarquablement bien préservé, nonobstant son déplacement dans les années 1960, pour le mettre à l'abri de la montée des eaux du barrage d'Assouan. La façade est dominée par quatre colossales statues assises du pharaon, d'environ 22 m de haut. Elles encadrent une entrée centrale qui donne accès à une série de salles pénétrant profondément à l'intérieur de la falaise.

La construction du temple

Les travaux de ce temple, commencés dans les premières années du long règne de Ramsès II (v. 1298-1235 av. J.-C.), ont été achevés vers 1265 av. J.-C. Le sanctuaire est dédié aux trois principaux dieux de l'Empire égyptien – Amon-Rê, Ptah et Rê-Horakhty – ainsi qu'au pharaon lui-même, déifié et honoré ici de son vivant. De nombreux bas-reliefs sculptés illustrent les victoires militaires de Ramsès II en Syrie, en Libye et en Nubie ; d'autres scènes montrent sa piété envers les dieux. Un temple plus petit se trouve à quelque 120 m au nordest ; contemporain du grand temple, il est consacré à la déesse de l'Amour, Hathor, et à la principale épouse de Ramsès II, la reine Néfertari.

Ces temples ont été élevés en Nubie, au-delà de la frontière traditionnelle de l'Égypte méridionale, mais dans une zone contrôlée et administrée par l'Égypte à cette époque. Le site a probablement été choisi pour la qualité de sa roche : la falaise ne présente aucune fissure et son grès est de bonne qualité pour l'excavation d'un monument rupestre. Le grand temple fait face au soleil

L'intérieur du temple rupestre d'Abu Simbel, creusé dans le rocher. Les colosses et les reliefs des murs représentent Ramsès II.

FICHE SIGNALÉTIQUE	
Durée de la construction	de 15 à 20 ans
Hauteur de la façade	env. 30 m
Largeur de la façade	env. 35 m
Hauteur de chaque colosse	env. 22 m
Volume de pierre excavé	env. 11 000 m³

levant. Deux fois par ans, en février et en octobre, les premiers rayons de l'astre divin pénètrent jusqu'au cœur du sanctuaire, illuminant les statues de culte qui se dressent contre le mur du fond. Les spécialistes discutent du caractère intentionnel de ce phénomène : s'il en a été ainsi, les constructeurs ont également tenu compte de l'orientation de la falaise pour le choix du site.

Nous ne possédons presque aucun témoignage écrit relatif à la construction du temple, mais le site lui-même fournit quelques informations. Les travaux ont sans doute été planifiés avec le soin le plus extrême, les dimensions des salles et la position des piliers devant être calculées à l'avance, puisque les erreurs auraient été difficiles à rectifier. Des tailleurs de pierre ont dû dégrossir les colosses aux dimensions voulues par les dessinateurs et excaver l'intérieur comme ils le faisaient pour les hypogées pharaoniques de la vallée des Rois. Il a vraisemblablement fallu une importante équipe de sculpteurs habiles pour dresser la façade et donner aux colosses leur aspect final. À l'intérieur du temple, une autre équipe dressait les parois et les revêtait d'enduit fin, pour boucher toutes les fissures de la roche. Sur les surfaces ainsi préparées, des maîtres dessinateurs traçaient le décor, exécuté ensuite par des sculpteurs,

avant d'être rehaussé de couleurs vives. Aujourd'hui, les reliefs dégradés paraissent grossiers, mais la vivacité des scènes figurées retient l'attention.

Restauration et conservation
La majeure partie des dégradations observables sur le temple semble être apparue peu de temps après la construction. La partie supérieure du deuxième colosse s'écroula lors d'un tremblement de terre, dix ans environ

Ci-dessus **L'intérieur du Grand Temple.** *À droite* **Le Grand Temple a été sculpté directement dans la falaise. Les colosses assis de Ramsès II mesurent environ 22 m de hauteur. La partie supérieure de l'un d'eux est tombée à la suite d'un tremblement de terre, peu après son achèvement.**

après l'achèvement des travaux, et ne fut jamais restaurée. Des dommages moins importants, consécutifs au même séisme, furent réparés par les artisans du pharaon : leurs interventions sont visibles sous le bras du troisième colosse et à l'intérieur du temple.

Dans les années 1960, Abu Simbel est devenu la vedette de la campagne de l'U.N.E.S.C.O. pour sauver les monuments de Nubie, menacés d'inondation par la construction du barrage d'Assouan. Entre 1964 et 1968, les deux temples d'Abu Simbel ont été démontés et remontés plus loin, 65 m au-dessus du niveau de leur site original. Comme les temples avaient été sculptés dans la masse de la roche, il fallut les découper en blocs manœuvrables : le grand temple fut ainsi divisé en huit cent sept blocs, de 20 tonnes chacun en moyenne. Ces blocs ont ensuite été réassemblés sur une armature en béton, installée dans une colline artificielle, pour un coût global d'environ quarante millions de dollars.

Le centre cultuel de Chavín de Huántar

Datation : vers 900-200 av. J.-C.
Localisation : hauts plateaux du centre-nord du Pérou

« C'était un huaca *ou sanctuaire, et l'un des plus fameux [...] comme Rome ou Jérusalem chez nous ; un lieu où les Indiens viennent faire des offrandes et des sacrifices, parce que le diable de ce lieu leur donnait beaucoup d'ordres, de sorte qu'ils y venaient de tout le royaume. »*

ANTONIO VASQUEZ DE ESPINOSA, 1616.

DANS UN DÉCOR formé d'une montagne sacrée et du confluent de deux rivières, se dresse la massive colline artificielle, au sommet plat, connue sous le nom de Chavín de Huántar. La construction de cet important monument a commencé vers 900 av. J.-C. À son apogée, Chavín était le centre d'un oracle écouté et d'une religion qui inspirait des travaux artistiques sur tissu, métal, pierre et céramique, diffusés dans une large partie des Andes centrales.

Le Vieux Temple

Une des plus anciennes constructions de Chavín, connue sous le nom de Vieux Temple, est située sur un terrain nivelé en terrasses qui domine la rivière Mosna. Son noyau central, de terre pilée et de rocher, est revêtu de dalles polies, taillées dans les pierres locales (granit, grès et calcaire). Longtemps considéré comme le premier édifice sur le site, le Vieux Temple recouvre en fait des éléments plus anciens, comme l'a révélé un ensemble de relevés récents qui ont repéré des « raccords » dans la structure.

Son plan d'ensemble rappelle les complexes religieux, en forme de U, qui avaient prospéré sur la côte plusieurs siècles auparavant. Une plate-forme centrale et des ailes de largeur dissymétrique encadrent une cour circulaire située en contrebas. Les ailes latérales représentaient les forces antagonistes et complémen-

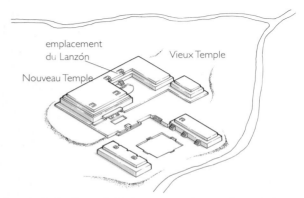

Le temple de Chavín de Huántar est situé au confluent de deux rivières, sur les hauts plateaux du centre-nord du Pérou.

taires du cosmos et de la société ; la place circulaire symbolisait la médiation entre ces forces opposées, et le sommet du U, leur synthèse. À environ 10 m au-dessus du sol du temple, sur la plate-forme centrale, de grandes têtes de pierre en haut relief étaient fixées sur la façade. Elles représentent d'effrayantes créatures à demi humaines, munies de dents terribles ; certains spécialistes présument qu'elles figurent les métamorphoses des chamans vues sous l'empire de drogues hallucinogènes.

Le temple apparaît comme une construction solide, dépourvue de portes et de fenêtres. Pourtant, l'intérieur est creusé de chambres et de corridors connues sous le nom de « galeries ». Des escaliers, des trous d'aération et des canalisations reliaient ces galeries, formant un labyrinthe qui traverse le massif central du temple. Des conduits fournissaient de l'air aux corridors froids et humides ; des canalisations doublées de plaques de pierre drainaient l'eau de pluie depuis le sommet plat. Le réseau de ces évents et de ces écoulements – environ 500 m dans le seul Vieux Temple – dépasse les exigences d'un simple travail d'ingénierie. Certains spécialistes

FICHE SIGNALÉTIQUE	
Vieux Temple	
Hauteur de la plate-forme centrale	11 m
Hauteur de la plate-forme sud	16 m
Hauteur de la plate-forme nord	14 m
Réseau de canalisations et d'évents	500 m
Superficie occupée autour des temples	42 ha
Population vers 500 av. J.-C.	env. 3 000

Ci-dessus **Vue du site de Chavín de Huántar**, vers l'ouest, avec le complexe cultuel au premier plan et la montagne sacrée du Huantsan, couverte de neige, dans le lointain.
À gauche **Le Lanzón**, monolithe en granit et image de culte cachée dans une des galeries profondes du temple de Chavín de Huántar.

109

À gauche **Un panneau sculpté représentant un jaguar mythique orne la cour circulaire, en contrebas du Vieux Temple de Chavín de Huántar.** *Ci-dessous* **La façade orientale du Nouveau Temple de Chavín de Huántar, avec son portail blanc et noir.**

ont suggéré que les fidèles, regroupés devant le temple, associaient le son de l'eau dans les canalisations, amplifié par l'ouverture ou la fermeture des évents et des drains, avec la voix de l'oracle de Chavín, semblable à un tonnerre souterrain.

Sur la plate-forme centrale, une volée de marches conduisait à l'entrée d'une galerie et au principal objet de culte du Vieux Temple, qui est peut-être son plus ancien oracle : le Lanzón, un monolithe de granit, haut de 4,53 m. Dressé face à l'est, le Lanzón commande l'issue d'une galerie humide en forme de croix. Il s'agit d'une forme humanoïde, dont les mains et les pieds se terminent en griffes. Elle arbore de lourds pendants d'oreilles, et sa bouche aux lèvres lippues se retrousse en un rictus dévoilant de redoutables canines supérieures.

Le Nouveau Temple

La prospérité croissante de Chavín se traduit par le remaniement et l'agrandissement du sanctuaire entre 400 et 200 av. J.-C. environ. Le Nouveau Temple incorporait une partie de l'ancien en l'amplifiant. Les constructeurs doublèrent la taille de l'aile sud et agrandirent le temenos vers l'est.

À la base de la plate-forme centrale du Nouveau Temple, fut ajouté un portail doté de deux colonnes sculptées représentant des aigles huppés, couronnées par un linteau sculpté. Le portail ouvrait sur une cour carrée de 20 m de côté, décorée d'orthostates sculptées. De là, un escalier monumental, en calcaire noir et granite blanc, menait à la place principale du Nouveau Temple. Mesurant 105 sur 85 m, cette place rectangulaire dominait une cour située en contrebas, de 50 m de largeur.

Le répertoire ornemental de la sculpture, qui utilise volontiers des animaux tels que caïmans, jaguars ou serpents, a incité certains archéologues à supposer que Chavín de Huántar serait liée par ses origines à la forêt tropicale. Les recherches ont toutefois montré que si sa religion a peut-être emprunté une cosmologie et une iconographie animalières à certaines sociétés de la forêt tropicale, l'architecture de Chavín a beaucoup plus d'éléments communs avec les cultures côtières, tandis que son organisation économique est typique des hauts plateaux. Tout comme les architectes de Chavín se sont inspirés des traditions côtières pour la structure de leurs temples, ses sculpteurs ont mêlé l'iconographie sacrée de la côte et (peut-être) la cosmologie amazonienne des basses terres tropicales dans leurs sculptures sur pierre.

Le Parthénon d'Athènes

Datation : 447-432 av. J.-C.
Localisation : Athènes, Grèce

« C'était comme si quelque vie éternellement florissante et un esprit éternellement jeune avaient été insufflés dans la création de ces œuvres. »

PLUTARQUE, *Vie de Périclès.*

LE PARTHÉNON d'Athènes n'est pas seulement une réalisation architecturale extraordinaire et novatrice; il est aussi le symbole de la civilisation grecque et son orgueil. Il est pourtant né après une époque de désolation. En 480 av. J.-C., les Perses envahissent la Grèce et attaquent Athènes. Ils détruisent monuments et édifices publics, massacrent la population qui n'a pas fui et incendient l'Acropole, citadelle de la ville. C'est près de trente ans plus tard qu'Athènes entreprend un ambitieux programme de rénovation urbaine et de reconstruction, conduit par le grand politicien Périclès. L'apogée de ce programme est le nouveau Parthénon, commencé en 447 av. J.-C., qui se dresse sur les vestiges d'un précédent sanctuaire. Dédié à la déesse Athéna, protectrice de la cité, il glorifie l'histoire et la culture de la nation grecque.

Conçu par les architectes Ictinos et Callicratès, le Parthénon combine les éléments architecturaux de façon souvent innovante. Le stylobate mesure 69,5 sur 30,88 m, avec huit colonnes doriques sur le petit côté et dix-sept sur le grand. La salle principale, la *cella*, est divisée en deux parties. Selon certains, la partie occidentale (*opisthodomos*) était une sacristie destinée au trésor, tandis que la partie orientale (le *naos* proprement dit), plus grande, abritait une colossale statue chryséléphantine d'Athéna, chef-d'œuvre de Phidias qui était alors le plus illustre des sculpteurs grecs. On y accédait par un *pronaos* doté de six colonnes doriques.

Le Parthénon, dans l'état actuel des ruines.

FICHE SIGNALÉTIQUE

Fondation

Membre architectural	Nombre d'unités	Longueur	Largeur	Hauteur	Poids
Stéréobate		78 m			
blocs de const.	8000				2 tonnes
Crépis		72,31 m	33,68 m		
Stylobate		69,50 m	30,88 m		
blocs de const.	130				5 tonnes
blocs d'angle	4				7 tonnes

Extérieur

Membre architectural	Nombre d'unités	Longueur	Largeur	Hauteur	Poids
Colonnes	46		1,91 m	10,43 m	
tambours	506				5-10 tonnes
chapiteaux	46				8-9 tonnes
Architrave					
blocs de const.	138	4,3-4,7 m			+ de 10 tonnes
Frise dorique				1,35 m	
triglyphes	100		0,845 m		
métopes	92				
Corniche				0,60 m	
Toit (marbre)					
tuiles	8480				20-50 kg
tuiles décor.	377				

Cella

Membre architectural	Nombre d'unités	Longueur	Largeur	Hauteur	Poids
Frise ionique		160 m			
Colonnes	46			13,5 m	
Murs					
blocs dressés	231				2,7-7 tonnes
blocs assis	3690				1,5 tonne

Opisthodome

Membre architectural	Nombre d'unités	Longueur	Largeur	Hauteur	Poids
Colonnes ioniques				12,5 m	

Perspective axonométrique du Parthénon, montrant la *cella* intérieure, avec la statue chryséléphantine de la déesse Athéna.

Les sculptures

Une des caractéristiques les plus remarquables du Parthénon était son ensemble de sculptures, réparties en trois groupes : les figures sculptées sur les deux frontons ; les quatre-vingt-douze métopes alternant avec les triglyphes sur l'entablement dorique extérieur, juste sous le toit ; et enfin la frise ionique continue (d'environ 160 m de longueur), qui courait au sommet des murs de la *cella*.

Les Athéniens se soient adressés à Phidias pour planifier et superviser le programme des sculptures. Haut perchés sur les échafaudages, Phidias et son équipe travaillèrent durant cinq à six années (de 438 à 432 environ), sculptant puis peignant les sculptures qui allaient être considérées, par les générations suivantes, comme la plus haute expression de l'art grec classique. Elles incluent les fameux marbres emportés en Angleterre par Lord Elgin, en 1802.

Extraction et transport de la pierre

Mis à part les poutres de la charpente, toute la structure du Parthénon – y compris les « tuiles » de couverture – a été construite dans un marbre extrait des carrières du mont Pentélique, à 13 km au nord-est d'Athènes. La fondation, reprise de celle du précédent sanctuaire, incendié par les Perses, est constituée de blocs extraits près du Pirée.

Le processus de construction commençait dans la carrière. Coins de fer, leviers et mailloches entraient en action pour extraire les blocs de leur veine. On exploitait, si possible, les lignes de clivage naturelles, pour faciliter le travail d'enlèvement. Dans des trous ménagés sur les bords du bloc désiré, on insérait des coins que l'on enfonçait à coups de mailloche ; dans le même temps, l'action de leviers augmentait la pression sur le bloc jusqu'à le libérer de son lit. Pour extraire un bloc moyen, il fallait au moins quatre carriers chargés des coins et quatre autres des leviers ; les blocs plus imposants, comme ceux destinés aux tambours des

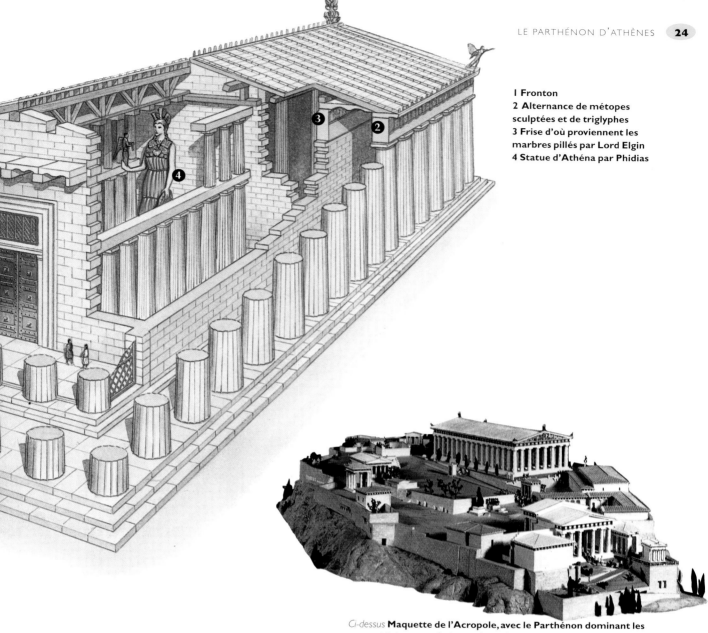

1 Fronton
2 **Alternance de métopes sculptées et de triglyphes**
3 **Frise d'où proviennent les marbres pillés par Lord Elgin**
4 **Statue d'Athéna par Phidias**

Ci-dessus **Maquette de l'Acropole, avec le Parthénon dominant les autres bâtiments.** *Ci-dessous, à gauche* **Parade de cavalerie, détail de la frise nord du Parthénon.**

colonnes (de 5 à 10 tonnes chacun) et aux chapiteaux (de 8 ou 9 tonnes), requéraient naturellement des équipes plus importantes.

Les blocs étaient probablement halés hors de la carrière sur des traîneaux : des leviers soulevaient les masses de pierre sous lesquelles on pouvait alors glisser des poutres de bois pour former le traîneau. Pour un tambour de colonne de taille moyenne, il fallait approximativement vingt-huit hommes pour haler le bloc sur un traîneau jusqu'au charroi qui l'emporterait à Athènes.

Les sources littéraires rapportent que des chariots et des mules étaient utilisés pour charrier les blocs de la carrière jusqu'à l'Acropole. Il fallait des chariots très

Extraction des blocs de marbre, à l'aide de coins et de leviers.

solides, qui puissent supporter des poids excédant parfois 10 tonnes. Pour transporter un tambour de colonne moyen, on devait mobiliser un attelage de trente-trois mules et un charretier expérimenté, les effectifs augmentant pour les blocs plus lourds et pour gravir les pentes.

La taille des pierres

Lorsque les blocs n'étaient pas dressés dans la carrière, ce travail était fait sur le site de construction, en fonction de la destination et de l'emplacement prévu dans le plan de l'ensemble. Il en résulte que deux blocs n'étaient jamais identiques : on introduisait angles et courbes, selon une proportion mathématique prédéterminée. Ces variations servaient à compenser les écarts dans la structure générale, mais aussi à corriger les imperfections visuelles : toutes les pièces horizontales sont bombées au centre ; les colonnes, les entablements et les longs murs de la *cella* sont légèrement inclinés vers l'intérieur, par rapport à la verticale ; il en va de même pour les colonnes d'angle qui se détachent sur fond de ciel, mais selon leur diagonale. L'effet global est celui d'une structure élancée et dynamique ; sans

ces raffinements, l'édifice, trop lourd dans ses parties hautes, aurait paru écrasant aux yeux des spectateurs.

Les tailleurs de pierre les plus expérimentés parachevaient seulement la surface inférieure des tambours de colonne et les parties de l'édifice destinées à rester visibles. Les bossages et autres aspérités fournissaient des prises pour manipuler les blocs et n'étaient éliminées qu'une fois ceux-ci installés à leur place définitive. D'autres tailleurs de pierre et maçons finissaient alors de dresser les blocs. Les chapiteaux, toutefois, étaient terminés au sol avant d'être hissés et mis en place.

Il a fallu 230 000 tonnes de marbre et neuf années pour construire le Parthénon. Cela implique que 70 tonnes de pierre étaient extraites, acheminées, dressées et mises en place chaque jour. Ce chiffre moyen devait même être plus élevé, si l'on soustrait les jours fériés et les fêtes religieuses. On n'a pas inclus dans ce calcul les sculptures, qui ont demandé cinq à six années de travaux supplémentaires, ni la mise en œuvre des autres matériaux : des crampons en fer pour solidariser les blocs de maçonnerie avec les sculptures, du bois pour la charpente, de la peinture pour rehausser les sculptures et certains détails architecturaux… Il est donc certain que les équipes travaillant sur ce grand chantier étaient fort nombreuses.

Une ou plusieurs équipes (vingt-huit hommes au moins) étaient nécessaires pour traîner un tambour de colonne moyen du chariot jusqu'au lieu de travail. Des maçons dressaient le tambour posé au sol. Des équipes additionnelles s'occupaient de le hisser et de le mettre en place, à l'aide d'une grue rudimentaire ; puis un autre groupe de maçons parachevait le travail. Des artisans se chargeaient de la finition des divers éléments architecturaux, au sol ou sur le monument.

Diagramme indiquant les angles d'inclinaison et la déformation des lignes horizontales du Parthénon.

114

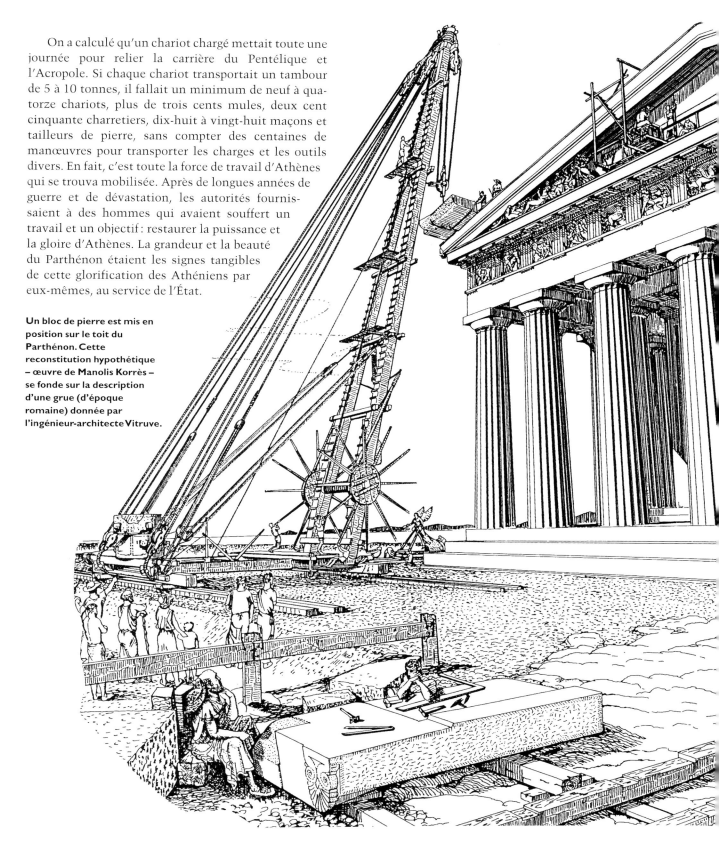

On a calculé qu'un chariot chargé mettait toute une journée pour relier la carrière du Pentélique et l'Acropole. Si chaque chariot transportait un tambour de 5 à 10 tonnes, il fallait un minimum de neuf à quatorze chariots, plus de trois cents mules, deux cent cinquante charretiers, dix-huit à vingt-huit maçons et tailleurs de pierre, sans compter des centaines de manœuvres pour transporter les charges et les outils divers. En fait, c'est toute la force de travail d'Athènes qui se trouva mobilisée. Après de longues années de guerre et de dévastation, les autorités fournissaient à des hommes qui avaient souffert un travail et un objectif : restaurer la puissance et la gloire d'Athènes. La grandeur et la beauté du Parthénon étaient les signes tangibles de cette glorification des Athéniens par eux-mêmes, au service de l'État.

Un bloc de pierre est mis en position sur le toit du Parthénon. Cette reconstitution hypothétique – œuvre de Manolis Korrès – se fonde sur la description d'une grue (d'époque romaine) donnée par l'ingénieur-architecte Vitruve.

La pyramide du Soleil à Teotihuacán

Datation : vers 300-225 av. J.-C.
Localisation : Mexique central

« Dans un lieu appelé Teotihuacán [...] les populations ont élevé des pyramides pour la Lune et pour le Soleil [...]. Il y a un trou là où ils ont pris la pierre pour bâtir les pyramides. Et ils ont construit les pyramides [...] très grandes, tout comme des montagnes. »

Codex fiorentinus, vers 1569.

LE MONUMENT connu depuis cinq cents ans sous le nom de « pyramide du Soleil » devrait plutôt être appelé « pyramide du Temps », car selon une antique légende, il marque le lieu où le Temps a commencé. La pyramide a été construite il y a presque deux millénaires pour commémorer ce mythique événement, pour honorer les dieux et peut-être aussi comme tombeau monumental du souverain qui l'avait fait construire. S'élevant à 60 m au-dessus de la vallée de Teotihuacán, sur les plateaux centraux, arides et frais du Mexique, cette pyramide est la plus belle réalisation architecturale de ce qui fut la première grande ville du Mexique ancien.

Le site de Teotihuacán

Les débuts de la cité, au Ier millénaire av. J.-C., furent modestes. Elle était alors l'une des deux agglomérations de la vallée de Mexico, chacune d'elles étant implantée sur la rive d'un lac et environnée de montagnes. Plusieurs siècles avant notre ère, des éruptions volcaniques successives mirent à mal la rivale de Teotihuacán, avant de

FICHE SIGNALÉTIQUE

État I
Construit entre 300 av. J.-C. et 1 ap. J.-C.
Base en plate-forme basse, au-dessus de la grotte
Plate-forme plus petite à l'ouest, au-dessus et à l'est de l'entrée de la grotte

État II
Première pyramide, vers 100 ap. J.-C.
Carré de base d'environ 184 m de côté
Hauteur d'environ 46 m

État III
Dernière pyramide, entre 150 et 225 ap. J.-C.
Carré de base d'environ 226 m de côté
Hauteur d'environ 75 m, avec le temple sommital aujourd'hui détruit

l'ensevelir sous des flots de lave. Les rescapés trouvèrent refuge à Teotihuacán où ils travaillèrent (et leurs descendants après eux) sur le plus grand chantier public du Mexique. Le vaste programme comprenait les deux immenses pyramides de la Lune et du Soleil, la longue « avenue de la Mort », une Citadelle (*Ciudadela*), un Grand Complexe et de nouvelles habitations. C'est ainsi que Teotihuacán grandit, en développant autour de la pyramide du Soleil un tissu urbain, à la fois dense et monumental, qui couvrait 20 km² et abritait environ 100 000 habitants.

Les archéologues pensent que les réfugiés travaillèrent à ces projets selon un système de corvées volontaires, sous le contrôle des dirigeants de Teotihuacán et

pour honorer les esprits tutélaires de la ville. Ils devaient considérer les montagnes et les grottes comme investies d'une puissance sacrée ; la vallée de Teotihuacán fournissait un environnement propice à ces croyances. Au centre de la ville, sur le site de la future pyramide du Soleil, une grotte s'ouvrait vers l'ouest, dans l'axe précis du coucher du soleil à certaines dates clés pour l'astrologie et le calendrier agricole. Le plus ancien sanctuaire y avait été élevé au Iᵉʳ siècle av. J.-C. : il se composait de plusieurs *tumuli* érigés au-dessus de l'entrée de la caverne et de son espace intérieur.

Vue sur l'avenue de la Mort, depuis la pyramide de la Lune. La pyramide du Soleil est sur la gauche.

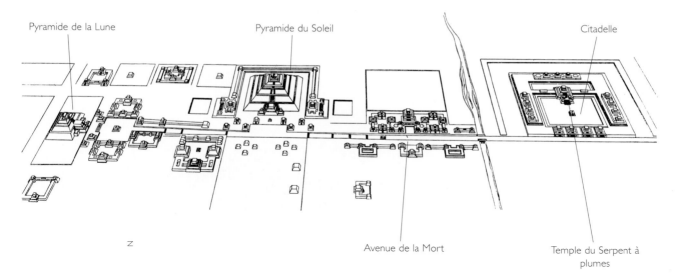

Pyramide de la Lune

Pyramide du Soleil

Citadelle

z

Avenue de la Mort

Temple du Serpent à plumes

Les principales structures du centre cérémoniel de Teotihuacán

Depuis l'entrée de la grotte mais en direction du nord, exactement perpendiculaire à l'orientation est-ouest de l'antre sacré, on voyait le profil caractéristique du sommet de la montagne sacrée de la ville. Au tout début du Iᵉʳ siècle ap. J.-C., fut aménagée la grande chaussée, appelée aujourd'hui « avenue de la Mort », qui relie l'entrée de la grotte (extrémité sud) au pied de la montagne sacrée (extrémité nord), où l'on édifia alors la « pyramide de la Lune », premier grand monument religieux de Teotihuacán.

Vers la fin du Iᵉʳ siècle, le travail se concentra sur l'amplification et la transformation du sanctuaire de la grotte en « pyramide du Soleil ». Nous savons toutefois que sa plate-forme de base initiale était un immense carré de 349 m de côté. L'avant-dernière version de la pyramide avait un carré de base de 184 m de côté, pour une hauteur d'environ 46 m. Le noyau central, composé d'agglomérats de cendres volcaniques, de briques crues séchées au soleil et de graviers volcaniques, fut recouvert d'une épaisse couche de mortier à base de gravier, elle-même revêtue d'une couche de stuc chaulé et peint. La pyramide était sommée d'un temple (ou de deux temples jumeaux), consacré(s) aux principales divinités de la cité, le dieu Tonnerre et la Grande Déesse. Le centre cérémoniel de Teotihuacán fut agrandi au IIᵉ siècle : la chaussée monumentale fut allongée vers le sud et flanquée de grands ensembles sur plan carré.

La pyramide du Soleil

La pyramide du Soleil telle que nous la connaissons aujourd'hui, a pris forme un peu avant 225, mais son sommet et l'habillage de sa surface ont depuis disparu.

La pyramide complète mesurait 226 m de diagonale à la base. La hauteur, y compris le(s) sanctuaire(s) du sommet, était d'environ 75 m. Les ajouts à la pyramide antérieure comportent des renforts et des chaînages que la disparition de l'habillage de surface a mis au jour. Des contreforts verticaux en pierre s'élèvent jusqu'au sommet, les intervalles qui les séparent étant comblés d'un remplissage compact. L'ensemble du massif a été recouvert d'une maçonnerie de 7 m d'épaisseur, puis d'une couche de graviers volcaniques

concassés, et finalement d'un enduit de stuc qui a été peint (habillage disparu).

La construction de la pyramide du Soleil a nécessité une grande quantité de matériaux. Les composants du noyau central de la pyramide, tels que pierre ponce et blocs de cendres volcaniques agglomérées, ont été extraits sous les pyramides. Les études récentes de l'ensemble des grottes, dans le sous-sol de Teotihuacán, ont montré que beaucoup de cavernes supposées naturelles sont en fait d'anciennes carrières, utilisées ensuite pour les rites. La grotte sacrée sous la pyramide du Soleil a été aménagée de cette façon, par creusement et remblayage.

Pour transporter les matériaux de construction, les dirigeants et les planificateurs des travaux ont mis a profit la population accrue de Teotihuacán. Celle-ci travaillait sans doute plus intensivement aux époques de l'année où elle ne s'occupait pas des cultures irriguées qui s'étendaient entre la ville et le lac. Si l'on estime qu'un ouvrier adulte pouvait travailler, en moyenne, cent jours

Un masque typique du style de Teotihuacán

par an sur les grands chantiers, la population globale, d'environ 100 000 habitants vers l'an 100 de notre ère, a pu fournir des dizaines de milliers de jours de travaux chaque année, pour transporter les matériaux dans des paniers et accomplir d'autres travaux de manutention.

Combien a-t-il fallu de temps pour construire la pyramide du Soleil ? Le volume de celle-ci – plus d'un million de mètres cubes – équivaut approximativement à trente millions de charges individuelles. Si chaque ouvrier accomplissait cinq allers-retours de la carrière au site, il a fallu six millions de journées de travail, avec six mille manœuvres, pour réaliser le gros œuvre en dix ans. La surface entière de la pyramide fut ensuite enduite, d'abord de boue et de graviers volcaniques broyés, puis de chaux produite dans les vallées adjacentes. Ce souci de la qualité coûta cher aux habitants de Teotihuacán, car la fabrication de la chaux consuma des forêts entières, modifiant irrévocablement l'écologie de la région et accélérant l'érosion des sols dont on mesure aujourd'hui les effets catastrophiques.

Les autorités de la ville firent couronner la pyramide d'un (ou de deux) temple(s), puis remanier la plate-forme d'entrée, au-dessus de la grotte sacrée. Des murs de plate-forme, formés de long panneaux horizontaux, surmontent des bases talutées. Ce style, appelé en espagnol *talud-tablero*, ne s'observe qu'à cet endroit de la pyramide du Soleil.

Après l'achèvement de celle-ci, les travaux se déplacèrent vers le centre civique et cérémoniel de la ville. La tradition des souverains autocrates céda le pas à une forme de gouvernement plus collectif, regroupant probablement les doyens des divers complexes résidentiels qui furent continûment occupés durant quatre ou cinq siècles.

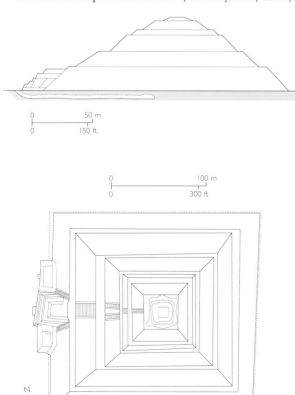

Page opposée **Façade occidentale de la pyramide du Soleil, avec sa plate-forme d'accès et ses escaliers.** *Ci-dessus* **Pyramide du Soleil, plan et élévation, montrant l'emplacement de la grotte sacrée.**

Le Grand Stûpa de Sanchi

Datation : IIIe siècle av. J.-C.-Ve siècle ap. J.-C.
Localisation : État de Madhya Pradesh, Inde

« Donation de Dhana, l'épouse du frère du propriétaire Patihiya de Toubavana. »

Inscription sur l'entrée nord du Grand Stûpa

SANCHI, est située près de Bhopal, la capitale du Madhya Pradesh, au centre du continent indien. Elle présente l'un des ensembles d'architecture bouddhique les mieux conservés de toute l'Asie. Entre le IIIe siècle av. J.-C. et le XIIe siècle de notre ère, on y a construit une grande variété de stûpas, de temples, de monastères et de piliers, sur le sommet isolé d'une crête de grès. Le monument le plus célèbre est le Grand Stûpa, haut de 16,5 m. Autour de sa base court une voie processionnelle bordée par une balustrade en pierre. Aux quatre points cardinaux se dressent des *toranas*, des portails magnifiquement sculptés de bas-reliefs qui représentent des scènes de la vie du Bouddha, de ses vies antérieures et des premiers temps du bouddhisme. Le dôme du stûpa se dresse sur un tambour hémisphérique tronqué, de 36,6 m de diamètre, surmonté d'une balustrade rectangulaire qui entoure un triple parasol de pierre. Le stûpa, massif, forme un contraste frappant avec la profusion ornementale des portails et des balustrades. L'effet devait être encore plus marqué à l'origine : le dôme et son tambour étaient enduits de ciment blanchi à la chaux alors que les balustrades et les portails étaient colorés en rouge lumineux. Cependant, la surface du stûpa était peinte de festons et de guirlandes, et les ombrelles à son sommet étaient dorées.

Le contexte historique

Le monument que nous voyons aujourd'hui est le résultat de plusieurs siècles de construction et d'embellissement. Le Grand Stûpa a été fondé par Asoka (v. 273-237 av. J.-C.), empereur de la dynastie Maurya, vers le milieu du IIIe siècle av. J.-C. La première structure, en briques, était moitié moins grande que l'actuelle et elle contenait probablement d'authentiques reliques du Bouddha. Près du stûpa, Asoka fit élever un pilier commémoratif en grès poli, de 13 m de hauteur, sur lequel il fit graver un édit proscrivant tout schisme dans la religion bouddhique. On pense que le stûpa d'Asoka a été endommagé par le premier souverain de la dynastie Sounga qui suivit, Poushyamitra (184-148 av. J.-C.), mais il fut ensuite remanié et agrandi sous le règne de son fils, Agnimitra, ou du successeur de celui-ci, Vasoudjyeshta. Les portails ont été ajoutés une centaine d'années plus tard, sous le règne d'un souverain de la dynastie Satavahana, Satakarni II (50-25 av. J.-C.). Rompant avec les origines royales de ce complexe, les phases de construction suivantes ont été le fait non pas des souverains, mais de centaines de donateurs de toutes classes – moines et nonnes, marchands et banquiers, maçons – qui ont laissé leurs noms inscrits sur les structures qu'ils ont fait édifier.

Matériaux et techniques de construction

Le stûpa originel d'Asoka était un objet sacré, de sorte qu'au lieu de le raser, les bâtisseurs suivants l'englobèrent dans la nouvelle construction. Ils creusèrent leurs fondations dans la terrasse du premier édifice et édifièrent un nouveau dôme, plus vaste, dans une maçonnerie de niveau inégal, sur un épais noyau de gravats. Ils construisirent la plinthe et d'autres éléments séparé-

FICHE SIGNALÉTIQUE			
Ensemble		**Plinthe**	
Hauteur	16,50 m	Hauteur	5 m
Diamètre	36,60 m	Largeur à la base	1,75 m
		Hauteur de la balustrade	1,50 m
Portails cérémoniels			
Hauteur	8,50 m	**Balustrade supérieure**	
		Hauteur	2,10 m
Balustrade extérieure		**Parasol**	
Nombre de piliers	120	Hauteur	2,10 m
Hauteur des piliers	3,20 m		

Vue du Grand Stûpa ; au premier plan, la balustrade en pierre et le portail cérémoniel oriental.

ment, sur des fondations étroites. Le pilier d'Asoka (d'un poids de 40 tonnes) avait été extrait à Chunar, sur le Gange, et acheminé par radeau sur un fleuve voisin, mais les autres matériaux étaient disponibles localement. Le grès de l'enveloppe extérieure provient de la crête de Sanchi ; les balustrades sont en grès plus fin, extrait sur une colline voisine ; quant aux portails de cérémonie, ils sont faits dans une pierre provenant d'une colline distante de 6,4 km, à Udaigiri.

Pour procéder à l'extraction en carrière, on repérait des creux le long de la ligne de fracture désirée, on les remplissait avec de l'eau et l'on faisait chauffer. Les blocs ainsi obtenus étaient dégrossis à l'aide d'une sorte de pied-de-biche. Les éléments décoratifs étaient gravés et sculptés avec des ciseaux et des burins d'acier, avant d'être polis avec du sable de rivière. Si le revêtement était posé en lits horizontaux, assemblés à sec, les éléments de balustrade étaient assemblés à tenons et mortaises, selon

une technique dérivée du travail du bois. Les traverses recevaient, en revanche, une forme lenticulaire.

On a longtemps estimé qu'il avait fallu plus de cent ans pour construire le Grand Stûpa de Sanchi, mais l'on pense aujourd'hui à un laps de temps beaucoup plus court – et plus vraisemblable – de cinq à six ans. La prouesse technique n'en reste pas moins considérable.

Les stûpas sont parmi les premiers monuments bouddhiques, élevés à l'origine dans les différents endroits où étaient conservées les cendres du Bouddha (v. 563-483 av. J.-C.). Petits monticules de briques, de terre ou de pierre, les stûpas devinrent eux-mêmes des objets de vénération sous le règne d'Asoka.

Il est hautement probable que le Grand Stûpa de Sanchi a été construit sur les cendres mêmes du Bouddha, car les stûpas 2 et 3 du complexe, plus petits, contenaient des reliques de ses disciples et de leurs successeurs.

Perspective axonométrique du Grand Stûpa, montrant le noyau initial en briques construit par les Maurya.

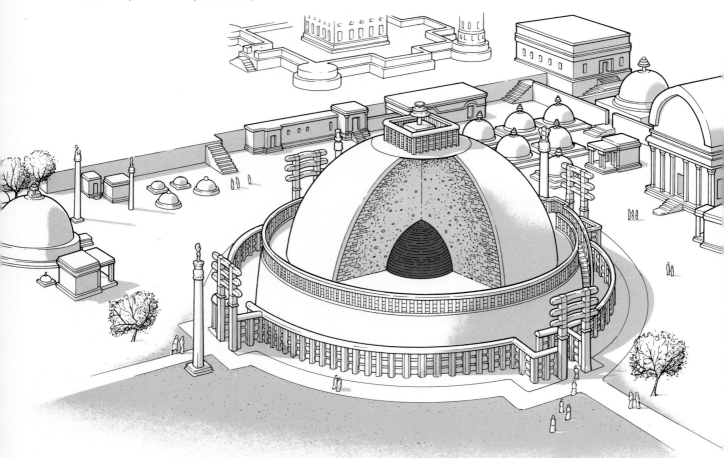

Les grottes bouddhiques d'Ajanta

Datation : IIe siècle av. J.-C.-VIe siècle ap. J.-C.
Localisation : État de Maharashtra, Inde

« Celui qui fait une image de [Bouddha] devient parfait en béatitude, heureux en présages et bonnes qualités, et sa splendeur éclate par ses vertus et ses organes physiques, et il est délicieux à voir. »

Inscription dans la grotte 25, Ve siècle av. J.-C.

LES TEMPLES et monastères des monts Ajanta, à 320 km au nord-est de Bombay, sont célèbres pour leur extraordinaire décor de fresques. Ce sont par ailleurs les plus beaux exemples d'architecture rupestre bouddhique en Inde et ils offrent l'occasion unique d'étudier les premiers développements de cette architecture religieuse, puisque la plupart des autres édifices de cette période étaient en bois et ont disparu depuis longtemps.

Trente grottes ont été creusées dans les falaises qui surplombent la gorge étroite de la rivière Waghora, à deux époques distinctes : entre le IIe et le Ier siècle av. J.-C., et entre le Ve et le VIe siècle de notre ère. On les atteignait jadis par des escaliers taillés dans le rocher, depuis le bas de la gorge, situé à 30 m au-dessous du niveau moyen des grottes. Ces grottes sont soit des sanctuaires à stûpa, soit des monastères. Toutes sont ornées de superbes fresques montrant le Bouddha et les bodhisattvas (sages), notamment les épisodes marquants de la vie du Bouddha et de ses vies antérieures.

Les cinq sanctuaires présentent des façades élaborées, avec un porche monumental surmonté d'une « fenêtre » en forme de fer à cheval. À l'intérieur

La façade du stûpa-sanctuaire n° 19, sculptée dans la falaise, avec son portique d'entrée surmonté d'une fenêtre en fer à cheval.

FICHE SIGNALÉTIQUE

Ensemble		Sanctuaire à stûpa n° 19	
Hauteur de la falaise	76 m	Largeur	7 m
Hauteur des grottes	10-30 m	Profondeur	18 m
Nombre de grottes	30	Hauteur	7,60 m
Nombre de sanctuaires	5	Diamètre du stûpa	2,7 m
Nombre de monastères	25	Hauteur du stûpa	6,7 m
		Nombre de piliers	17
		Hauteur des piliers	3,60 m

Monastère 1

Véranda

Largeur	18 m
Profondeur	2,70 m
Nombre de cellules	2

Salle à piliers

Largeur	18 m
Profondeur	1 m
Nombre de piliers	20
Nombre de cellules	14

Antichambre

Largeur	5 m
Profondeur	3 m

Sanctuaire

Largeur	5 m
Profondeur	5,70 m

Le contexte historique

La majorité des grottes d'Ajanta ont été creusées sous la dynastie Vakataka, qui gouverna une bonne partie du Deccan aux Ve et VIe siècles de notre ère. Les monuments bouddhiques d'Ajanta ne furent pas construits à l'initiative des souverains Vakataka, qui étaient adeptes de la religion hindouiste, mais par leurs ministres, leurs épouses, des marchands et des pèlerins de passage.

Une inscription, dans la grotte 16, rappelle que celle-ci est la donation de Varahadeva, ministre du roi Harishena (475-500); la grotte 17 est celle d'un prince, vassal du même souverain. La situation d'Ajanta, à proximité des voies de communication donnant accès au Deccan, attirait pèlerins et commerçants qui, à l'occasion, consacraient une grotte pour le succès de leur entreprise.

Certaines grottes, comme la 9, sont le résultat de donations conjointes par plusieurs individus. Enfin, la consécration d'une porte de la grotte 10 par Vasithipoutra suggère que certaines grottes ont été plusieurs fois modifiées.

se trouve une chambre centrale à plafond voûté et abside, entourée par un couloir de procession, séparé par des piliers. Le chœur du sanctuaire est le stûpa, qui s'élève au centre de l'abside.

Les monastères sont de tailles très variées. La grotte 6 a même deux étages, reliés par des escaliers. Chaque monastère est doté d'une salle de réunion bordée de cellules. Les plus tardifs possèdent également un autel avec une représentation de Bouddha.

Sanctuaires et monastères ont été creusés directement dans la roche, mais ils sont ornés de détails architecturaux que l'on rencontre dans les structures de bois: nervures, chevrons, consoles et même merlons sculptés.

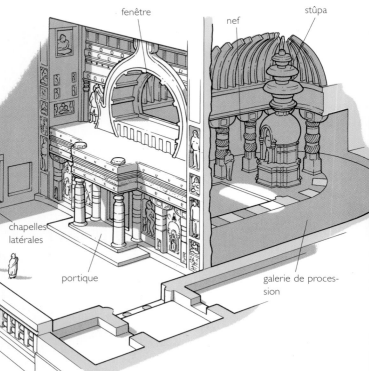

Perspective axonométrique montrant la façade sculptée dans la falaise et l'intérieur du sanctuaire à stûpa n° 19.

fenêtre

nef

stûpa

chapelles latérales

portique

galerie de procession

Matériaux et techniques de construction

Six des grottes n'ont jamais été achevées et elles nous permettent d'étudier les premières étapes de la construction. Le premier soin était de choisir un secteur de la falaise (de basalte à gros grain) sans défauts ni failles apparents. La façade était alors délimitée et l'on commençait l'excavation avec des outils en fer. On débutait par le plafond et procédait ensuite de haut en bas, de sorte que l'on n'avait pas besoin d'échafaudage. Tout en abaissant la taille, on creusait de longues voies de travail en laissant la matière pour les futurs piliers intégrée aux cloisons intérieures. Dans le cas des monastères, on creusait d'abord les salles centrales, puis les cellules des moines. Une fois terminé le creusement, on pouvait commencer les opérations de sculpture et de polissage. Certains spécialistes pensent qu'il a fallu plus de cent ans pour réaliser certaines grottes : le creusement de la grotte 11, a exigé

Fresque murale dans le monastère n° 1, représentant l'une des naissances antérieures du Bouddha : le roi Mahadjanaka se purifie rituellement avant de renoncer à sa femme et à son royaume, pour embrasser la vie ascétique.

l'enlèvement de plus de 350 m³ de roche. Plus récemment, Vidya Dehedjia a calculé que quinze ans avaient pu suffire. Les surfaces grossières des nouvelles salles et chambres étaient polies par application d'une épaisse couche de terre mélangée à de la roche broyée ou du sable, des fibres végétales, des balles de riz et des herbes. La surface ainsi traitée était ensuite enduite d'un badigeon de chaux, pour recevoir les fresques. Les contours étaient tracés au charbon de bois, et les fonds exécutés avant les détails du premier plan. Les pigments étaient faits de matières naturelles broyées, liées à de la colle animale : le rouge et le jaune étaient à base d'ocre ; le blanc, de kaolin ; le noir, de noir de fumée ; le bleu, de lapis-lazuli.

Fonction

Ajanta avait une double fonction de monastère et de centre cultuel. Malgré sa situation retirée, le site attira la protection de souverains locaux plus ou moins puissants, de hauts fonctionnaires et de gens plus communs. Les fresques, éclairées par la seule lueur des lampes, enseignaient aux profanes et aux moines novices la tradition bouddhique. Elles les préparait spirituellement aux cycles de la mort et de la renaissance qu'illustraient à perte de vue les forêts, les villes, les palais et les ciels peints. Ils ne pouvaient espérer échapper au cycle des réincarnations que par des actions méritoires. Tel était, à l'évidence, le souhait de Charya de Sachiva, généreux donateur de la grotte 10: « Puisse le mérite de cet entreprise, quel qu'il soit, aider à la délivrance des misères de toute créature sensible. »

Vue partielle des grottes bouddhiques d'Ajanta, creusées dans la falaise abrupte qui surplombe le lit de la rivière Waghora.

Le Panthéon de Rome

Datation : 118-125
Localisation : Rome, Italie

« Dessin d'ange et non d'homme. »

MICHEL-ANGE

PEU DE MONUMENTS du monde occidental ont soulevé autant d'enthousiasme et autant de controverses que le Panthéon de Rome. Bien que la combinaison, apparemment simple, d'une rotonde couverte d'une coupole et d'un porche en forme de temple ait inspiré d'innombrables édifices – de l'église du Rédempteur à Venise, par Palladio, à la maison de Thomas Jefferson à Montecello, en Virginie –, aucun n'a jamais totalement retrouvé l'impact spectaculaire de l'original. En raison de son énorme portée, le dôme lui-même a été un objet d'émulation pour les architectes ambitieux tels que Sir Christopher Wren: reste que la coupole de la cathédrale Saint-Paul, à Londres, ne mesure que 35 m de diamètre, et celle du Panthéon, 44 m. En fait, le dôme du Panthéon est resté le plus vaste du monde jusqu'au XXe siècle, justifiant amplement sa réputation

En haut, à droite **Le Panthéon, avant la démolition (en 1882) des clochetons ajoutés au XVIIe siècle.**
Ci-contre **Une remarquable étude de perspective éclatée signée par Georges Chedanne, architecte de la fin du XIXe siècle.**

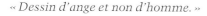

Un rond de lumière tombé de l'oculus sommital illumine l'intérieur de la coupole à caissons. L'effet de perspective fuyante des caissons, qui vont en diminuant, les fait paraître plus profonds. On a démontré qu'ils ne remplissent aucune fonction architectonique.

d'être le plus grand chef-d'œuvre (survivant) de l'architecture et de l'art de bâtir des Romains. Selon la plaque commémorative apposée par le pape Urbain VIII en 1632, le Panthéon devait être « l'édifice le plus célèbre dans le monde entier ». Cependant, il n'est que rarement mentionné dans les sources antiques et celles-ci ne sont pro-lixes ni sur son apparence, ni sur sa fonction. L'inscription placée sur l'architrave de la façade rappelle que le premier Panthéon a été érigé – en 27-25 av. J.-C. – sur l'ordre d'Agrippa, un proche conseiller d'Auguste : il en reste peu de traces archéologiques ; les sources littéraires parlent à son propos de caryatides et de chapiteaux de bronze provenant de Syracuse. Mais le bâtiment que nous admirons aujourd'hui est en fait le troisième à porter ce nom en ce lieu : il fut élevé à l'initiative de l'empereur Hadrien (117-138).

Pour ce qui est de la fonction du Panthéon, nous disposons du témoignage de l'historien Dion Cassius (155-240), qui rapporte qu'Hadrien avait coutume d'y siéger pour régler les affaires de l'État (*Histoire romaine*, LXIX, 7). D'après cet écrivain, le bâtiment aurait été ainsi appelé soit parce qu'il contenait les statues de « tous les dieux » (c'est le sens étymologique du mot grec), soit parce que sa voûte évoquait le ciel, séjour de tous les

FICHE SIGNALÉTIQUE

Porche

Dimensions	34 × 20 m (115 × 67,5 pieds romains)
Hauteur des colonnes	14,20 m (48 pieds romains)
Hauteur des fûts de granit	11,80 m (40 pieds romains)
Diamètre inférieur des fûts	1,48 m (5 pieds romains)

Rotonde

Diamètre intérieur	44,40 m (150 pieds romains)
Épaisseur des murs	6 m (20 pieds romains)
Hauteur du sol à l'oculus	44,40 m (150 pieds romains)
Diamètre de l'oculus	8,80 m (30 pieds romains)

dieux (LIII, 27). Cassius rapporte également que le Panthéon originel contenait des statues de César et d'Auguste. Les spécialistes modernes restent dans l'indécision : temple à tous les dieux ou monument dynastique à Auguste, salle d'audience impériale ou symbole du cosmos – « visible image de l'univers », comme l'appellera le poète Shelley –, tout est possible. En effet, au temps de la République romaine, il était courant que le Sénat se réunisse dans différents temples, et les empereurs reprirent cette tradition. Il n'était pas inhabituel, non plus, de placer l'effigie de l'empereur parmi celles des dieux ou de l'associer avec les symboles cosmologiques pour signifier la place éminente du souverain dans l'ordre divin des choses. Mais le caractère énigmatique de l'espace intérieur, sous ce vaste dôme éclairé de façon zénithale, incite chacun de nous à voir mystère empreint de mysticisme – comme l'a fait Michel-Ange –, au cœur du plus grand édifice de Rome.

Le dôme

Malgré les progrès de nos connaissances, la structure du Panthéon reste aussi énigmatique que sa fonction. Il n'existe toujours aucun consensus parmi les spécialistes sur la façon dont le dôme a été construit ni sur les raisons pour lesquelles il tient encore debout. Le tambour de la rotonde (6 m d'épaisseur) et le dôme sont fait en béton de haute qualité. L'ensemble repose sur un anneau de travertin de 4,5 m de profondeur, lui-même fondé sur une épaisse couche d'argile. À l'intérieur, la coupole, de 44 m de diamètre, est de forme hémisphérique et culmine à 22 m de hauteur au-dessus du sol. Les deux premiers tiers inférieurs sont décorés de cinq cercles concentriques de vingt-huit caissons. Le profil extérieur est moins aérien, puisque le tambour de la rotonde s'élève jusqu'à une hauteur d'environ 30 m, tandis que la partie inférieure du dôme est épaissie par sept degrés concentriques, lui

donnant ce profil de soucoupe si reconnaissable dans le paysage romain. Il en résulte que l'épaisseur de la coupole, de 6 m à la base, se réduit à 1,5 m à l'oculus sommital. L'ensemble du bâtiment est également allégé par le choix des composants du béton, de poids variable : le tuf et le travertin de la base pèsent environ 1 750 kilos au mètre cube ; puis on passe à la brique, plus légère, pour finir dans la partie supérieure du dôme par le tuf et la pierre ponce, dont le poids moyen est de 1 350 kilos par mètre cube.

Les théories anciennes imaginaient que le dôme, comparable à un bloc monolithique, se comportait comme un gigantesque couvercle de théière, sans exercer de poussées vers l'extérieur de la structure. Selon cette hypothèse, l'allégement dans la composition des voiles de béton et des caissons avait été calculé pour réduire les poussées verticales sur le tambour. Dans les années 1930, la découverte d'une série de fissures verticales – manifestement anciennes – à la base du dôme, suggéra au contraire que celui-ci tendait à s'ouvrir sous l'influence de poussées obliques : la masse extérieure de la rotonde et les anneaux concentriques du dôme avaient donc été conçus comme de gigantesques cerclages de renforcement, pour empêcher la base du dôme d'éclater sous l'effet de son énorme poids. Les différents procédés visant à alléger la partie supérieure de la structure apparaissaient désormais comme des moyens de réduire les poussées obliques vers l'extérieur et non les poussées verticales. Ces théories ont récemment été mises à l'épreuve par Robert Mark qui, à l'aide d'une simulation par ordinateur, a essayé de comprendre comment les Romains avaient élaboré l'édifice. Il est arrivé à la conclusion que les constructeurs s'attendaient à voir le dôme se fissurer et qu'ils l'ont traité comme une série d'arches. Les degrés annulaires étaient des éléments importants pour favoriser l'équilibre statique par adjonction de charges verticales supplémentaires – à la manière des pinacles, contreforts ou culées gothiques –, tandis que l'allégement du dôme réduisait parallèlement les poussées obliques vers l'extérieur. Les caissons, eux, se sont avérés purement décoratifs.

Il est vraisemblable que les fissures du dôme – ainsi que d'autres, plus bas – sont apparues au cours de la construction. Un des problèmes provoqués par la nature du béton romain est qu'il dégage de la chaleur en séchant (comme le béton fabriqué aujourd'hui avec les ciments de Portland), ce qui entraîne des tensions thermiques à l'intérieur de la structure. La présence de nombreux trous dans le voile de béton suggère que les ingénieurs romains avaient au moins quelque connaissance du problème. Au niveau inférieur de la rotonde, sept chambres à colonnes (trois semi-circulaires, quatre rectangulaires) alternent avec huit piles creusées de niches ; ce schéma architectonique se répète au milieu de l'attique et au niveau supérieur où le dôme prend naissance. Évider de cette façon la rotonde lui permettait de sécher plus rapidement et plus régulièrement, sans réduire de façon significative sa capacité à supporter le dôme.

L'érection de cette coupole nécessitait également l'élaboration d'un châssis en bois pour supporter la voûte de béton jusqu'à ce qu'elle ait assez de résistance pour tenir par elle-même. Certains spécialistes ont imaginé une véritable forêt de grosses poutres s'élevant du sol de l'édifice ; d'autres, un système sophistiqué de fermes installées en corbeau sur la corniche de l'attique. Selon ces deux hypothèses, la coupole aurait été élevée par anneaux horizontaux, requérant la présence de cintres sur tout le pourtour. Une autre théorie, inspirée par la présence des fissures verticales, suggère que la coupole aurait été montée par segments verticaux – comme des demi-quartiers d'orange –, avec un échafaudage moins important, qui était déplacé au fur et à mesure de l'avancement des travaux.

Un parfait compromis

Alors que l'essentiel de l'intérêt se concentrait sur la construction du dôme, une étude récente a révélé combien les problèmes d'approvisionnement en matériaux ont pu affecter l'apparence générale de l'édifice. Depuis la Renaissance, en effet, les architectes ont toujours été troublés par la juxtaposition assez maladroite d'un porche relativement bas, d'un socle exceptionnellement élevé, d'un bloc intermédiaire rectangulaire et de la rotonde. Les colonnes en granit du porche, avec leurs fûts de 11,80 m, peuvent paraître impressionnantes, mais si on les imagine remplacées par des fûts de 14,75 m, toutes les disproportions de la façade disparaissent avec elles. Des colonnes de cette hauteur étaient fort rares, mais on en a utilisées de telles, à l'époque de l'édification du Panthéon, pour le temple à Trajan divinisé, le père adoptif et le prédécesseur d'Hadrien. Ces colonnes venaient des carrières lointaines du mont Claudius (en Pannonnie) ou d'Assouan (en Égypte), aussi n'est-il pas impossible qu'une interruption accidentelle des fournitures (naufrage, etc.) ait entraîné la modification des chantiers en cours : la piété d'Hadrien aurait pris le pas sur ses ambitions pour le Panthéon, laissant l'architecte de cet édifice élaborer le meilleur compromis possible.

Le dôme du Panthéon, vu de dessus, semble très aplati, en dépit de son profil intérieur hémisphérique. La largeur du tambour et les sept degrés concentriques du dôme améliore l'équilibre statique de ce dernier en faisant contrepoids sur ses assises.

Les ouvrages en terre de Newark

Datation : vers 250
Localisation : Newark, Ohio, États-Unis

« Aucune main rapace n'est venue les dépouiller ; et nul voyageur aussi sincère que maladroit n'a, à ma connaissance, prétendu les décrire. »

CALEB ATWATER, 1820.

CERCLES ET CARRÉS, octogones et chaussées, les ouvrages en terre réalisés par les Hopewell, dans l'est de l'Amérique du Nord, déconcertent le spectateur, spécialement lorsqu'il les voit d'avion. Le peuple Hopewell, baptisé d'après une ferme de ce nom dans le comté de Ross (Ohio), est connu des archéologues surtout pour ses somptueuses coutumes funéraires. Ces simples communautés d'agriculteurs ont engagé d'immenses dépenses pour construire d'énormes terrassements et des tumuli funéraires élaborés. Certains ensembles, tel celui de Mound City (Ohio), recouvrent l'équivalent de plusieurs « blocs » d'habitation modernes et sont plus vastes que la base de la pyramide de Khéops, en Égypte.

Les Indiens Hopewell, qui brûlaient généralement leurs morts, réservaient en revanche de somptueuses inhumations aux familles les plus éminentes : les défunts de haut rang portaient des parures finement décorées et des masques de cérémonie. Ainsi dans un tumulus de l'Ohio, un homme et une femme, gisant côte à côte, portent des nez artificiels modelés avec des feuilles de cuivre ; la femme est revêtue d'une robe ornée par des milliers de fines perles en coquillage. Les artisans Hopewell élaboraient également de remarquables silhouettes d'hommes et d'animaux en cuivre martelé, des objets de cérémonie en mica ou autre matériau rare. Beaucoup de ces artefacts étaient des cadeaux rituels échangés entre chefs de clans voisins, lors de cérémonies périodiques de type *potlatch* : ils attestaient l'importance des liens économiques et de dépendance réciproque.

Vers 250, les tribus Hopewell qui vivaient dans la région de l'actuelle ville de Newark, se lancèrent dans un vaste projet de construction. Pendant plusieurs générations – la durée totale est incertaine –, ils édifièrent un réseau complexe de tertres, d'octogones, de carrés et de cercles en terre, sur une superficie de plus de 10,4 km². Vus du ciel, les ouvrages de Newark défient toute explication (d'autant plus qu'une grande partie a aujourd'hui disparu sous un terrain de golf). Par bonheur pour la science, deux archéologues victoriens, Ephraïm

FICHE SIGNALÉTIQUE	
Superficie	10,40 km²
Dimension de l'Octogone	24 hectares

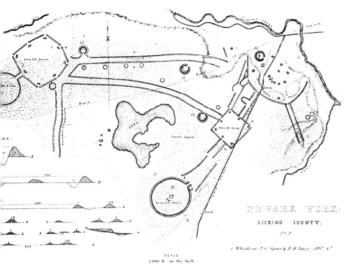

Ci-dessus **Plan des ouvrages en terre de Newark**, publié par Ephraïm Squier et Edwin Davis en 1848. Une grande portion du site ancien est à présent enfouie sous la moderne Newark, de sorte que ce plan est une précieuse source d'information sur la disposition originale des terrassements. *Ci-dessous* **Photographie aérienne de l'Octogone de Newark** et vue générale du site, dont la majeure partie est aujourd'hui occupée par un terrain de golf.

Squier et Edwin Davis, avaient prospecté ce site archéologique dans les années 1840, alors qu'il était encore intact. Récemment, le physicien Ray Hively et le philosophe Robert Horn ont produit une carte précise de l'ensemble monumental, aujourd'hui très bouleversé. Ils ont remarqué que les enclos et les tertres sont agencés avec une étonnante précision : ils présentent des angles exacts et une orientation astronomique précise. Par exemple, l'Octogone de Newark, qui couvre une superficie de dix-huit hectares, est pourvu d'ouvertures à chacun de ses angles, déterminés à l'aide du diamètre du cercle voisin ; un « cercle observatoire » parfait, de 321,3 m de diamètre, est en effet rattaché à l'Octogone. Hively et Horn ont étudié les diamètres des cercles, les côtés et les diagonales des octogones, ainsi que les côtés des carrés, et ils ont découvert que les constructeurs utilisaient une unité de mesure exacte.

L'astronomie à Newark

Les études de Hively et Horn ont aussi montré clairement que les ouvrages en terre de Newark étaient alignés sur les corps célestes. Utilisant des tables astronomiques, les deux universitaires ont calculé les azimuts des levers et des couchers de soleil pour l'année 250, date supposée de la construction. Ils ont ensuite comparé ces azimuts avec les éléments géométriques des terrassements, axes de symétrie et autres points remarquables tels que les centres de ces terrassements.

L'Octogone de Newark concorde avec les positions extrêmes, nord et sud, du lever de la lune à l'horizon, sur un cycle de 18,61 années : les longs murs de l'Octogone, hauts de 1,70 m, permettaient à un observateur minutieux de définir les azimuts avec une précision d'un quart de degré. Hively et Horn ont dressé des tables qui montrent que l'axe de l'avenue reliant l'Octogone à un ouvrage circulaire, situé à proximité, indiquait cinq des huit points lunaires extrêmes, avec une précision d'un demi-degré ; les points d'observation de ces alignements se trouvent à quatre des huit sommets de l'Octogone.

Les alignements lunaires de Newark étaient suffisamment précis pour permettre d'annoncer les années avec éclipse, aux approches des solstices d'été et d'hiver. Ils permettaient aussi aux tribus Hopewell de maîtriser le cycle lunaire mensuel et le cycle calendaire de 18,6 années lunaires. Certains spécialistes pensent que l'Octogone et le Carré de Netwark reflètent les conceptions indigènes non seulement sur les sépultures des ancêtres honorés dans les tumuli, mais aussi sur les rituels saisonniers gouvernés par les phénomènes astronomiques…

Le monastère bouddhique de Paharpur

Datation :VIIIᵉ-IXᵉ siècles
Localisation : Paharpur, Bangladesh

« La ruine la plus remarquable [est] un immense et abrupt amoncellement de briques, couvert de broussailles et couronné par un arbre remarquablement fin. »

BUCHANAN HAMILTON, 1812.

L E *MAHAVIHARA* (« grand monastère ») Somapura, à Paharpur, est le plus grand monastère bouddhique de l'Asie du Sud et l'une des plus grandes réalisations de l'architecture bouddhique en briques. Il a été fondé par le deuxième souverain de la dynastie Pala, Dharma-pala (770-810), qui dominait alors une large partie des régions actuelles du Bengale et du Bihar. La localisation du monastère, à quelque 40 km de sa capitale Mahasthan, peut s'expliquer par la présence d'anciennes constructions sacrées : une inscription du Vᵉ siècle mentionne la fondation d'un monastère djaïn, des fragments de structures anciennes sont enfouies sous le sanctuaire principal, et des images brahmaniques en pierre, du Vᵉ siècle, ont été réutilisées. Il s'agissait à l'évidence d'un site vénéré lorsque Dharmapala décida d'y édifier Somapura, c'est-à-dire la « cité de la lune ».

Somapura a été conçu et bâti, pour l'essentiel, en une seule phase de travaux. Il réunit un *vihara* (« monastère », sa cour et un sanctuaire central. Le *vihara* forme un carré vide d'environ 307 m de côté, qui abrite cent soixante

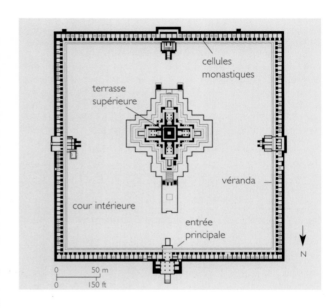

dix-sept cellules, ouvertes sur une galerie. L'accès se fait par une entrée monumentale au milieu du mur nord, des éléments similaires étant répartis à l'intérieur de la cour, au centre de chacun des autres côtés. La cour, deuxième élément architectural de Somapura, couvre une surface de neuf hectares. Elle accueille un vaste ensemble de structures : stûpas, autels, répliques de la tour-sanctuaire centrale, mais aussi cuisines, réfectoires et bâtiments résidentiels. Vers le centre de la cour se dresse le sanctuaire principal qui culmine à 22 m au-dessus des bâtiments environnants. De plan cruciforme, avec des branches dotées de redans, il s'élève sur trois terrasses massives. Le saint des saints est entouré de galeries et de salles abritant des images sacrées. Des escaliers relient les différents étages du sanctuaire dont le sommet est très endommagé. Le cœur sacré du sanctuaire était un puits de 22 m de profondeur, percé au

---

FICHE SIGNALÉTIQUE

Ensemble		
Hauteur préservée	22 m	
Hauteur estimée	30 m	
Superficie	9 ha	
Volume	34 155 m³	
Vihara (monastère)		
Mur extérieur	307 sur 307 m	
Nombre de cellules	177	
Cour intérieure		
Surface	9 ha	
Puits central		
Profondeur	22 m	
Surface	12 m²	

Première terrasse	
Hauteur	3 m
Surface	4 825 m²
Deuxième terrasse	
Hauteur	4 m
Surface	2 620 m²
Troisième terrasse	
Hauteur actuelle	15 m
Hauteur estimée	22 m
Surface	400 m²

Page de gauche **Plan du monastère Somapura.** *Ci-dessus* **Vue du sanctuaire central, depuis l'angle sud-est de la cour intérieure. Les quatre structures, au premier plan, sont des bases de stûpas votifs.**

centre de la terrasse supérieure, et qui devait contenir les reliques autour desquels le monastère avait été édifié. Terrasses et galeries sont ornées d'environ trois mille plaques figuratives en terre cuite, et le mur du rez-de-chaussée de soixante-trois reliefs en pierre qui représentent des divinités brahmaniques. Cette richesse iconographique témoigne de l'importance du monument. Somapura subit une série de remaniements après sa construction, et un grand nombre des éléments de la cour sont en fait des ajouts postérieurs. Certains changements sont dûs à de nouvelles activités de dévotion, d'autres indiquent un élargissement du patronage. Celui du souverain restait cependant essentiel et lorsque les nouveaux rois du Bengale, les Sena, retirèrent leur appui aux établissements bouddhiques, au XIIᵉ siècle, le site périclita aussitôt. Rapidement abandonné, il ne ressembla plus bientôt qu'à une colline naturelle ravinée, se dressant au milieu d'un paysage par ailleurs plat.

Matériaux et techniques de construction

Le sanctuaire central, entièrement construit en briques de terre crue, est une merveille d'ingénierie médiévale. La pierre, en effet, est presque inexistante dans les basses plaines alluviales du Gange et du Brahmapoutre. Au siècle précédent, on avait expérimenté des procédés de construction en briques à Mahasthan, la capitale du royaume : sur le site connu sous le nom de Lakhshindarer Medh Gokul, on avait atteint une hauteur de 14 m en superposant des terrasses successives, faites de « caissons » en briques crues, emplis de terre pilée.

Ces unités de base offraient des substructures bon marché et solides, sans être trop lourdes pour le sol alluvial. La technique fut perfectionnée à Somapura, où les trois terrasses superposées atteignent une hauteur d'environ 30 m.

Ce lieu n'était pas simplement un centre cultuel. Les plaques figuratives en terre cuite remplissaient probablement des fonctions d'enseignement par l'image : représentant des divinités, des hommes et des femmes, des plantes et des animaux, elles offraient une image de la variété de l'univers.

On peut interpréter l'ensemble de la tour-sanctuaire centrale comme une évocation du mont Meru, centre céleste de l'univers et résidence des dieux. Dharmapala a-t-il espéré s'établir lui-même comme centre d'un monde terrestre parfait avec la création de « son » mont Meru ? Quoi qu'il en soit, le concept Pala de sanctuaire à terrasses ou à degrés, au centre d'une enceinte carrée, a trouvé un écho, non pas en Asie méridionale, mais en Asie du Sud-Est, à Angkor Vat, quelque quatre siècles plus tard.

Le sanctuaire bouddhique de Borobudur

Datation :VIIIe-IXe siècle
Localisation : centre de Java, Indonésie

« *Cela ressemble à un gâteau mal fait, dont l'échec de la réalisation n'a d'égal que la surcharge de sa décoration.* »
ALBERT FOUCHER, 1909.

BOROBUDUR est une spectaculaire pyramide à degrés, de plus de 30 m de hauteur, formée de neuf terrasses superposées portant des statues de Bouddha, des stûpas ajourés, des stûpas miniatures et des panneaux sculptés en bas relief. Les six premières terrasses sont de plan carré et de taille décroissante. Le sixième niveau constitue une sorte de plateau sur lequel sont installées trois terrasses circulaires et concentriques, la dernière étant surmontée d'un stûpa en forme de cloche. La richesse de la décoration et le caractère unique du complexe en font un monument exceptionnel de la foi bouddhique, dans cette grande île de l'Asie du Sud-Est.

Érigé aux VIIIe et IXe siècles, Borobudur se dresse au sommet d'une colline basse, en bordure de la plaine de

FICHE SIGNALÉTIQUE

Hauteur de l'ensemble	32 m
Hauteur initiale de la colline	27 m
Nombre de terrasses	9

Décoration
Nombre de blocs sculptés	1 600 000
Nombre de statues du Bouddha	504
Nombre de stûpas ajourés	72
Nombre de stûpas miniatures	1 500

Les bas-reliefs
Longueur totale des bas-reliefs	2,5 km
Nombre de bas-reliefs	1 240

Mur de la terrasse de base
160 scènes tirées du *Karmavibhanga*, « Traité de la loi de la cause et de l'effet»
Première galerie
120 scènes tirées du *Lalitavistara* (vie historique du Bouddha)
500 scènes tirées des *Jatakas* et des *Avadanas* (précédentes incarnations du Bouddha)
Deuxième, troisième et quatrième galeries
460 scènes tirées du *Gandavyuha* (perfectionnement du pèlerin bouddhiste)

Ci-dessus **Coupe axonométrique schématique de Borobudur, montrant les détails de la construction et des fondations.**

Kedu, dans le centre de Java. Il est surtout connu pour la richesse de ses reliefs qui s'étirent au total sur plus de 2 500 m. Le mur de la première terrasse – masqué plus tard par le soubassement – est décoré de reliefs illustrant le *Karmavibhanga*, « Traité de la loi de la cause et de l'effet » (conséquences des bonnes ou mauvaises actions sur les réincarnations successives). Au-dessus, chacune des cinq terrasses carrées est entourée d'une balustrade formant une galerie, elle aussi décorée de reliefs. La première galerie présente des scènes de la vie du Bouddha historique (*Lalitavistara*) ainsi que de ses naissances et vies antérieures (*Jatakas, Avadanas*). Les galeries suivantes illustrent des textes majeurs du *Mahâyâna* et dépeignent des épisodes du *Gandavyuha* (perfectionnement du pèlerin dans la voie du Bouddha). Chaque balustrade est également dotée de niches abritant des statues du Bouddha. L'accès se fait par une série d'escaliers, au centre de chaque face, orientées selon les points cardinaux. Il a été suggéré que le monument était jadis entièrement peint de couleurs vives, car des traces de peinture bleue, verte, rouge et noire ont été retrouvées un peu partout, ainsi que des fragments de feuilles d'or.

Le contexte historique

On sait peu de choses sur l'histoire de Java avant le IXe siècle, sauf que l'île était le centre d'un empire essentiellement maritime qui contrôlait les terres khmères des îles et du continent voisin entre 760 et 800. La souveraineté de cet empire était partagée – et probablement disputée – entre deux dynasties rivales, les Shailendra et les Sanjaya, les premiers étant des adeptes du bouddhisme, les seconds de l'hindouisme. Les témoignages épigraphiques suggèrent que lors de la première phase de construction de Borobudur, dans le dernier quart du VIIIe siècle, Java était gouvernée par une lignée Shailendra ; en revanche, des Sanjaya étaient au pouvoir lors de la réalisation de la phase finale. De Casparis a proposé d'identifier le site avec le sanctuaire à terrasses fondé par le roi Shailendra Indra (784-792). Le complexe aurait ensuite reçu la donation d'un village et de terres agricoles de la part de la reine Sri Kahulunnan, une princesse Shailendra mariée avec un roi Sanjaya, en 842. Dumarçay, quant à lui, estime que le monument a été fondé plus tôt, par Vishnu (v. 775-784), avant d'être reconstruit par les successeurs de ce dernier, Indra et Samaratunga (792-833), puis légèrement remanié par la dynastie Sanjaya.

À gauche **Détail des stûpas ajourés contenant des images du Bouddha, sur la huitième terrasse.**

Bas-reliefs de la première terrasse, représentant (*ci-dessus*) **le Bouddha plongé dans une profonde méditation, et** (*ci-dessous*) **un navire de commerce de haute mer ; le négoce maritime était vital pour l'Empire insulaire des Shailendra.** *À droite* **Vue aérienne du monument.**

Matériaux et techniques de construction

Borobudur a été substantiellement restauré entre 1908 et 1911, avec une tentative pour corriger l'inclinaison des murs et remettre en état la surface des terrasses. En 1973, toutefois, le délabrement du monument était devenu alarmant, et l'U.N.E.S.C.O. lança une campagne internationale pour le sauver. Il est devenu clair que la colline sur laquelle il est aménagé résulte en fait d'un remodelage artificiel. Il s'agit à l'origine d'un noyau de rhyolite volcanique érodé, de 27 m de hauteur, transformé en support par remplissage des vides au moyen de boue, d'argile et même d'éclats de pierre provenant de la taille des matériaux de construction. Au cours de ce remodelage, les constructeurs aménagèrent sur le noyau originel consolidé une série de terrasses en partie naturelles, en partie artificielles, pour y élever les superstructures que l'on voit aujourd'hui.

Nous savons également que même si l'ensemble paraît être le fruit d'une seule phase de construction, il résulte en fait de quatre remaniements successifs. Pendant la première phase, vers 775, on construisit deux terrasses, sans achever la superstructure. Vers 790, des balustrades furent élevées sur les deux premières terrasses et l'on régularisa la largeur des escaliers menant à la terrasse supérieure. Certains archéologues pensent que l'on a édifié, à cette époque, un stûpa de 42 m de hauteur sur la terrasse supérieure. Une troisième phase de travaux commença peu après, au cours de laquelle un revêtement de quelque 12 750 m^3 vint chemiser la base du monument. Il s'agissait de contrecarrer les mouvements de glissement horizontal de la superstructure. Toujours lors de cette troisième phase, on remodela les escaliers et les dallages des deux premières galeries et l'on nivela les vestiges du grand stûpa central. On édifia à sa place trois autres terrasses, avec des stûpas ajourés contenant des statues du Bouddha. Un nouvel espace de vénération apparut alors

tenons et mortaises ont été employés pour les stûpas de la première et de la deuxième terrasse. Les galeries supérieures utilisent encore une autre technique, avec des blocs à surface inégale insérés de loin en loin comme décharges, qui contribuent ainsi à renforcer l'ensemble de la structure. Pourtant, malgré toutes ces précautions visant à solidariser l'édifice, plusieurs fautes majeures ont été commises : la plus criante est l'absence de tout lien structurel entre les sols et les murs. Aussi l'eau de ruissellement passait-elle directement dans le cœur de la structure, affaiblissant du même coup, de façon irréversible, la résistance de l'édifice.

Un modèle de l'univers

Borobudur n'a pas été conçu comme une structure monumentale isolée, mais comme le foyer rituel pour un *vihara* (« monastère ») adjacent. Si les vestiges de cet établissement monastique n'ont pas encore été identifiés, plusieurs structures ont été retrouvées à 600 m au nord-ouest, et une série de petits stûpas s'alignent au pied oriental de la colline sacrée. Il est également possible que Borobudur ait fait partie d'un complexe plus vaste, incluant les *chandi* (« temples ») voisins, Mendut et Pawon. D'un certain point de vue, on peut le définir comme un énorme stûpa bouddhique, extrêmement orné, mais il est bien plus qu'un monument destiné à la vénération du Bouddha. Plusieurs archéologues et exégètes y ont vu la représentation d'un microcosme ou modèle de l'univers. Ils ont rattaché les bas-reliefs, en fonction de leurs thèmes et de leur localisation, aux trois principales sphères de la cosmologie bouddhique. Les bas-reliefs de la première terrasse et les scènes de la première galerie illustrent le *Kamadhatu*, ou la sphère des désirs ; les bas-reliefs des galeries supérieures représentent le *Rupadhatu*, ou la sphère des formes pures ; quant aux terrasses circulaires, elles figurent l'*Arupadhathu*, ou sphère de l'informel. Enfin, le stûpa central représente le Bouddha lui-même. C'est ainsi que le monument symbolise le parcours à la fois physique et spirituel du dévot.

On a également suggéré que Borobudur avait la même fonction « microcosmique » que les temples-montagnes des Khmers. De Casparis a avancé l'idée que le nom de Borobudur pouvait se traduire par « la montagne de vertu des dix étapes du bodhisattva », ou « la montagne qui est bâtie en terrasses par degrés successifs », ou encore « rois de l'accumulation de terre ». Il est donc possible que l'ensemble ait été une représentation métaphorique de l'univers, du mont Meru et de Bouddha, tout en étant un centre de culte dynastique qui symbolisait l'indépendance des Shailendra.

sous la forme d'un stûpa central haut d'environ 10 m. Lors de la quatrième et dernière phase, la base fut une nouvelle fois agrandie et l'on apporta des modifications mineures à la balustrade de la première galerie.

Le monument est fait d'andésite et de basalte, minéraux d'origine volcanique. Comme il n'y a pas d'affleurements correspondants dans les environs, il est vraisemblable que les matériaux sont des galets et des rochers prélevés dans le fleuve voisin. Cela explique les différences de couleur, de taille, de forme, de composition et de « perméabilité » des blocs employés dans la construction. Ceux-ci, de forme cubique, étaient faciles à manipuler puisqu'ils mesurent en moyenne 20 cm de hauteur pour 30 à 40 cm de largeur et jamais plus de 30 cm en profondeur. Les trous circulaires ménagés dans le pavement indiquent que des échafaudages en bambou ont été dressés durant les travaux.

Une des caractéristiques les plus frappantes du monument est qu'il a été construit sans mortier. Durant la première phase de construction, certains blocs ont été assujettis à l'aide de fines pierres taillées en double queue d'aronde ; lors de la deuxième phase, cette technique a été remplacée par l'utilisation de blocs aux angles protubérants, s'adaptant les uns aux autres de façon extrêmement serrée. Des assemblages à

Le Monk's Mound de Cahokia

Datation : v. 900-1300
Localisation : Cahokia, Illinois, États-Unis

« Lorsque je suis arrivé au pied du tertre principal, j'ai été frappé d'un étonnement assez comparable à celui que j'avais éprouvé en contemplant les pyramides égyptiennes. Quelle fabuleuse masse de terre ! »

HENRY BRACKENRIDGE, 1814.

ENTRE 800 ET 1500, prospérait dans le sud et le sud-est des États-Unis de puissantes chefferies, généralement connues des archéologues sous l'appellation générique de « Mississipiens ». Seuls de puissants concepts religieux – encore mal connus et compris – unissaient ces communautés, et le terme même de Mississipiens recou-

vre en fait un vaste éventail de sociétés, depuis les chefferies secondaires jusqu'aux grands centres cérémoniels, le plus important étant Cahokia, sur la rive orientale du Mississipi, près de la ville d'East Saint Louis.

Cahokia se trouve dans un secteur très fertile des plaines alluviales du grand fleuve, où jadis le poisson, le gibier et les plantes nourricières étaient abondants. Au Xe siècle, une série de petits établissements se réunirent et formèrent bientôt un centre cultuel dont l'importance grandit rapidement. À l'apogée de sa puissance, entre 1050 et 1250, Cahokia couvrait une surface de plus de 13 km²; plus de dix mille habitants y vivaient dans des cabanes en bois couvertes de chaume, regroupées sur les

FICHE SIGNALÉTIQUE	
Hauteur	30,40 m
Dimensions	316 sur 240 m
Superficie	6,4 ha

deux flancs d'une crête orientée est-ouest, sur environ 800 hectares. Plus d'une centaine de tertres artificiels, de forme et de taille diverses, la plupart rassemblés autour d'espaces ouverts, entourent le secteur central de Cahokia. Le plus grand est le Monk's Mound, « tertre du Moine », qui domine le site et le paysage environnant.

La construction du Monk's Mound

Le Monk's Mound a été édifié sur quatre terrasses super-posées, atteignant une hauteur de 30,40 m. L'ensemble mesure 316 sur 240 m au sol et occupe une surface de 6,4 hectares. Pour ériger cette vaste colline artificielle, les constructeurs – probablement des équipes de villa-geois – ont déversé plus de 614 478 m³ de terre, à l'aide de simples paniers en osier tressé. Le tertre a été réalisé en plusieurs étapes, entre 950 et 1050, dans le cadre d'un complexe cérémoniel beaucoup plus vaste. Le drainage intérieur a été assuré par une alternance de couches d'argile et de matériaux plus grossiers. Des renforts internes structurent la masse de l'édifice, étayé sur ses flancs sud et ouest par des contreforts. La qualité du travail accompli est telle que pendant plus d'un millé-naire, aucun effondrement ne s'est produit, en dépit de l'instabilité relative des matériaux et de la masse énorme de la colline artificielle. Des temples recouverts de chaume occupaient peut-être chacune des terrasses suc-cessives, avant l'agrandissement du monument. Le

Monk's Mound atteint plus de deux fois la taille des autres tertres de Cahokia, de sorte que l'édifice sacré qui occupait jadis son sommet était probablement le point central de tout le complexe cérémoniel.

Quelques-uns des autres grands tertres de Cahokia s'alignent en deux files, de part et d'autre du Monk's Mound, avec une place centrale immédiatement au sud. La plupart étaient sommés de plates-formes où se dressaient des bâtiments publics importants ou les résidences de la classe dirigeante, tous couverts de toits de chaume. Les archéologues pensent également que sur certains de ces tertres étaient exposés les cadavres afin qu'ils soient décharnés par les prédateurs, avant l'inhumation de leurs ossements. Une grande palissade en bois, avec portes et tours de guet, entourait les 80,9 hectares de ce secteur central de l'agglomération, probablement pour isoler du commun les instances dirigeantes, religieuses et politiques, de Cahokia.

Signification cosmologique

Le plan général de Cahokia, avec ses quatre côtés opposés, que répète l'orientation du Monk's Mound, des autres tertres et de la place centrale, est la première représentation matérielle du cosmos traditionnel des indigènes de cette région. Les données ethnographiques et archéologiques suggèrent que la place rectangulaire figurait un cosmos à quatre secteurs, traversé par un axe

Cette reconstitution de l'enceinte centrale de Cahokia vers 1100 regarde en direction du nord, entre la butte funéraire conique, dite Roundtop Mound, et la plate-forme surélevée du Fox Mound où se trouvait, pense-t-on, un temple funéraire. Les deux tertres font face au Monk's Mound, de l'autre côté de la place centrale.

primordial nord-sud. Anthony Aveni pense que les dirigeants de Cahokia utilisaient le soleil pour déterminer les rites annuels qui rythmaient les cycles de l'année agricole. Ce complexe – le plus important de tous les établissements mississipiens – aurait été aménagé pour unifier les royaumes spirituels de la fertilité et de la vie, mais aussi pour renforcer la légitimité des dirigeants de la communauté, intermédiaires privilégiés avec les puissances surnaturelles. Les rites publics de Cahokia se

déroulaient dans un paysage symbolique, créé par l'homme, où les corps des défunts de haut rang étaient exposés, puis enterrés, établissant ainsi un lien étroit entre les vivants et les ancêtres morts.

Les ouvrages en terre des cultures mississipiennes sont d'autant plus stupéfiants si l'on songe qu'ils ont été réalisés par des communautés qui ne connaissaient que les techniques les plus rudimentaires. La vaste superficie de Cahokia reflétait l'autorité politique et religieuse de ses dirigeants, la fertilité de son environnement, l'importance stratégique de sa position sur les grandes pistes commerciales de la vallée du Mississipi. Pendant deux siècles, le Monk's Mound a été le centre spirituel et politique d'un monde indigène américain complexe, avant de tomber dans l'oubli au cours du XIIIe siècle.

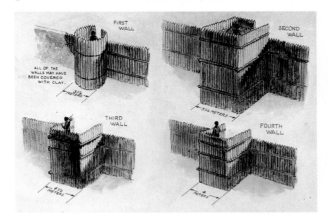

À gauche **La première palissade de Cahokia avait des bastions arrondis ; les reconstructions plus tardives, des bastions carrés. Des entrées en L ajoutaient à la sécurité. La palissade entourait l'enceinte principale.** *Ci-dessous* **Photographie aérienne du Monk's Mound, montrant ses multiples plates-formes. Le tumulus a été construit par étapes, à partir de 950.**

Les mosquées d'argile de Tombouctou

Datation : XIVᵉ-XVᵉ siècle
Localisation : Mali, Afrique occidentale

« Toutes les maisons sont transformées en villas, construites en calcaire et couvertes de chaume. Par ailleurs, on peut y voir un temple majestueux, dont les murs sont faits de pierre et de chaux. »

LÉON L'AFRICAIN, 1550.

CETTE DESCRIPTION, certes inexacte, de Tombouctou (ville de l'actuel Mali, en Afrique de l'Ouest) a été la première disponible en Europe ; elle est extraite de la *Description de l'Afrique*, œuvre de Léon l'Africain (v. 1483-1554), fameux géographe arabe né à Grenade. Depuis lors, Tombouctou est restée, dans l'imagination populaire, le symbole du mystère exotique et de l'interdit.

Établie au début du IIᵉ millénaire, comme terminus des caravanes, la ville prospéra grâce au commerce ; elle devint un prestigieux centre d'enseignement islamique, réputé dans tout le monde musulman, sorte de ville universitaire qui attirait des savants des quatre horizons. L'enseignement se déroulait dans les mosquées, manifestations visibles de la puissance et de la richesse de la ville, mais aussi de son identité religieuse. Ces édifices demeurent parmi les plus beaux exemples de l'architecture en argile de l'Afrique, voire du monde entier.

Les dates de fondation des trois principales mosquées ne sont pas clairement déterminées : les sources historiques sont imprécises et aucune recherche archéologique n'a été entreprise. En outre, les mosquées ont été constamment reconstruites et restaurées au fil des siècles, au rythme des vicissitudes politiques et en fonction de l'ampleur des congrégations qui contrôlaient la ville et l'enseignement religieux. La mosquée la plus importante et la plus ancienne est celle de Djinguéréber, peut-être fondée dès le XIIIᵉ siècle. Vient ensuite celle de Sankoré : principal centre d'enseignement religieux, elle a été fondée entre 1325 et 1433, au cours de la période Mandé, c'est-à-dire sous la domination d'une dynastie malienne. La troisième mosquée, Sidi Yahya, a été fondée vers 1440, mais reconstruite en « pierre » ; il s'agit en réalité d'une argile extrêmement dure et débitée en blocs, appelée « pierre de Tombouctou » par les Français en 1930.

Vue intérieure de la mosquée Sankoré. On remarque, sur la gauche, un mur en « pierre de Tombouctou ».

FICHE SIGNALÉTIQUE

Djinguéréber
Peut-être fondée au XIIIe siècle
Parfois attribuée à l'architecte espagnol al-Saheli qui l'aurait construite en 1327
Dimensions
40 m (mur nord) sur 52 m (mur est), 35 m (mur sud) et 44 m (mur ouest)

Sankoré
Construite durant la période de Mandé, sous la domination malienne (1325-1433)
Dimensions
Extérieur : 31 m (nord) sur 28 m (est), 31 m (mur sud) et 31 m (ouest)
Cour intérieure : 13 m²

Sidi Yahya
Construite vers 1440 par un chef de Tombouctou, Mohammad Naddi, et baptisée en l'honneur de son ami, l'imam Sidi Yahya.
Dimensions
31 m (mur nord) sur 31 m (mur est), 30 m (mur sud) et 30 m (mur est)
Minaret : 9,3 sur 8,4 m

Matériaux et techniques

Malgré leurs variations de plan, les trois mosquées ont des traits communs. Elles possèdent, bien sûr, les éléments fondamentaux d'une mosquée : un minaret (longtemps utilisé pour l'appel des fidèles à la prière), une salle de prière principale ouvrant sur une cour (*sahn*), et, dans cette salle, une niche de prière (*mihrab*). Les mosquées Djinguéréber et Sankoré sont toutes deux construites dans le style « sahélien », avec des murs d'argile à contreforts, et des toits plats. Elles sont également dotées de poutres saillantes, fixées horizontalement dans les murs, qui servent d'échafaudage permanent pour les restaurations annuelles du revêtement d'argile. Selon toute probabilité, la mosquée Sidi Yahya a été initialement construite dans ce même style, comme le révèle le noyau initial du minaret, préservé à l'intérieur d'une enveloppe plus récente, crénelée et en « pierre de Tombouctou ».

Les informations manquent sur le processus d'élaboration des plans. Cependant, une des chroniques locales, le *Tarikh el-Fettatch*, rapporte qu'un notable de Tombouctou, Qadi el-Akib, responsable de l'entretien et de la restauration des mosquées à la fin du XVIe siècle, se rendit en pèlerinage à la Mecque. Il reporta la largeur et la longueur du saint des saints, la Ka'ba, sur une longue corde, puis, de retour dans sa ville, appliqua ces mesures à la nouvelle mosquée Sankoré.

Le principal matériau utilisé pour les mosquées Sankoré et Djinguéréber est la brique crue : soit des blocs parallélépipédiques faits au moule, soit des cylindres et des boules plus grossières, modelés à la main. Ces briques crues étaient disposées en assises plus ou moins régulières par les « maçons » (*gabibi*) – c'est le terme

employé localement, même si ces hommes travaillaient avec de l'argile. Ces derniers étaient assistés par des travailleurs tenus en esclavage (jusqu'à l'abolition de cette pratique), qui transportaient l'argile dans des paniers en osier et l'eau dans des calebasses, sous la supervision d'un contremaître. Les maçons, quant à eux, étaient des hommes libres et ils constituaient une guilde ou caste bien distincte. Aujourd'hui, les réparations sur les mosquées font l'objet d'un travail communautaire.

Les murs en briques crues recevaient ensuite un revêtement protecteur en argile, lissée à l'aide d'une truelle. En principe, les pluies – au demeurant peu fréquentes – lessivent cet enduit, mais laissent intact l'intérieur du mur. Toutefois, une autre source historique, le *Tedzkiret en-Nissian*, rapporte que le minaret de la mosquée Sankoré s'effondra en 1678. Ce genre d'accident ne devait pas être exceptionnel : une pluie violente, une négligence de l'entretien par suite de troubles politiques (qui étaient fréquents à Tombouctou), l'érosion due au vent chargé de sable, les déplacements des dunes étaient autant de facteurs de dégradation avec lesquels il fallait compter.

La « pierre de Tombouctou », une argile extrêmement dure, extraite dans le désert, fut également utilisée pour les mosquées. On l'employait le plus souvent en des endroit précis de l'édifice, comme le *mihrab* dans la mosquée Djinguéréber, ou les parties extérieures particulièrement exposées à l'érosion du vent. On a égale-

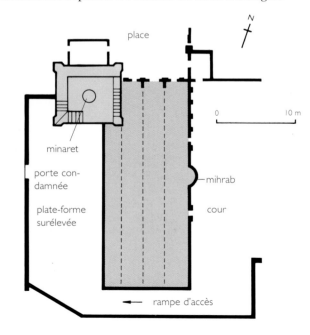

Plan de la mosquée Sidi Yahya

ment employée la « pierre de Tombouctou » taillée pour les arcatures de la mosquée Djinguéréber, qui ont été comparées aux arcatures romaines. Cet emploi de la « pierre » dressée différencie Tombouctou des autres agglomérations de la région, où la pierre – quand elle est employée – n'est, le plus souvent, que sommairement dégrossie, comme dans les villes de Mauritanie.

La situation de Tombouctou, en lisière du Sahel saharien, implique l'absence de bois de construction de qualité, qui doit être importé des régions forestières situées au sud du Niger. Faute de mieux, on utilisait souvent le bois de palmier local, pour les mosquées comme pour les maisons particulières. Les toits étaient faits avec des troncs de palmier-doum coupés, sur lesquels on posait des lattes en bois pour boucher les interstices ; on recouvrait ensuite avec des nattes en fibres de palmier-doum, puis on disposait par dessus une couche protectrice en terre et en torchis. L'écoulement de la pluie était ménagé au moyen de gouttières faites de poteries ou de palmes coupées, qui évacuaient l'eau en contrebas dans la rue. Aujourd'hui, ces écoulements sont plutôt fabriqués avec des morceaux de tôle rouillée ou des sections de vieux bidons d'huile. Des morceaux d'acacia et d'autres bois locaux étaient laissés enfoncés dans les murs en terre. On n'employait le vrai bois de charpente que pour quelques éléments d'architecture intérieure, tel l'encadrement de la porte principale.

La splendeur des mosquées de Tombouctou réside dans leur simplicité. Elles sont dénuées de la décoration si fréquente dans les autres mosquées du monde musulman : pas de carreaux émaillés, pas de bois sculpté ou de massives lampes suspendues ; la décoration, lorsqu'elle existe, est simple et discrète. Le briques moulées peuvent former des losanges (dans la mosquée Sankoré), ou des motifs peuvent être incisés dans un revêtement en plâtre (dans la mosquée Djinguéréber). Le sommet des minarets était parfois orné

Maçons appliquant un nouveau revêtement d'argile sur la mosquée Djenné ; l'entretien régulier est assuré par la communauté.

145

Ci-dessus **Décor intérieur de la mosquée Djinguéréber.** A : **motifs de part et d'autre du mihrab.** B : **motif sur un pilier en face du mihrab.** C : **décor autour du** *mihrab*.

Vue partielle de la mosquée Djinguéréber : les poutres apparentes constituent une sorte d'échafaudage permanent, pour faciliter l'entretien régulier.

d'une coquille d'œuf d'autruche, symbolisant l'unité de l'Islam. Reste que ce sont les contreforts saillants, les niches des mihrabs, les minarets pyramidaux hérissés de poutres horizontales, et les surfaces extérieures lissées ou rongées par l'érosion qui constituent la véritable beauté des mosquées d'argile de Tombouctou.

Les constructeurs eux-mêmes sont restés largement anonymes. On mentionne bien certains patrons ou maîtres-architectes, mais les générations de maçons et d'assistants qui ont construit, reconstruit, entretenu, restauré et perpétué ces édifices sont à jamais inconnus.

Les mosquées en terre de Tombouctou présentent un véritable puzzle d'éléments anciens et nouveaux, importés et indigènes. On a trop insisté – et trop longtemps – sur les origines supposées, nord-africaines ou étrangères, de ces architectures.

En particulier, on a longtemps attribué la fondation de la mosquée Djinguéréber à un architecte arabe d'Espagne, al-Saheli, qui a accompagné le souverain malien Mansa Moussa à son retour de pèlerinage à la Mecque, en 1327. Un examen plus critique des témoignages disponibles suggère plutôt que ces mosquées, y compris celle de Djinguéréber, sont des fondations purement autochtones.

Perspectives d'avenir

La valeur des mosquées d'argile de Tombouctou a été récemment reconnue, et la ville a été inscrite au Patrimoine de l'Humanité. Il est tout aussi important que ces mosquées soient toujours utilisées comme leurs premiers constructeurs l'avaient voulu, c'est-à-dire comme des lieux de prière et d'étude dans la foi musulmane : elles restent des éléments essentiels de l'identité et de la fierté des communautés locales, et elles continuent d'être entretenues dans cette perspective. Ainsi perdurent et se renouvellent l'histoire et l'évolution des mosquées en terre de Tombouctou.

Le Grand Temple des Aztèques

Datation : entre 1325 (environ) et le début du XVIᵉ siècle
Localisation : Tenochtitlán, Mexico, Mexique

« Dans l'année suivant la fondation de Tenochtitlán, les Mexicains établirent le Grand Temple à Huitzilopochtli, en continuelle expansion, et il devint immense parce que chaque roi mexicain lui ajouta un étage nouveau, et c'est ainsi que les Espagnols le découvrirent, haut et puissant, et splendide à voir. »

Historia de los mexicanos por sus pinturas, vers 1536.

CORTÈS ET SES HOMMES, découvrant Tenochtitlán, la capitale des Aztèques, furent extrêmement impressionnés par la masse imposante du principal sanctuaire qu'ils baptisèrent *Templo Mayor*, le Grand Temple. C'était vraiment la réplique d'une montagne, une résidence digne des dieux ! La base de la pyramide était presque carrée, d'environ 80 m de côté. Son sommet, à plus de 30 m au-dessus de la ville, était accessible par les cent treize marches d'un double escalier abrupt, aménagé sur le côté occidental

Le mythe de la fondation de Tenochtitlán, illustré dans un document du XVIᵉ siècle : un aigle tenant une proie, perché sur un cactus accroché à un rocher, avait été le signe envoyé par les dieux pour désigner le site de la future cité.

FICHE SIGNALÉTIQUE

État I, construit à l'occasion de (ou avant) la consécration de la ville, en 1325
Base de moins de 17 m (E-O) sur 34 m (N-S)
Matériaux : probablement plate-forme en argile avec un autel en matériau périssable, ou sanctuaire couvert de chaume
Connu seulement d'après des textes
État II, reconstruction vers 1390
Base d'environ 17 m (E-O) sur 34 m (N-S)
Matériaux : placage de pierre sur conglomérat de gravier et de boue – comme dans les états postérieurs
Seule version complète existant de la pyramide
État III, reconstruction vers 1431
Base d'environ 40 m (E-O) sur 45 m (N-S)
Seuls les escaliers sont largement conservés
État IV, reconstructions vers 1454 et 1469
Base d'environ 55 m (E-O) sur 60 m (N-S)
Sculpture de Coyolxauhqui, au pied des escaliers
État V, reconstruction au début de la décennie 1480
Très peu de vestiges
État VI, reconsécration en 1487
Base carrée d'environ 75 m de côté
Peu de vestiges
État VII, reconstruction au début du XVIᵉ siècle
Base de 83,50 m (E-O) sur 76 m (N-S) ; hauteur totale de 30,70 m
Seules des parties du dallage de la plate-forme sont préservées

du monument. Au sommet, se dressaient deux sanctuaires consacrés à Huitzilopochtli, dieu protecteur de la cité, et à Tlaloc, dieu des Eaux et de la Fertilité. Devant les sanctuaires, s'étendait un espace ouvert de 44 m de largeur, où l'on accomplissait les rites, y compris des sacrifices humains.

La pyramide qui émerveilla les Espagnols à leur arrivée était en fait l'état VII du monument : ce dernier avait remplacé et englobé un ensemble massif de structures superposées qui avaient débuté avec l'état I. Le Grand Temple initial, élevé et consacré au début du XIVᵉ siècle, avait été le premier bâtiment officiel de la cité nouvellement fondée. Le site de Tenochtitlán, sur une île marécageuse, avaient été indiqué par les dieux : le signe était un aigle tenant une proie, perché sur un cactus accroché à un rocher (on retrouve aujourd'hui ce immense quadrilatère d'environ 500 m de côté, peuplés de dizaines de temples, de résidences et de sanctuaires. Des chaussées et des canaux partaient de là vers les points cardinaux. Cœur civique et religieux de la ville, le Grand Temple s'ouvrait vers l'ouest. Il était situé à la fois sur un axe géographique, qui reliait la capitale aztèque à un Empire en perpétuelle expansion, et sur un axe cosmologique, qui unissait le domaine terrestre aux niveaux supérieurs et inférieurs de l'univers sacré. Au sud de son enceinte, se trouvait et se trouve toujours la place principale de la ville ; sur le côté oriental de cette place se dressait le palais de l'empereur Moctezuma (à l'emplacement de l'actuel Palais national).

À gauche **Statues de porte-étendards couchées sur les escaliers de l'état III du temple, qui mènent au sanctuaire de Huitzilopochtli.** *À droite* **Reconstitution du Grand Temple.**

motif sur le drapeau mexicain). Sur l'emplacement ainsi désigné fut construite la plate-forme du temple et des sanctuaires couverts de chaume, par la suite agrandis et reconsacrés à chaque remaniement.

En 1519, Tenochtitlán, la capitale aztèque, était devenue la plus grande agglomération des Amériques, comme Mexico l'est encore aujourd'hui. À cette époque, des millions de sujets, du golfe du Mexique aux côtes du Pacifique, payaient tribut aux souverains de Tenochtitlán, sous la forme de vastes quantités de marchandises, précieuses ou utilitaires, et de corvées de travail accomplies par des centaines de milliers d'hommes. Comme tous les puissants, les souverains aztèques faisaient ostentation de leurs richesses, construisant de somptueux palais pour eux-mêmes et des temples monumentaux entourés d'enceintes sacrées pour leurs dieux.

Le centre du plan quadripartite de Tenochtitlán était occupé par le principal complexe rituel, un

Au pied des grands escaliers de droite, un bloc massif, sculpté à l'image de la déesse Coyolxauhqui, sœur de Huitzilopochtli, principal dieu des Aztèques.

148

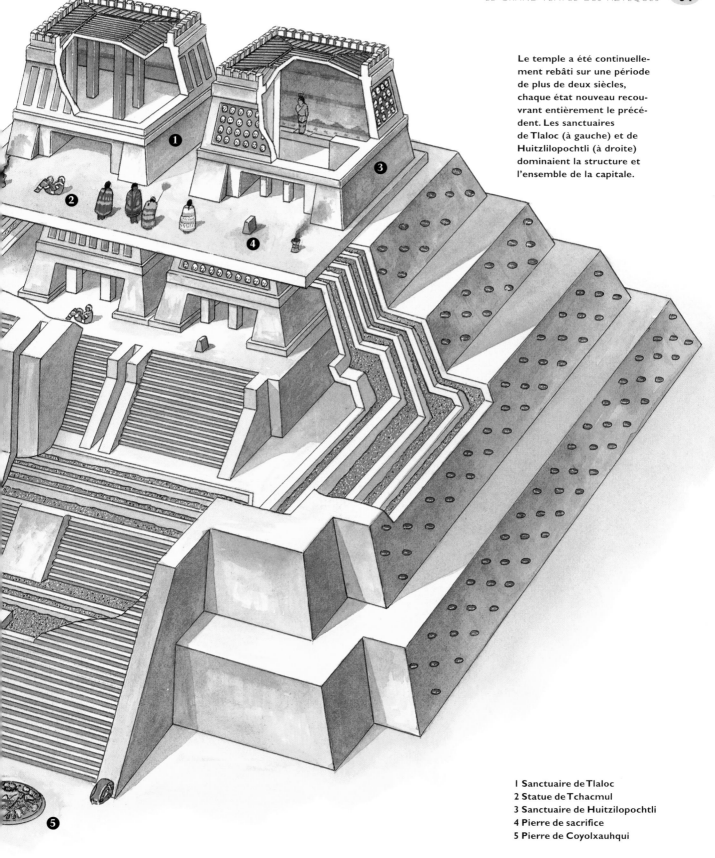

Le temple a été continuellement rebâti sur une période
de plus de deux siècles,
chaque état nouveau recou-
vrant entièrement le précédent. Les sanctuaires
de Tlaloc (à gauche) et de
Huitzlilopochtli (à droite)
dominaient la structure et
l'ensemble de la capitale.

1 Sanctuaire de Tlaloc
2 Statue de Tchacmul
3 Sanctuaire de Huitzilopochtli
4 Pierre de sacrifice
5 Pierre de Coyolxauhqui

Destruction et redécouverte du Grand Temple

Après leur conquête sanglante, en 1521, les Espagnols n'eurent de cesse de détruire le sanctuaire, centre d'un culte évidemment démoniaque. Les destructions furent aggravées par l'exploitation de la pierre pour construire la ville de Mexico et par les pillages. La pyramide s'éroda ainsi jusqu'à n'être plus qu'un tertre d'environ 5 m de hauteur, connu sous le sobriquet de « la colline aux chiens », parce que les chiens errants s'y réfugiaient lors des grandes pluies. Avec le temps, on finit par construire des maisons à cet endroit, et la localisation du Grand Temple devint un sujet de spéculation archéologique.

En 1978, des ouvriers des Travaux publics, qui creusaient dans le secteur, découvrirent une sculpture massive de la déesse Coyolxauhqui, sœur de Huitzilopochtli dans le panthéon aztèque, qui appartenait manifestement au complexe du Grand Temple. Dès lors, le pays entier se passionna pour la redécouverte de ce trésor culturel national. Une équipe de recherches, dirigée par Eduardo Matos Moctezuma et financée par l'État, initia un programme à long terme qui a fait du Grand Temple l'un des sites archéologiques les plus accessibles et les plus impressionnants du monde.

Plan et construction

La pyramide était une structure pleine, à l'exception de petites cavités pour les offrandes. Cette absence de vides intérieurs simplifiait le plan et la construction de l'ensemble, mais entraînait aussi quelques complications : le poids énorme de cette masse de pierre provoqua naturellement son enfoncement dans le sous-sol spongieux de l'île marécageuse. Les fouilles archéologiques ont révélé quelques-unes des solutions inventées – plus ou moins empiriquement – par les ingénieurs aztèques. La reconstruction périodique était en elle-même un moyen de relever le niveau de base de la structure. On stabilisait également les fondations en enfonçant dans le sol mou des pilotis en bois, entourés de petites pierres ponce qui renforçaient le soutien sans ajouter de poids.

Les ingénieurs aztèques étaient inventifs, et ils développèrent des programmes hydrologiques sophistiqués sans disposer pour autant d'une technologie aussi poussée que celle de l'Ancien Monde. Dépourvus d'outils tranchants en métal, ils obtenaient cependant des résultats raffinés en maçonnerie et en sculpture, en utilisant des outils en pierre plus dure que la surface à travailler, et en sciant les éléments à ajuster à l'aide de cordes, d'eau et de sable. Les matériaux de construction étaient apportés sur le site du Grand Temple par embarcations et par porteurs, car les indigènes d'Amérique centrale ne connaissaient ni la roue, ni l'usage des bêtes de somme.

Reconstitution hypothétique du Grand Temple et des autres édifices sacrés de l'enceinte cérémonielle de Tenochtitlán.

Comme tous les sanctuaires aztèques, le Grand Temple de Tenochtitlán était peint de couleurs vives. La peinture était appliquée sur un enduit en stuc, lui-même posé sur un revêtement de plaques de pierre, « collées » sur un parement fait d'un mélange de graviers volcaniques et de boue du lac. Des tenons en pierre, fichés dans cette masse, aidaient à stabiliser les revêtements de pierre et de stuc peint. Sous ces différentes couches se trouvait la surface stuquée de l'état précédent du monument, et ainsi de suite.

Les étapes de la construction

La fouille la plus profonde a révélé l'état II, surmonté par la base des murs d'un double sanctuaire. Cet état II pourrait dater de la fondation de la dynastie de Tenochtitlán, illustrant ainsi avec éclat son droit divin de gouverner par la reconstruction en pierre et stuc peint du premier sanctuaire dégradé (état I, connu seulement par les textes). À cette époque, Tenochtitlán était encore tributaire d'une autre ville, mais elle se révolta avec succès vers 1430 et récupéra à son profit le système régional des tributs. L'état III – une reconstruction substantielle – pourrait dater de 1431 et célébrer la puissance nouvelle de la cité, désormais en mesure d'exiger du bois, de la pierre, de la chaux et des corvées, sous forme de tributs ou comme cadeaux pour honorer la ville et ses dieux.

Les années 1450 apportèrent inondations et famines. Les dirigeants de Tenochtitlán renoncèrent provisoirement au paiement des tributs, ils ouvrirent les greniers de la cité et utilisèrent leur richesse pour financer des travaux dans leurs palais et dans les temples ; l'état IV pourrait dater de 1454 et résulter de ces grands travaux publics. Des sacrifices d'enfants, attestés près de l'autel de Tlaloc, sont peut-être des implorations spéciales à ce dieu de la Pluie et de la Fertilité. Une des offrandes les plus impressionnantes au temple est un ensemble de porte-étendards sculptés, presque grandeur nature, et appuyés sur les marches de l'état III menant au sanctuaire de Huitzilopochtli. Ces statues ont été ensuite recouvertes par le remplissage et les parements de l'état IVa.

L'état IVb est une reconstruction du côté ouest. Elle inclue la sculpture de Coyolxauhqui retrouvée en 1978, qui était associée à des urnes funéraires, peut-être à mettre en relation avec la mort de Moctezuma Ier (règne de 1440 à 1469). À cette époque, Tenochtitlán était devenue la cité la plus puissante du Mexique ancien ;

Cette sculpture grandeur nature, en terre cuite, représente un guerrier-aigle ; elle a été trouvée dans le temple de l'état V.

elle tirait ses ressources des provinces et districts situés dans la vallée de l'actuelle Mexico, et bien au-delà.

L'état V, qui date du début des années 1480, n'a laissé que peu de traces visibles. L'état VI, qui date peut-être de 1487, est un bâtiment bien attesté par les documents. Sa consécration fut marquée par la cérémonie la plus horriblement somptueuse de toute l'histoire du Mexique précolombien : plus de 80 000 victimes furent sacrifiées sur les autels ! La ville était alors à l'apogée de sa puissance. Afin de célébrer le nouveau Grand Temple, le souverain lança un programme de rénovation des canaux et d'extension des jardins.

Il reste peu de choses des réfections antérieures à l'arrivée des Espagnols. La ville et le Grand Temple impressionnèrent tous ceux qui les virent debout. Derrière la silhouette de la pyramide, deux volcans couverts de neige se profilaient sur le ciel. Comme en écho, les deux sanctuaires se dressaient au sommet de la « ville-montagne » de Tenochtitlán. La capitale était une merveille de verdure, où l'eau et la terre s'interpénétraient dans un réseau miroitant.

Détail de la pierre de Coyolxauhqui, montrant la tête de la déesse.

Palais, thermes et arènes

LES PALAIS ET AUTRES LIEUX d'agrément du monde antique occupent une place particulière dans l'imaginaire moderne, dont les péplums hollywoodiens et italiens se sont fait l'écho. Il n'est pas surprenant que les grands rois ou les puissants empereurs aient voulu vivre dans des cadres qui alliaient la splendeur et le confort, mais il est important de rappeler que ces édifices étaient plus que la concrétisation des désirs des dirigeants. Un palais était une scène sur laquelle le monarque se présentait à ses courtisans, à ses visiteurs et à ses sujets. Telle était la fonction notamment de l'arche de Ctésiphon. Cette immense salle voûtée – la plus haute et la plus grande en son genre – et l'impressionnante performance architecturale qu'elle représente, expriment le pouvoir et l'ambition des empereurs sassanides qui y trônaient en grande pompe. La plupart des palais possédaient aussi des espaces publics ou semi-publics, sous forme de cours ou d'arènes. Ainsi, on suppose que les grandes cours pavées de Cnossos accueillaient des spectacles rituels de sauts de taureaux, tels qu'ils sont illustrés par les fresques minoennes.

Les décors des palais étaient un élément essentiel de la propagande officielle. Ils nous montrent comment les puissants voulaient être perçus : en chasseurs courageux, en guerriers indomptables ou en respectueux serviteurs des dieux. En même temps, elles nous renseignent sur une des fonctions du palais, qui est de transmettre un message. La propagande bien pensée du palais assyrien de Ninive présentait des scènes de torture et d'exécution de rebelles dans les pièces mêmes où étaient reçues les délégations étrangères. Les bas-reliefs de Persépolis véhiculent un message plus pacifique mais tout aussi persuasif : on y voit les délégations apportant des quatre

À Persépolis, en Iran, les reliefs finement sculptés de la plate-forme où s'élevait le palais royal véhiculent un message de puissance impériale, soigneusement calculé.

coins de l'empire leur tribut de produits locaux, dont l'immense variété est ainsi mise en valeur.

Même s'ils renferment des appartements privés, d'un luxe souvent inouï, les palais ne sont pas uniquement des résidences privées. Au début de l'Empire romain, l'idéologie véhiculée par le palais fut d'ailleurs un sujet de controverse : on reprocha à certains empereurs qui vivaient dans de tels édifices de se couper du peuple. Auguste, le premier d'entre eux, s'abstint purement et simplement d'édifier un palais. En revanche, plusieur de ses successeurs donnèrent libre cours à leur goût du luxe ; la villa Hadriana, construite par l'empereur Hadrien près de Tivoli, couvrait pas moins de 120 hectares. Mais les empereurs ne ménagèrent pas non plus leurs efforts pour créer à Rome même des cadres grandioses où ils pouvaient apparaître à leurs sujets – c'est le cas du Colisée, où chaque classe de la société romaine avait ses gradins –, ou pour construire des équipements de loisirs luxueux, ouverts au public, tels les thermes de Caracalla.

Les sièges du pouvoir ne se conforment pas tous à l'idée que nous nous faisons aujourd'hui d'un palais. Les complexes palatiaux de Chanchan, au Pérou, ont d'abord été chacun la résidence d'un roi chimu, puis son lieu de sépulture, tout en conservant un rôle de centre administratif pour la gestion des immenses propriétés du défunt. L'acropole du Grand Zimbabwe, en Afrique australe, échappe davantage encore à nos catégories. Ses impres-

sionnants murs d'enceinte faisaient partie de la capitale des Shonas, mais il est impossible de dire avec certitude quelle était la fonction des diverses parties de cette ville. Ces constructions massives ont mieux survécu que beaucoup de palais qui étaient construits pour le temps d'une vie plutôt que pour les générations futures. Beaucoup n'étaient plus que des entassements de briques crues quand ils furent découverts par les archéologues, mais les fouilles et l'examen des vestiges ont permis de comprendre comment ils avaient été construits et utilisés. Les palais pouvaient être tout à la fois des magasins pour le stockage des denrées alimentaires, des lieux d'artisanat, des centres administratifs et de luxueuses résidences abritant la famille royale, les courtisans et une très nombreuse domesticité. Les célèbres jardins suspendus de Babylone en sont un exemple, de même que le « Palais sans pareil » de Sennacherib à Ninive. À Sri Lanka, la grande tradition sud-asiatique des palais-jardins trouve une de ses premières expressions dans la citadelle rocheuse de Sigiriya.

De telles constructions, qui figurent à juste titre parmi les plus grandes réalisations de l'homme, défient notre entendement. Qu'il s'agisse de palais et de lieux d'agrément ou, au contraire, de temples et de tombeaux, les techniques déployées au service des grands de ce monde conservent un caractère particulièrement impressionnant.

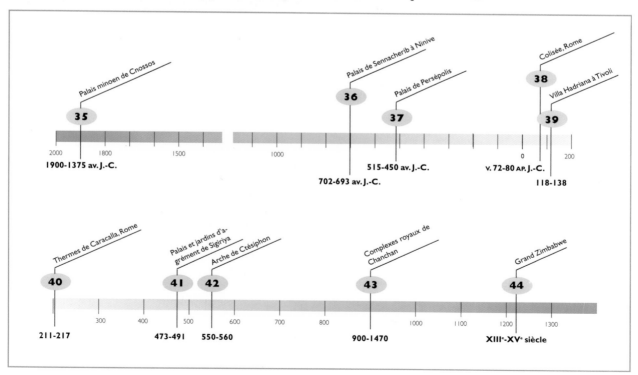

Le palais minoen de Cnossos

Datation : 1900-1375 av. J.-C.
Localisation : Crète, Grèce

« ...le tout reste inspiré par l'esprit d'ordre et d'organisation de Minos et par l'art libre et naturel du grand
architecte Dédale. Le spectacle que nous avons ici sous les yeux revêt assurément une importance mondiale. »
SIR ARTHUR EVANS, 1939.

ON CONNAISSAIT depuis longtemps l'histoire du roi Minos, du labyrinthe et du Minotaure, contée par les légendes grecques quand, au début du XXe siècle, des archéologues ont commencé à donner corps à ces récits en découvrant le palais de Cnossos, à 5 km environ au sud d'Héraklion, en Crète. Ce palais, qu'aurait habité le roi Minos évoque bien un labyrinthe – celui du Minotaure – avec son plan complexe de passages, d'escaliers et de pièces secrètes. Il s'agit en fait d'un complexe architectural ayant des fonctions rituelles, résidentielles et administratives, orné de peintures murales très colorées et équipé d'installations sanitaires perfectionnées. Ces caractéristiques font du palais de Cnossos l'une des ruines les plus étonnantes de la Méditerranée antique et l'exemple type de l'architecture minoenne. D'autres grands palais minoens ont été mis au jour en Crète – à Phaïstos, Malia et Zakros – mais, avec ses 20 000 m^2, celui de Cnossos reste le plus grand. Il semble d'ailleurs avoir joué un rôle prédominant dans les affaires religieuses, administratives et économiques de toute la civilisation minoenne.

Les colonnes du Grand Escalier de Cnossos, caractérisées par leur forme tronconique inversée, étaient initialement en bois ; elles ont été reconstituées en béton.

Le premier palais, édifié vers 1900 av. J.-C. à l'emplacement d'un ancien établissement néolithique, se composait de plusieurs corps de bâtiments qui furent ensuite réunis entre eux. Mais seuls sont visibles aujourd'hui les vestiges de la période suivante, qui débute vers de 1700 av. J.-C. : le palais fut alors reconstruit à une échelle plus grande et plus impressionnante. Habilement adapté à la nature d'un terrain en pente, il occupe plusieurs niveaux, reliés entre eux par des escaliers monumentaux. Des puits de lumière ou de petites cours profondes permettent à l'air et à la lumière de circuler dans le dédale des bâtiments. Une autre caractéristique de l'architecture minoenne est son système de cloisonnement, fait de piliers et de portes, qui permet de diviser de grandes salles en plusieurs petites pièces, selon les besoins.

Le palais comprenait quatre parties distinctes, distribuées autour d'une cour centrale. À l'ouest se trouvaient les magasins où étaient entreposées des denrées diverses – huile, vin, céréales – et, entre ces magasins et la cour, des pièces réservées aux activités rituelles. Au

FICHE SIGNALÉTIQUE

Avant 3000 av. J.-C. env.	Établissement néolithique à Cnossos
3000-1900 av. J.-C.	Premier établissement minoen
1900-1700 av. J.-C.	Construction du premier palais de Cnossos
1700-1450 av. J.-C.	Reconstruction du palais après un séisme

Époque du deuxième palais

1450 av. J.-C.	Conquête de Cnossos par les Mycéniens
1375 av. J.-C.	Chute du Cnossos préhistorique
Superficie du palais	20 000 m^2

Complexe	Localisation	Nombre approx. de pièces
Magasins	ouest, nord-est	25
Salles rituelles	ouest	8
Grand Escalier	sud-est	
Logements	sud-est	8
Ateliers de poterie et de pierre	nord	7

sud-est, un grand escalier conduisait vers les deux étages supérieurs, qui abritaient les salles de réception et les logements. Au sud s'ouvrait le couloir processionnel par où les visiteurs arrivaient. Les ateliers de poterie et de travail de la pierre étaient situés dans la partie nord du complexe ; au nord-est, d'autres magasins et des ateliers occupaient le rez-de-chaussée, qui était surmonté par une grande salle de réception. Seules les pièces les plus importantes étaient décorées de fresques.

Les matériaux de construction

Le palais fut construit, suivant les endroits, en grandes pierres de taille ou en maçonnerie brute soigneusement enduite. Des poutres de bois encadraient certaines sec-

Ci-dessus **La fresque du roi-prêtre (connu aussi sous le nom de prince aux Lys), découverte sous forme de fragments près de l'entrée sud-est du palais, a été restaurée par Evans.**
À gauche **L'entrée nord, reconstituée, et la fresque du taureau.**

tions des murs et soutenaient les plafonds, faits de dalles de pierre. Les matériaux de construction provenaient des environs : le gypse et le calcaire étaient extraits dans les carrières des collines proches, les cyprès poussaient en abondance, et l'argile ne manquait pas. Les pierres des murs étaient dressées et soigneusement assemblées, ou bien recouvertes d'une couche d'enduit, parfois peint en rouge. La pierre la plus utilisée était le calcaire local, notamment dans sa variété gris-bleu; elle était sculptée pour former des piliers, des bases de colonnes, des encadrements de portes et de fenêtres, des murs, des escaliers ou des dallages. Le gypse était utilisé aux mêmes fins. Plus facile à travailler que le calcaire mais plus soluble au contact de l'eau, il était généralement réservé à des usages intérieurs.

Le gypse était extrait des collines Gypsadhès, juste au-dessus de Cnossos. Les blocs étaient détachés à l'aide de coins et de leviers, puis sciés. Une fois posés, ils étaient recouverts d'une couche d'enduit sur leurs faces apparentes. L'albâtre, qui est une variété de gypse, revêtait les murs et les sols des pièces les plus prestigieuses. Il était découpé en fines plaques ou en feuilles pouvant atteindre 1,8 m de longueur et 2,5 cm d'épaisseur. Les carrières produisaient également de la craie, qui entrait dans la composition du stuc dont on enduisait les maçonneries en calcaire brut.

Le bois avait pour fonction de fournir une structure de soutien aux murs, mais aussi d'absorber les chocs en cas de tremblements de terre. On en faisait des fûts de colonnes, des poutres pour les plafonds et les toits, des planchers pour les étages supérieurs, des escaliers et des portes. L'argile était très utilisée comme mortier, pour lier les pierres dans les murs maçonnés, ou sous forme de briques, pour monter les murs des étages supérieurs.

Imperméable, elle servait aussi à assurer l'étanchéité du toit. Toujours avec l'argile, on fabriquait des tuyaux de terre cuite de 60 à 75 cm de longueur qui, grâce à leur extrémité conique, s'emboîtaient les uns dans les autres. L'étanchéité des joints était garantie par un mortier de chaux. Ces canalisations acheminaient l'eau dans les différentes parties du palais, et de larges conduites en pierre, posées dès le stade des fondations, en assuraient l'évacuation.

Les opérations de construction étaient organisées de façon méthodique. Le palais est en effet agencé suivant un plan quadrillé. Pour établir le tracé des façades et de la cour centrale, les bâtisseurs se sont servis d'une unité de mesure standard : le pied minoen, qui équivaut à 30,36 cm. Divers corps de métier participaient aux travaux : carrers, maçons, plâtriers, menuisiers, briqueteurs et manœuvres divers. Il fallait aussi des hommes pour abattre les arbres et travailler le bois, transporter les matériaux, préparer les crépis et les mortiers.

Construit en plusieurs étapes, le palais présente une histoire architecturale assez complexe. Il semble notamment que de très grandes parties des bâtiments aient été restaurées ou reconstruites après des tremblements de terre et des incendies. Cnossos survivra à de multiples vicissitudes jusque vers 1375 av. J.-C. : détruit par une grave catastrophe (peut-être l'explosion d'un volcan sur une île voisine), le site sera abandonné par la plupart de ses habitants et tombera progressivement en ruines. Depuis sa redécouverte au début du XXe siècle, le palais a été partiellement reconstitué par son découvreur, sir Arthur Evans (1851-1941). Cette restauration a permis de rétablir les éléments en bois qui avaient disparu et de donner ainsi une idée plus juste de l'aspect et des couleurs du palais tel qu'il se présentait à son apogée, avec ses colonnes de bois tronconiques et ses murs couverts de fresques.

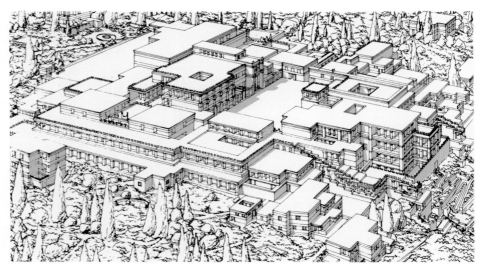

Reconstitution du palais de Cnossos, qui se composait d'un vaste complexe de pièces disposées autour d'une cour centrale. L'ensemble du bâtiment s'adaptait à la nature du terrain en pente.

Le palais de Sennacherib
à Ninive

Datation : 702-693 av. J.-C.
Localisation : Ninive, Irak

« Selon un calcul approximatif, ce sont près de 9 800 pieds, soit environ 3 kilomètres, de bas-reliefs et vingt-sept portails flanqués de sphinx et de taureaux ailés colossaux qui ont été mis au jour dans la partie du bâtiment explorée au cours de mes recherches. »

A. H. LAYARD, 1853

S I L'ON CONNAÎT la célèbre description par Byron de la machine de guerre assyrienne – « L'Assyrien a fondu comme le loup sur le troupeau » –, on sait moins que Sennacherib, roi d'Assyrie (705-681 av. J.-C.), fut, comme beaucoup de monarques absolus, un homme d'une intelligence et d'un jugement exceptionnels. Il entreprit notamment de réaliser l'unité du Proche-Orient sur des fondements idéologiques plutôt que par la terreur. Au cœur de son empire se trouvait la ville ancienne de Ninive, qu'il transforma en une métropole dont la magnificence étonna le monde civilisé. En son centre, il fit construire le nouveau palais royal.

Ce palais exprime non seulement les aspirations impériales de Sennacherib mais aussi les circonstances particulièrement difficiles auxquelles il dut faire face en montant sur le trône d'Assyrie. Son père venait d'être tué dans une guerre de frontières. L'empire, qui s'était agrandi non sans mal au cours des quarante années précédentes et atteignait désormais le centre de l'Iran et les frontières de l'Égypte, était menacé par la rébellion et par l'ingérence des puissances étrangères. Sa position même de roi était vulnérable. En quatre années de campagne intensive, il mit un terme à ces menaces. À partir de 701 av. J.-C., il put enfin se consacrer à l'édification de son avenir.

À gauche **La citadelle de Ninive avec le palais sud-ouest de Sennacherib. Les parties en brun sont celles qui ont été explorées.** *Ci-dessous* **Bas-relief représentant la façade sud-ouest du palais de Sennacherib : on remarque les lions en bronze qui forment les bases des colonnes, et, les taureaux ailés à tête d'homme.**

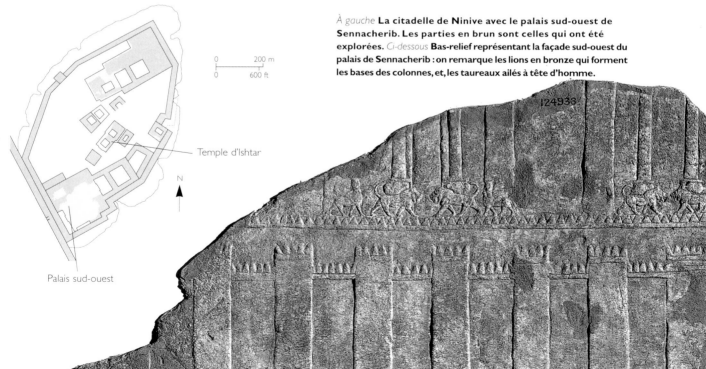

0   200 m
0   600 ft

Temple d'Ishtar

N

Palais sud-ouest

124933

FICHE SIGNALÉTIQUE

Profondeur des fondations	env. 22 m
Hauteur des murs	env. 20 m
Dimensions au sol	503 sur 242 m
Nombre de pièces fouillées	env. 120
Nombre de pièces non explorées	au moins 100
Nombre de figures colossales ornant les portes	env. 120
Poids des figures les plus grandes	env. 30 tonnes
Longueur totale des panneaux sculptés	au moins 3 km

La construction du palais

Sennacherib disposait à cette époque d'innombrables prisonniers de guerre, ramenés de Babylonie, du sud de la Turquie, de Palestine ou d'ailleurs, qui constituèrent une main-d'œuvre abondante, sans laquelle ses projets n'auraient pu se concrétiser. Ils travaillèrent dans les carrières, édifièrent l'immense enceinte de la nouvelle ville et creusèrent des kilomètres de canaux jusqu'aux jardins de Ninive. La pièce maîtresse de cette entreprise était le palais. Des inscriptions cunéiformes gravées sur des mémoires en argile cuite donnent des détails précis sur la manière dont il fut bâti, confirmant ou complétant les découvertes des archéologues.

Sur le site s'élevait un palais plus ancien, dont nous connaissons les dimensions en coudées assyriennes. Sachant que la coudée dépassait légèrement les 50 cm, on peut en déduire que cette première construction mesurait 200 m sur 66 m. En 701 av. J.-C., elle était en mauvais état : les pluies diluviennes du printemps assyrien avaient attaqué ses fondations et mis à nu les sépultures sur la colline voisine. Sennacherib agrandit le site initial, notamment en gagnant des terres sur le fleuve. Les archives relatives à ces divers travaux s'étendent de 702 av. J.-C., époque où le palais n'était encore qu'à l'état de projet, à 693 av. J.-C., date de son achèvement, ce qui nous permet de suivre assez bien l'évolution du chantier.

Le problème des crues fut résolu en mettant en place des fondations massives composées de blocs de calcaire. Elles furent surmontées par une plate-forme de briques. Sous ses apparences modestes, ce dernier matériau possède des qualités remarquables : c'est en effet un excellent isolant thermique, et, bien entretenu, il peut durer des siècles. Il servit d'ailleurs à construire les murs du palais. Vers 697 av. J.-C., les côtés les plus longs de la plate-forme mesuraient respectivement 385 et 212 m environ et se composaient de 180 rangées de briques, atteignant une hauteur totale de 22 m. Ce sont donc près de cent sept millions de briques qui furent utilisées, chiffre approximatif mais qui nous donne une idée de l'ampleur de l'entreprise. Entre 697 et 693, le site fut à nouveau agrandi pour mesurer 503 m sur 242 m.

Aspect et décoration

Sennacherib donna à l'édifice le nom de « Palais sans pareil ». On peut imaginer l'étonnement d'un voyageur venant des cités du Levant et découvrant en direction de l'est, par-delà le Tigre, les murs d'enceinte de la ville, hauts de 25 m, et une façade de palais qui les dépassait d'encore 20 m au moins. Une sculpture murale assyrienne illustre le panorama qui s'offrait à lui : trois grandes portes ponctuaient la façade, précédée chacune d'un portique soutenu par une paire de colonnes géantes dont les bases étaient formées par deux lions en bronze, en posture de marche. Ces douze lions étaient en soi des merveilles. La technique traditionnelle du moulage à la

160

À gauche **Reconstitution de la salle du trône de Sennacherib, à Ninive.** *Ci-dessous* **Toutes les pièces des appartements d'apparat comportaient des panneaux en albâtre illustrant les grandes réalisations du roi. On voit ici Sennacherib assis sur un trône, au milieu d'un paysage rocheux.**

cire perdue ne se prêtant pas à la réalisation d'objets d'une telle dimension, Sennacherib – ou l'un de ses ingénieurs – mit au point une nouvelle technique consistant à verser le métal en fusion dans un moule ; la statue était donc en métal massif, et non plus creuse. Deux des colonnes étaient également en bronze. Les autres, en bois, furent réalisées à partir des plus grands arbres que l'on pût trouver : les cèdres du Liban, qui étaient transportés jusqu'à Ninive par voie de terre et par voie d'eau, sur 800 km. Les fûts, incrustés et revêtus d'or et d'argent, étaient couronnés par des chapiteaux de style éolien. Au-dessus, se découpant sur le ciel, les créneaux en briques émaillées bleues chatoyaient dans la lumière.

Derrière les colonnes, d'immenses taureaux ailés à tête humaine, en albâtre, dominaient la grandiose façade. Esprits magiques, ils repoussaient les ennemis et le mauvais sort, regardant agressivement dans toutes les directions. On comptait au moins douze de ces créatures, et plus de cent taureaux ou sphinx qui gardaient les portes du palais. Les spécimens de la façade avaient environ 4 m de hauteur et pesaient à peu près 30 tonnes chacun. Sennacherib a noté, avec fierté, combien ses prédécesseurs avaient eu de difficultés pour acheminer des statues aussi colossales des carrières situées de l'autre côté du Tigre : non seulement ils devaient attendre les crues du printemps, mais, même ainsi, il y avait de nom-

Sennacherib observe depuis son char une immense statue, représentant un taureau ailé à tête d'homme, halée sur un traîneau jusqu'à son palais.

breux blessés parmi les hommes chargés du transport des matériaux. Sennacherib, quant à lui, finit par trouver une carrière semblable sur la même rive que le palais.

Sur les murs du palais, une série de panneaux sculptés illustre la difficulté du voyage : une fois extrait à la pioche et grossièrement façonné, l'énorme bloc de pierre devait, pour atteindre Ninive, parcourir environ 50 km sur un traîneau, à travers un terrain difficile. Il fallait ensuite le hisser de 20 m jusqu'au niveau du palais. Ce travail pénible était laissé aux prisonniers de guerre, placés sous le commandement de chefs d'équipe assyriens. Tandis que certains soulevaient l'arrière du traîneau à l'aide de leviers, d'autres glissaient au fur et à mesure des rouleaux en dessous ; des centaines d'autres halaient la massive charge à l'aide de cordes. Les responsables en chef, montés sur des taureaux, criaient leurs instructions à l'aide de porte-voix. Sennacherib en personne inspectait régulièrement les travaux.

Notre voyageur devait ensuite franchir les portes de la ville puis de la citadelle pour pénétrer dans le palais par l'entrée principale, située du côté opposé. Il traversait alors deux ou trois cours extérieures, bordées de magasins et de services administratifs, ainsi que de logements abritant la garde royale. Il découvrait enfin, dans la cour la plus intérieure, la façade de la salle du trône, où siégeait Sennacherib lors des cérémonies officielles. Derrière cette salle s'étendaient de multiples cours et pièces – y compris les appartements d'apparat – qui étaient peuplées par une foule de dignitaires barbus, d'eunuques et de courtisans qui complotaient. Un côté était réservé aux logements des femmes de la maison royale, protégés par leur garde d'eunuques. Aucun visiteur n'y avait accès.

Dans toutes les salles importantes, des sculptures murales en albâtre, peintes de couleurs vives, illustraient les campagnes du roi assyrien et ses grandes réalisations. Les matériaux utilisés pour cette décoration renforçaient l'impression de magnificence : les pierres exotiques provenaient des contrées les plus lointaines de l'empire ; certaines figures colossales ou sculptures murales avaient été transportées par voie d'eau depuis les montagnes du Nord ; partout l'or brillait ; les portes, les plafonds et le mobilier étaient réalisés dans des bois aromatiques ornés d'ivoire ; de riches tapis couvraient le sol. Même le système sanitaire était extraordinaire, l'eau étant amenée selon un système comparable aux vis dites d'Archimède. Enfin le palais renfermait à profusion des trésors envoyés en cadeaux ou pillés dans divers pays du Moyen-Orient ou d'ailleurs. Pour les témoins de telles splendeurs, le palais n'était pas seulement le plus beau de son temps, il était aussi le centre de l'univers.

Disparition et redécouverte

Le palais de Sennacherib a été le cœur de l'Empire assyrien pendant cinquante ans, jusqu'à ce qu'un de ses successeurs se fasse construire un palais ailleurs. En 612 av. J.-C., Ninive a été pillée et incendiée, mais sa plate-forme et ses murs de briques crues ont résisté au feu. En 1850, des archéologues, guidés par des panneaux d'albâtre à demi brûlés, qui formaient un labyrinthe de plus de 3 km, ont exploré les profondeurs de l'actuelle colline Kuyunjik. Une moitié du palais de Sennacherib n'a toujours pas été mise au jour. Les sculptures exhumées ont depuis trouvé leur place dans les musées du monde entier. Quant aux les solides fondations en pierre, prévues pour résister au crues printanières du VIIIe siècle av. J.-C., elles demeurent intactes sous les ruines.

Le palais de Persépolis

Datation : 515-450 av. J.-C.
Localisation : Persépolis, Iran

« Tout est voué, avec une répétition candide, à une unique fonction : représenter la majesté impériale, le faste et les attributs de celui que l'on désignait à juste titre sous le nom de Grand Roi. »

LORD CURZON, 1892.

LE PREMIER EMPIRE PERSE, dont l'apogée se situe entre le VIe et le IVe siècle av. J.-C., s'étendait de l'Indus au Nil. Dans le centre de l'Iran actuel, au cœur de l'empire, s'élevait Persépolis, la « Cité des Perses », dont les palais, parmi les plus magnifiques jamais construits, célébraient la puissance et la vanité impériales.

Aujourd'hui, les ruines de Persépolis se réduisent à une haute terrasse qui se détache sur le fond des montagnes et domine la plaine fertile ; soutenue par des murs en pierre, elle porte encore des colonnes et quelques portes colossales en pierre. Dans les falaises sont creusées les sépultures royales. À proximité s'élève un temple du Feu en pierre. Jadis, la terrasse supportait de nombreux bâtiments, construits pour la plupart entre 515 et 450 av. J.-C. environ. On observe une certaine évolution architecturale au cours de cette période, mais les infrastructures, par exemple les canaux d'évacuation des eaux, laissent penser que ces édifices suivaient largement les plans conçus par le fondateur, Darius Ier. Les

principaux, construits en briques crues, contenaient des salles à colonnades, qui ont aujourd'hui disparu. Certains s'élevaient sur des plates-formes, auxquelles on accédait par des escaliers, et comportaient des façades ornées de portiques à colonnes.

L'édifice le plus imposant, et l'un des plus anciens, est l'Apadana de Darius Ier : il mesure environ 110 m de côté, et ses colonnes de pierre s'élèvent à 20 m de hauteur. Sans doute ne servait-il que lors des grandes cérémonies, car il se compose d'une immense et unique salle, de tours d'angle et de quelques appartements de service. Le roi et sa cour, qui résidaient dans la ville de Persépolis seulement une partie de l'année, occupaient probablement un palais situé sous la terrasse. Peut-être même l'Apadana n'était-elle utilisée que pour la grande cérémonie annuelle, au cours de laquelle les peuples de

Le roi de Perse est ici entouré par des dignitaires de sa cour ; peut-être préside-t-il à la grande cérémonie qui se déroulait chaque année à Persépolis.

FICHE SIGNALÉTIQUE

Bâtiments principaux	515-450 av. J.-C.
Superficie totale de l'Apadana	12 100 m²
Surface de la grande salle de l'Apadana	3 844 m²
Nombre de colonnes dans la grande salle	36
Hauteur des colonnes dans la grande salle	20 m
Nombre de colonnes sur les façades de l'Apadana	36
Hauteur de la terrasse	env. 14 m
Dimensions de la terrasse	env. 450 sur 280 m
Nombre de colonnes sur la terrasse	env. 872

l'empire apportaient leur tribut. La terrasse de Persépo-lis renfermait également des trésors et des magasins, ainsi que des logements pour les gardes. D'autres grandes salles à colonnades ont pu, elles aussi, avoir été réservées à des fonctions officielles bien précises.

Les sculptures en pierre qui ornent les escaliers et les murs des plates-formes illustrent la remise du tribut. Toutes les ressources artistiques de l'Empire perse furent mises à contribution pour la construction de Persépolis. Certains artisans venaient de très loin : les documents relatifs aux rations alimentaires font ainsi état d'Égyptiens, de Grecs de Ionie et de Carie, de Babyloniens et de Hittites ou Syriens.

Les carrières de pierre

Certaines des plus belles pierres étaient acheminées de carrières distantes de 40 km, mais la majeure partie de la ville a été construite avec un calcaire gris, extrait non loin de Persépolis. La technique pour dégager les pierres était la suivante : à l'aide de pioches en fer, de pics et de masses, on taillait des fentes sur le pourtour du bloc

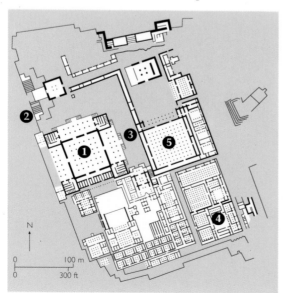

Ci-dessus **La terrasse de Persépolis avec, au centre, l'Apadana.** *À gauche* **Plan du palais de Persépolis, montrant les différentes parties du complexe :**
1 Apadana
2 Escalier principal
3 Escalier menant à l'Apadana
4 Bâtiments administratifs et magasins
5 Salle aux Cent Colonnes

À droite **Les escaliers menant aux plates-formes du palais sont flanqués de soldats perses, peut-être les 10 000 « immortels » qui formaient la garde royale.**

164

désiré, puis on y insérait des coins en bois ; une fois humidifiés, ceux-ci gonflaient et libéraient le bloc. Les plus gros étaient également fendus à l'aide de coins, car la pierre était trop dure pour être sciée. Ils étaient ensuite dégrossis – afin de réduire leur poids – en fonction de l'usage auquel ils étaient destinés, mais l'on conservait des saillies pour faciliter leur maniement et protéger les angles durant le transport et la mise en place. Les blocs et les dalles étaient probablement haler sur des traîneaux.

La terrasse

Le premier site de fondation a été l'éperon rocheux, peu élevé, qui s'avance dans la plaine. Bien qu'il ait été partiellement taillé, sa forme naturelle a influencé le plan de la terrasse. Les murs de pierre, très légèrement inclinés, qui soutiennent les côtés, prennent directement appui sur le socle rocheux ou sur des matériaux de remblai. Certains présentent des appareils réguliers en pierres rectangulaires, mais la plupart se composent d'un ensemble de pierres rectangulaires, trapézoïdales et en forme de L, encastrées les unes dans les autres. Ce système a pu être choisi pour sa solidité, confirmée par le bon état de conservation des murs aujourd'hui. Il s'explique aussi par la nature des matériaux, car les strates rocheuses de la carrière locale étaient très irrégulières.

Les pierres étaient posées sans mortier. Les faces extérieures étaient soigneusement équarries alors que les faces intérieures restaient brutes. Les finitions, réalisées au pic ou au ciseau, assuraient l'uniformité de la façade de haut en bas. Dans les assises supérieures et dans les murs les plus réguliers, les pierres étaient tenues ensemble par des agrafes en fer, à double queue d'aronde, noyées dans du plomb. Ces agrafes servaient également à solidariser les blocs fendus ou cassés. Une technique plus raffinée était cependant utilisée pour réparer les pierres sculptées ou moulurées : elle consistait à tailler un fragment de pierre de la forme voulue, à le maintenir en place avec de la gomme, puis à le fixer définitivement par derrière, en faisant couler du plomb fondu par de petits trous forés dans la pierre adjacente.

La décoration

Aujourd'hui, l'élément le plus frappant à Persépolis est la décoration des terrasses qui supportaient les bâtiments. Plus de trois mille figures humaines, représentant des dignitaires, des soldats ou des vassaux apportant leur tribut, y sont sculptées en bas relief. La similitude de ces sculptures, en dépit du temps écoulé entre la réalisation des premières et celle des dernières, peut étonner. Cette normalisation délibérée, qui est l'antithèse de ce que l'on observe à la même époque en Grèce, est une façon de souligner la perfection et la permanence de l'Empire perse. De même, les sculptures devant les tombes royales sont pratiquement toutes identiques.

Certaines sculptures restées inachevées nous renseignent sur les techniques utilisées à l'époque. Il semble qu'une fois les dalles fixées en place, les sculpteurs délimitaient les contours des figures par des traits légers. Puis ils taillaient la pierre à l'aide de marteaux à tête tranchante ou dentée, de ciseaux et de poinçons, de plus en plus fins à mesure que le travail avançait. Peut-être se servait-on de gouges pour creuser plus profondément en certains endroits, et de forets creux pour fixer les ornements métalliques, telle la réplique de la couronne royale, d'or et de joyaux. La surface sculptée était ensuite lissée au moyen d'une pâte abrasive et d'eau, et les dernières griffures ou rayures étaient éliminées par polissage et lustrage à l'aide de divers matériaux : pierre, plomb, ou peau de requin. Enfin, les sculptures étaient peintes de couleurs vives.

Pour guider le travail des artisans et garantir l'uniformité de certaines grandes sculptures (par exemple celles qui ornent les chapiteaux des colonnes) des points de repère étaient portés au compas sur la pierre, qui indiquaient d'abord le niveau le plus profond à atteindre. Les sculpteurs se fiaient donc à des mesures et non à leur seul jugement.

Les formes et les positions des figures devaient être définies à l'avance par les artistes responsables de la conception d'ensemble du palais. Aucun canon de proportions n'a été identifié ; peut-être se servait-on de modèles ou de gabarits, mais cela n'est pas certain, car des artisans expérimentés ont rarement besoin de telles aides. Plusieurs équipes travaillaient en même temps sur les portions voisines d'un mur, et certaines ont laissé des marques lapidaires pour distinguer les zones dont elles avaient la charge. En dépit de l'uniformité globale des figures à l'intérieur d'une même séquence, par exemple dans une rangée de soldats, chaque chef d'équipe avait généralement un style caractéristique, et l'on observe des différences minimes dans certains détails, par exemple dans les équipements des soldats ou le traitement de leurs cheveux. Les lignes de démarcation entre les équipes étaient maintenues même lorsqu'elles traversaient un motif tel qu'un char ou un cheval, si bien que deux personnes pouvaient sculpter les parties opposées d'un même animal ; on veillait toutefois à masquer habilement le raccord.

La punition

Les travaux de construction se sont poursuivis de façon sporadique jusqu'à ce que Persépolis tombe aux mains d'Alexandre le Grand, en 330 av. J.-C. Un soir de beuverie, quelques semaines après la capitulation de la ville, un Athénien suggéra d'y mettre le feu pour se venger de l'incendie d'Athènes perpétré par les Perses cent cinquante ans plus tôt. L'idée plût au roi, qui ouvrit la voie en jetant des torches dans l'un des palais. Paradoxalement, en ensevelissant sous les débris les parties inférieures des bâtiments, cette destruction a probablement contribué à la sauvegarde du site.

Sur ces bas-reliefs ornant les plates-formes du palais, on voit les sujets de l'Empire apportant leur tribut ; on y voit un zébu et un chameau de Bactriane.

Le Colisée de Rome

Datation : commencé vers 72-75, consacré en 80
Localisation : Rome, Italie

« Que la barbare Memphis ne nous parle plus des pyramides, que les Assyriens ne se vantent plus de Babylone, [...] ni les Ioniens du temple d'Artémis ; que les Cariens cessent les louanges extravagantes de leur Mausolée suspendu dans le vide. Tous les ouvrages s'inclinent désormais devant l'amphithéâtre de César ; par sa renommée, il remplacera tous les autres. »

Le Livre des spectacles I, MARTIAL.

IL Y A UN caractère prophétique dans ces mots du poète Martial, écrits à l'occasion de l'inauguration de l'amphithéâtre flavien, en l'an 80 de notre ère : en effet, cet immense édifice, connu sous le nom de Colisée, deviendra au Moyen ge le symbole de la puissance et de la pérennité de la Rome païenne. Aujourd'hui, nous avons tendance à associer l'amphithéâtre aux chasses sanguinaires de bêtes sauvages et aux combats de gladiateurs qui s'y déroulèrent, mais Martial nous rappelle qu'il s'agit également d'un exploit architectural capable de rivaliser avec les Sept Merveilles du monde antique. À l'époque, Rome ne possédait aucun monument d'une telle ampleur. Même plus tard, au IVᵉ siècle, quand les grands thermes impériaux ou des temples comme le Panthéon pouvait rivaliser avec lui, le Colisée restait l'une des grandes merveilles de la ville.

La construction du Colisée fut commencée vers l'an 72 par l'empereur Vespasien (69-79) et en grande partie achevée par son fils Titus (79-81), mais les aménagements en sous-sol ne furent terminés que sous le règne de Domitien (81-96), le dernier empereur flavien. Le premier amphithéâtre permanent de Rome, celui du Champs de Mars, avait été détruit lors du grand incendie de l'an 64. L'empereur Néron (54-68),

Les trois étages supérieurs de la façade en travertin. On distingue les corbeaux et les trous destinés à recevoir les mâts du vélum.

FICHE SIGNALÉTIQUE	
Dimensions	156 sur 189 m (env. 530 sur 640 pieds romains)
Hauteur	52 m (env. 176 pieds romains)
Arène	48 sur 83 m (163 sur 280 pieds romains)
Superficie de l'arène	3 357 m²
Périmètre extérieur	545 m (1 835 pieds romains)
Nombre d'arcs à chaque étage	180
Capacité estimée	50 000 à 80 000 spectateurs

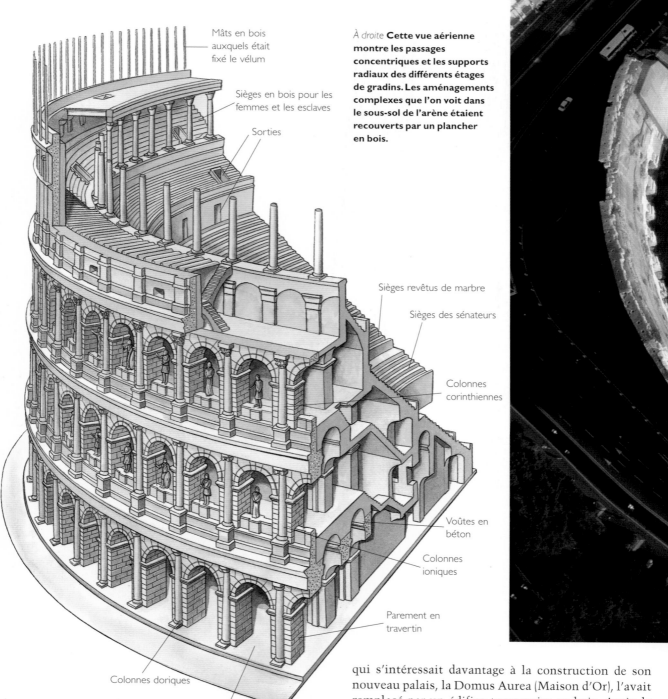

Mâts en bois
auxquels était
fixé le vélum

Sièges en bois pour les
femmes et les esclaves

Sorties

À droite **Cette vue aérienne
montre les passages
concentriques et les supports
radiaux des différents étages
de gradins. Les aménagements
complexes que l'on voit dans
le sous-sol de l'arène étaient
recouverts par un plancher
en bois.**

Sièges revêtus de marbre

Sièges des sénateurs

Colonnes
corinthiennes

Voûtes en
béton

Colonnes
ioniques

Parement en
travertin

Colonnes doriques

80 entrées
numérotées

Ci-dessus **Cette reconstitution en coupe du Colisée montre
l'intersection entre les passages concentriques et radiaux.
Les arcs superposés, qui s'appuient les uns sur les autres,
résistent à la poussée vers l'extérieur, exercée par la voûte
rampante qui supporte les gradins.**

qui s'intéressait davantage à la construction de son
nouveau palais, la Domus Aurea (Maison d'Or), l'avait
remplacé par un édifice temporaire en bois. Après le
suicide de Néron et l'avènement de Vespasien, le
nouvel empereur fit un geste politique habile en édi-
fiant, dans les jardins mêmes de la Domus Aurea de
Néron, cet amphithéâtre destiné à accueillir les diver-
tissements populaires. En outre, il en finança la construction avec les butins de guerres et non les finances
publiques.

168

La construction

Si la conception du Colisée s'inspire de modèles utilisés de longue date pour les théâtres et les amphithéâtres romains, le résultat final n'en est pas moins exceptionnel par son ampleur. La très haute façade s'élève sur quatre niveaux : les trois premiers comportent chacun quatre-vingts arcs encadrés par des demi-colonnes doriques, ioniques puis corinthiennes ; le dernier est orné de pilastres corinthiens. Les arcs correspondent à la structure intérieure de l'édifice, avec ses escaliers radiaux et ses passages circulaires qui donnent accès aux gradins autour de l'arène ovale. Selon les sources, la capacité du théâtre est estimée entre 50 000 et 73 000 personnes. Le public était au préalable contrôlé, dans un périmètre extérieur délimité par des bornes : les spectateurs étaient munis de billets (gratuits) correspondant au soixante-seize arcades numérotées du rez-de-chaussée, ce qui leur permettait de trouver aisément leur place et d'y accéder rapidement. Les trois premiers étages de gradins

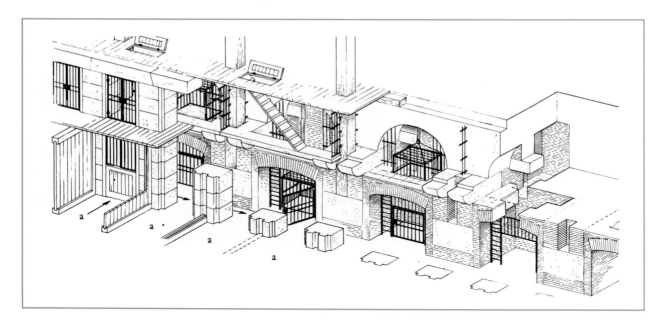

Reconstitution des cages et des ascenseurs par lesquels les bêtes sauvages surgissaient dans l'arène. Les cages étaient hissées au niveau supérieur par un système de contrepoids.

étaient supportés par des voûtes en béton, alors que le plus élevé se composait de tribunes en bois. L'arène était bordée par une barrière et une plate-forme portant les sièges en marbre réservés aux personnages de marque ainsi que, dans l'axe transversal, les loges de l'empereur et des grands dignitaires, qui avaient leur propre entrée.

Le Colisée s'élève à l'emplacement du lac de la Domus Aurea de Néron, sur un grand soubassement en béton et en pierres, d'une épaisseur de 13 m en moyenne (44 pieds romains), qui lui-même repose sur un banc d'argile. Les façades, les coursives extérieures et certains piliers du rez-de-chaussée et du premier étage étaient en travertin, calcaire dur d'origine volcanique. Beaucoup de murs radiaux sont en tuf, une autre pierre volcanique, plus tendre et plus légère, tandis que la plus grande partie des étages supérieurs et des voûtes sont en béton.

Environ 100 000 m³ de travertin (soit 240 000 tonnes) ont été employés dans cette construction, chiffre qui constitue sans doute un record dans la Rome antique. Le choix de ce matériau a accru la charge de travail, car les carrières se trouvaient à environ 20 km à l'est de Rome, et l'acheminement des pierres a dû poser d'énormes problèmes logistiques. Sans doute ont-elles été transportées dans des barges descendant l'Anio et le Tibre, puis chargées sur des chars à bœufs qui les amenaient jusqu'au chantier, à environ 1 500 m des quais les plus proches. On peut donc supposer qu'entre l'an 72 et l'an 80 un char portant une tonne de travertin a quitté les berges du Tibre toutes les sept minutes environ, pendant douze heures par jour et trois cents jours par an. Les plus grands blocs exigeaient des charrettes à essieux multiples, qui étaient plus lentes et plus difficiles à manier. Ces véhicules de transport de matériaux destinés aux bâtiments publics étaient parmi les rares à être autorisés en ville durant la journée, et cette circulation continue dans des quartiers parmi les plus peuplés de Rome a certainement été une source de gêne pour les habitants, mais aussi un rappel constant de l'ambitieux projet en cours de réalisation.

L'utilisation de pierres de taille sur une telle échelle n'a pas facilité les opérations. Le travertin est relativement difficile à travailler et exige donc une main-d'œuvre importante ; ceci explique que seules les faces de parement ont été dressées, et pourquoi l'on n'a pas cherché à uniformiser l'assise des pierres. Les faces horizontales ont néanmoins été soigneusement arasées pour garantir la stabilité de la structure, et les chaînages ont été renforcés par de grands tirants en fer, noyés dans du plomb, qui représentent au total 300 tonnes de métal.

Le levage et la manipulation de grosses pierres posaient d'autres problèmes. Les constructions en béton exigeaient des échafaudages relativement légers et de petites quantités de matériaux ; quant aux pierres de taille, elles devaient être hissées au moyen de grues fermement fixées sur de solides plates-formes. En plus des hommes nécessaires pour faire monter les blocs, d'autres équipes devaient guider la manœuvre en hauteur et positionner les pierres. Il n'est donc pas étonnant que la quantité de travertin utilisée pour le Colisée diminue à mesure que celui-ci s'élève ; au quatrième niveau, seule la façade extérieure est réalisée dans ce matériau. On pensait jadis que l'ensemble du bâtiment avait d'abord été érigé sous la forme d'un squelette en travertin, soutenant une série d'arcs rampants, et que le reste des travaux avait ensuite été effectué simultanément aux différents niveaux, mais il est difficile d'imaginer comment les Romains auraient pu monter les deux derniers niveaux de la façade – un mur de travertin haut de 25 m – sans bénéficier de la stabilité assurée par les murs radiaux et les voûtes. En outre, il est probable que ces voûtes ont servi de plates-formes pour poser les grues et autres matériels de levage. Il est donc plus vraisemblable de penser que l'ensemble de l'édifice a été construit niveau après niveau, et que les piliers de travertins ont été placés aux endroits du bâtiment qui subissaient les plus fortes pressions.

La technique au service des divertissements

L'inauguration de l'amphithéâtre a été célébré par des jeux de toute sorte qui se succédèrent pendant cent jours. Martial, qui nous en donne une excellente description, fait notamment l'éloge des spectaculaires « effets spéciaux ». Le sol de l'arène, réalisé en bois, recouvrait en effet un monde souterrain d'une complexité étonnante : un système de passages étroits, de cages et d'ascenseurs actionnés par des contrepoids permettait à soixante-quatre fauves de surgir simultanément dans l'arène, tandis que d'autres dispositifs mécaniques faisaient apparaître au centre de l'arène des décors de montagnes et autres paysages qui servaient de toile de fond aux massacres.

Enfin, l'étage supérieur conserve les traces d'un des équipements les plus spectaculaires de cet amphithéâtre : le grand vélum mobile qui protégeaient les spectateurs de la chaleur ou des intempéries. Les intervalles entre les pilastres présentent chacun trois grands corbeaux en travertin. Juste au-dessus, la corniche est percée d'un trou vertical, de forme carrée, qui accueillait, pense-t-on, l'un des deux cent quarante mâts qui soutenaient le vélum. On ne sait pas exactement comment fonctionnait le système, mais le fait que mille marins de la flotte impériale de Misène aient été stationné à Rome spécialement pour déployer le vélum nous donne certaines indications. Selon une théorie, les mâts portaient des cordages attachés à un anneau central ovale, situé dans l'arène, et à des cabestans fixés aux bornes d'amarrage entourant le bâtiment au niveau du sol. En tendant les cordes au moyen des cabestans, l'anneau était levé en position et le vélum se déroulait sur le maillage de cordages. Selon d'autres théories, les mâts soutenaient des espars horizontaux ou inclinés qui s'étendaient au-dessus des gradins et entre lesquels l'immense toile de lin était tendue. Quel que soit le système précis utilisé, les seules dimensions du Colisée suffisaient à faire de ce vélum une prouesse technique, à l'échelle du caractère exceptionnel du bâtiment. Tous ces extraordinaires équipements ont aujourd'hui disparu, seule subsiste l'enveloppe du théâtre, qui n'en reste pas moins un symbole permanent de la Ville éternelle.

Statuettes en terre cuite de gladiateurs romains. Les combats au Colisée se déroulaient sur fond de décors mobiles.

La villa d'Hadrien à Tivoli

Datation : 118-138 ap. J.-C.
Localisation : Tivoli, Italie

« [Hadrien] a construit sa villa de Tivoli d'une façon merveilleuse, de manière à pouvoir y inscrire les noms des provinces et des lieux les plus célèbres, donnant à certaines de ses parties les noms de Lycée, Académie, Prytanée, Canope, Stoa Pœcile, Vallée de Tempé. Et pour ne rien oublier, il y réalisa même un monde souterrain. »

Histoire Auguste, « Vie d'Hadrien », IVe siècle ap. J.-C.

L A VILLA PALATIALE D'HADRIEN, à Tivoli, est le plus beau témoignage architectural de l'opulence et du luxe de la cour impériale romaine. S'étendant sur des hectares de collines ondulées, ce magnifique ensemble de pavillons, de thermes et d'aménagements aquatiques, sertis dans un jardin paysager, nous donne, même à l'état de ruines, une idée de la splendeur des palais impériaux de Rome, et notamment de la Domus Aurea, aujourd'hui perdue, construite par Néron environ soixante-dix ans auparavant.

FICHE SIGNALÉTIQUE

Principales dimensions
Superficie totale (estimée)   120 ha
Longueur maximale (estimée)   2 km

Théâtre maritime
Diamètre de l'ensemble   44,2 m (150 pieds romains)
Diamètre extérieur du canal   34,3 m (116 pieds romains)
Diamètre de l'îlot   24,5 m (83 pieds romains)

Place d'Or
Dimensions totales   59 sur 88 m (200 sur 300 pieds romains)
Cour centrale, extérieur   59,7 sur 51,6 m (200 sur 175 pieds romains)
Cour centrale, intérieur   36,9 sur 46 m (125 sur 156 pieds romains)
Vestibule, diamètre   10,3 m (35 pieds romains)
Canal du Canope   121,4 sur 18,65 m (410 sur 63 pieds romains)

Serapeum
Diamètre intérieur   16,75 m (57 pieds romains)

Aménagements aquatiques connus
Aqueduc
12 grandes fontaines ornées de statues (nymphées)
30 fontaines simples
6 grottes
19 bassins et canaux
6 complexes thermaux
10 citernes
35 toilettes

Sur les vingt années qu'a duré son règne (117-138 ap. J.-C.), Hadrien en a passé neuf à voyager, de la Grande-Bretagne à l'Égypte et au Levant. Il est le premier empereur à avoir visité l'ensemble de son empire. Très cultivé, parlant le grec, ayant étudié la philosophie et la rhétorique, il s'intéressait beaucoup à l'architecture, même s'il n'était pas personnellement doué pour cette activité. Son règne se caractérise donc par une série de constructions majeures entreprises à Rome, parmi lesquelles on citera le Panthéon (p. 127) et l'imposant temple de Vénus et Rome, aujourd'hui en ruine ; outre des bâtiments publics, il fit édifier, pour son plaisir personnel et sa détente, une remarquable villa à Tivoli (ancienne Tibur), à 28 km environ de la capitale.

Tivoli était depuis longtemps un lieu apprécié des riches patriciens, qui y construisaient des villas pour échapper aux chaleurs de l'été à Rome. Ces villas n'étaient pas de simples résidences estivales, elles assumaient d'autres fonctions essentielles : à l'origine, la villa de campagne était le centre d'une exploitation agricole ; plus tard, elle deviendra une résidence pour les temps de loisir, *otium*, c'est-à-dire les moments qui n'étaient pas consacrés aux affaires publiques ou commerciales, *negotium*. À l'exemple des luxueux palais de l'Orient hellénistique, et en particulier du Palais royal des Ptolémées à Alexandrie, les villas et propriétés subur-

Vue aérienne de la partie centrale du complexe : au premier plan, au centre, le jardin du Stade et les quartiers d'habitation ; derrière, le Théâtre maritime, circulaire, et le grand bassin du Pœcile.

baines *(horti)* de Rome se dotèrent de bains et de salles à manger, de gymnases et de bibliothèques, de jardins soigneusement dessinés, aux arbustes savamment taillés, où l'on cultivait des fruits exotiques, où l'on entretenait des animaux également exotiques et des oiseaux dans des volières dorées. Le tout était somptueusement décoré et souvent baptisé d'après des lieux célèbres de l'Orient fabuleux. Le site était en général choisi pour le paysage qu'il permettait de découvrir. Il était ensuite très aménagé, et les terrasses y occupaient une place essentielle. L'eau se devait d'être très présente, soit comme décor naturel, soit sous la forme de canaux artificiels, d'étangs qui fournissaient des poissons pour la table, d'aqueducs pour alimenter les thermes, ou de fontaines qui rafraîchissaient l'air tout en charmant les habitants par leurs murmures.

La villa d'Hadrien

Si la villa d'Hadrien s'inscrit dans une tradition bien établie, elle s'en distingue par ses dimensions ambitieuses et par les remarquables édifices qu'elle réunit. Étant donné les temps de loisir limités de l'empereur, le complexe devait comporter des bâtiments pour accueillir la cour. On sait en effet, par des copies de lettres officielles envoyées de Tivoli vers la fin de l'été 125, qu'Hadrien y traitait certaines affaires d'État. Selon des estimations récentes, la villa couvrait 120 hectares environ, soit près de deux fois la dimension de villes comme Pompéi ou Ostie, pourtant assez importantes. À certains égards, il s'agit donc d'une véritable cité, avec ses temples, ses thermes, son théâtre et ses magasins, mais sans l'agitation humaine et commerciale d'une agglomération ; le complexe était réservé au seul usage de l'empereur et de son entourage.

À ce jour, seule une moitié du site a fait l'objet de fouilles. Il est donc souvent difficile de comprendre les relations qui unissaient les divers édifices, mais il est clair que la nature du terrain a été pleinement et subtilement exploitée. En jouant sur les différences de niveau, par exemple, des liens visuels étaient créés entre des parties physiquement séparées. Cette séparation physique est elle-même plus apparente que réelle, car un important « monde souterrain » de couloirs de services et de tunnels faisaient communiquer les différents secteurs.

Beaucoup de bâtiments portaient le nom de sites célèbres de l'Antiquité, comme le rapporte le passage de la *Vie d'Hadrien* cité plus haut. Une telle pratique était courante à l'époque. Étant donné l'intérêt que portait Hadrien aux villes helléniques et orientales, il n'est pas surprenant qu'il ait donné à l'un de ses jardins

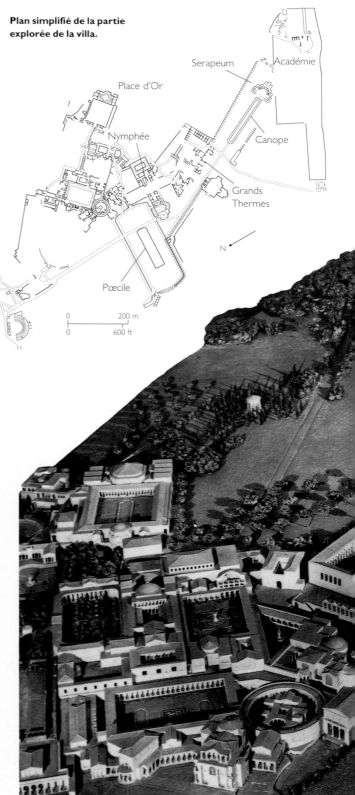

Plan simplifié de la partie explorée de la villa.

174

le nom d'Académie, par allusion aux célèbres bosquets d'Académos, à Athènes, où Platon enseignait ; l'orateur républicain Cicéron avait lui aussi une « Académie » dans l'une de ses villas. Mais si l'Académie, le Lycée, le Pœcile et le Prytanée rappellent Athènes, le Canope est une allusion au célèbre canal d'Alexandrie, une des autres villes favorites d'Hadrien.

La villa d'Hadrien est dominée par le thème de l'eau. Sa localisation permettait de puiser l'eau dans certains grands aqueducs qui alimentaient Rome depuis le cours supérieur de l'Anio. La pression importante épargnait

de recourir à d'éventuels mécanismes d'élévation de l'eau. Celle-ci entrait par le sud-est et était acheminée sur l'ensemble du site par un système perfectionné de canalisations et de citernes. Chaque groupe de bâtiments avait ses aménagements aquatiques : on en a dénombré plus de cent, depuis le vaste étang du Pœcile jusqu'aux orgues aquatiques des Petits Thermes. Comme exemple de la complexité de ces aménagements, on citera le Ser-apeum, salle à manger voûtée et semi-circulaire, entourée d'eau : les convives, étendus sur un banc en forme de C (*stibadium*), voyaient arriver les plats sur des plateaux flottants, portés par les eaux du canal de Canope jusqu'au petit bassin miroitant autour duquel ils étaient réunis. D'un point élevé, situé derrière la voûte, provenait l'eau qui alimentait d'étonnantes fontaines ; derrière les hôtes se trouvait une grotte aquatique éclairée de façon spectaculaire par en haut.

Ci-dessus **Le vestibule voûté qui mène au complexe de la place d'Or.** *À gauche* **Maquette de la villa montrant l'implantation des terrasses et des principaux aménagements aquatiques, tels le bassin du Pœcile et le canal du Canope (en bas et au centre à droite).**

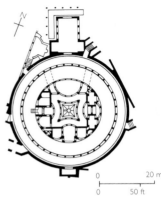

Ci-dessus **La géométrie circulaire complexe du Théâtre maritime apparaît clairement sur ce plan.**
À gauche **Le long bassin du Canope est un prélude étonnant au pavillon à coupole (qui servait de salle à manger) du Serapeum, que l'on voit dans le fond.**

Une architecture ambitieuse

La villa d'Hadrien se caractérise également par un grand nombre de salles et de pavillons qui répondent à des plans curvilignes. Il s'agit d'espaces circulaires ou semi-circulaires relativement simples, comme le Serapeum, ou très compliqués, comme pavillon principal de la place d'Or, ou le pavillon de l'Île. Beaucoup de ces édifices étaient recouverts de voûtes complexes en béton, divisées en segments concaves à la façon d'un parapluie, et décorées de mosaïques en verre pour refléter la lumière et l'eau. Dans certains cas, le plan au sol semble délibérément conçu pour défier l'ingéniosité des architectes et leur aptitude à couvrir en béton l'édifice en question. Les résultats, lorsqu'ils sont encore visibles, comme dans les Petits Thermes, continuent de nous impressionner.

D'autres exemples laissent penser qu'Hadrien a trouvé la source d'inspiration de son architecture, non pas dans les potirons – les sources anciennes rapportent que l'on se moquait de l'empereur parce qu'il aimait dessiner ces légumes – mais dans les tentes des cours perses et hellénistiques. Les colonnes très fines qui occupaient les angles intérieurs du vestibule de la place d'Or étaient sans doute plus qu'une simple décoration appliquée sur une enveloppe massive en béton : ils devaient ressembler à des piquets de tente soutenant un toit ondoyant. La décoration de la voûte du vestibule n'a

pas survécu, mais il s'agissait probablement d'une mosaïque en verre destinée à renforcer l'impression de tente. Peut-être les motifs et les riches couleurs de la mosaïque étaient-ils inspirés des soieries du Proche-Orient. L'on sait en effet que, dans les grandes occasions, de telles étoffes furent utilisées pour le vélum du Colisée à Rome. D'ailleurs, la controverse sur la question de savoir si le pavillon principal de la place d'Or était couvert ou non, et de quelle façon, peut trouver une solution si l'on imagine une construction temporaire et légère, faite de bois et d'étoffes, qui était montée si nécessaire pour protéger les convives contre les agressions du soleil estival.

D'autres dispositifs structurels ambitieux contribuaient à donner une impression de légèreté et de fragilité. Pour obtenir des espacements de colonnes habituels pour des architraves en bois mais généralement impossibles à réaliser en pierre, les bâtisseurs ont soutenu les arcs à linteau plat en béton au moyen de tirants en fer, qui étaient ancrés dans les colonnes à l'aide de blocs particuliers en forme de coin, seuls vestiges qui subsistent aujourd'hui. Cette construction «armée» était masquée par un placage en marbre, ce qui donnait l'impression, là encore, que les bâtisseurs romains avaient voulu défier la nature. L'ensemble de la villa montre, en tout cas, à quel point l'architecture romaine était devenue audacieuse en cette époque confiante et innovante.

Les thermes de Caracalla

Datation : 211-217 ap. J.-C.
Localisation : Rome, Italie

« Parmi les ouvrages qu'il réalisa à Rome, il a laissé les magnifiques thermes qui portent son nom, et les architectes disent qu'on ne peut imiter la construction de la cella solearis, *car l'ensemble du plafond est soutenu par des treillis de bronze ou de cuivre, placés au-dessus de la pièce, dont la portée est si grande que les ingénieurs expérimentés considèrent que cela était impossible à réaliser. »*

Histoire Auguste, « Vie d'Antoninus Caracalla », IVᵉ siècle ap. J.-C.

AU IVᵉ SIÈCLE de notre ère, un voyageur de passage à Rome s'extasiait devant les thermes « construits comme de véritables provinces », dans lesquels il reconnaissait déjà l'une des merveilles de la ville. Les plus grands de tous étaient ceux édifiés par l'empereur Caracalla. Marcus Aurelius Antoninus, plus connu sous le nom de Caracalla, régna brièvement entre 211 et 217 ap. J.-C., date de son assassinat. Détesté dans l'Antiquité pour sa cruauté (il est tristement célèbre, selon la chronique, pour avoir assassiné son jeune frère et cohéritier dans les bras de sa mère), il laissa néanmoins deux monuments durables : la citoyenneté romaine à tous les hommes libres de l'empire et les extraordinaires thermes qui portent son nom.

Les thermes de la Rome impériale

À l'époque de Caracalla, toutes les villes romaines avaient leurs bains publics depuis au moins trois siècles. Les éléments essentiels des premiers thermes étaient le

Vue aérienne du corps de bâtiment central qui abritait les thermes proprement dits ; au premier plan, *le caldarium* et les autres pièces chauffées.

Principales dimensions

Dimensions de l'enceinte extérieure	412 sur 383 m
Intérieur	323 sur 323 m
Corps de bâtiment central	218 sur 112 m
Piscine	54 sur 23 m
Frigidarium	59 sur 24 m ; hauteur : env. 41 m
Caldarium	35 m de diam. ; hauteur : env. 44 m
Cours intérieures	67 sur 29 m

Quantités de matériaux

Pouzzolane	341 000 m³
Chaux	35 000 m³
Tuf	341 000 m³
Basalte pour les fondations	150 000 m³
Briques de parement	17,5 millions
Grandes briques	520 000
Colonnes en marbre (bâtiment central)	252
Marbre pour les colonnes et la décoration	6 300 m³

Nombre de personnes travaillant sur le chantier (moyenne estimée)

Terrassement	5 200 hommes
Substructure	9 500 hommes
Corps de bâtiment central	4 500 hommes
Décoration	1 800 hommes

vestiaire et la piscine chaude, dans une pièce chauffée (*caldarium*) à laquelle on accédait par une pièce tiède (*tepidarium*). Certains comportaient aussi une ou plusieurs salles de sudation sèche, à la façon des saunas, et une pièce froide avec piscine (*frigidarium*). Ces bains étaient assez petits, mal éclairés et décorés de façon sommaire. Leur fonction était d'assurer l'hygiène des habitants.

Tout en remplissant les mêmes fonctions, les thermes créés par les empereurs romains sont très différents. Les plus grands, tels ceux de Caracalla, ont la taille de petites villes : ils se composent d'un vaste bâtiment abritant les bains, situé dans des jardins et entouré de bibliothèques, de musées et de stades pour la pratique sportive. Les équipements aquatiques sont immenses : ils comportent des piscines de taille olympique et des *frigidaria* de 59 m de longueur (200 pieds romains), éclairés par de très grandes baies vitrées. Partout, les sols et les murs brillent de marbres précieux venus de tout l'empire, les mosaïques en verre des niches et des voûtes reflètent l'eau. Une foule de statues veillent sur les baigneurs, telle cette sculpture colossale d'Esculape, le dieu romain de la Guérison, qui dominait les thermes de Caracalla du haut de ses 4 m. Entouré de toutes ces splendeurs, le Romain moyen ne pouvait qu'être impressionné par le pouvoir et le statut divin des empereurs qui donnaient leur nom à de tels établissements.

Reconstitution du corps de bâtiment central. Cette vue en coupe montre la grande piscine (*natatio*), le *frigidarium* (au centre) et le grandiose *caldarium* recouvert de son dôme.

La construction des thermes

Aujourd'hui, de toutes les ruines de grands thermes impériaux, celles de Caracalla sont les mieux préservées. Ces thermes furent l'une des constructions les plus ambitieuses réalisées à Rome. Ils occupent en effet une plate-forme artificielle d'environ 323 m de côté. Le bâtiment central, qui répond à un plan symétrique, mesure 218 m sur 112 m, sans compter la saillie du *caldarium* circulaire, qui représente les trois quarts du diamètre du Panthéon.

Le matériau de base pour les murs et les voûtes est du tuf volcanique tendre. Il a été utilisé sous forme de moellons, de la taille du poing, liés par du mortier et entourés par une fine enveloppe de briques, qui constitue une sorte de coffrage permanent. Le mortier était composé d'une portion de chaux éteinte, d'excellente qualité, et de deux portions de pouzzolane, un sable volcanique–le fameux « ingrédient magique », qui donne au mortier romain sa solidité et ses propriétés hydrauliques. Dans les fondations, le tuf était remplacé par du basalte, plus solide. Dans les parties supérieures des voûtes, on lui substituait de la pierre ponce, plus légère.

Ce type de construction présente des avantages sur le plan logistique. Il n'exige pas une main-d'œuvre très qualifiée, ni pour produire les matériaux, ni pour édifier le bâtiment. En dehors du mortier, tous les matériaux peuvent être préparés ailleurs et à l'avance. Enfin, les différents éléments sont de petite taille et ils peuvent donc être mis en œuvre par une seule personne.

Travaux préliminaires

Même si ce type de construction facilite les entreprises de grande envergure, la rapidité des travaux n'en reste pas moins étonnante. L'ensemble de l'infrastructure ainsi que le bâtiment central abritant les bains étaient terminés à la mort de Caracalla. Une telle célérité posait des problèmes logistiques complexes, même selon nos normes modernes. Elle supposait également des ressources exceptionnelles en matériaux et en main-d'œuvre.

Dans un premier temps, il a fallu aménager le site en constituant des terrasses dans lesquelles furent enfouies les fondations, à 6,5 m de profondeur environ en dessous du bâtiment central. Ces travaux de terrassement exigèrent le déplacement de 500 000 m³ d'argile, à l'aide de pioches, de pelles et de paniers. À notre connaissance, les Romains n'ont jamais utilisé la brouette.

Au-dessus des fondations, des murs massifs de 8 m de hauteur soutenaient la superstructure. Ils étaient parcourus par des passages (pour l'entretien) et des réseaux de canalisations, tandis que la partie non couverte comportait des galeries de service suffisamment larges pour

Ci-dessus **Cet athlète victorieux, portant une couronne et une palme, figurait sur un sol en mosaïque.** *Ci-dessous* **Les deux piliers qui subsistent du caldarium continuent de dominer le site du haut de leurs 34 m.**

que deux chariots puissent se croiser. Au total, on comptait 6 à 7 km de tunnels et de passages divers. Tous les vides ont été remplis par des matériaux inertes. Ce travail de préparation a été réalisé à la main. C'est seulement après trois années et près de trois millions de journées individuelles de travail que l'on a commencé à édifier les bains proprement dit. Ces derniers s'élevaient à 22 m de hauteur pour les parties les plus basses, et jusqu'à 44 m (150 pieds romains) pour le *frigidarium* et le *caldarium*.

Les problèmes d'échelle

Pour pouvoir achever un bâtiment d'une telle ampleur en six années, il a fallu monter simultanément l'ensemble du corps central. Des milliers de briqueteurs (jusqu'à 4 500 en périodes de pointe) ont ainsi travaillé côte à côte. La simple coordination d'effectifs aussi nombreux devait être malaisée. Les vestiges nous donnent cependant des indications sur la manière dont ont pu être menés les travaux.

La qualité globale de l'exécution est très uniforme, et il est très difficile de déceler des différences. On remarque toutefois, dans l'emplacement des évacuations, le mode de construction des escaliers ou la répartition des matériaux, des variations de détail qui laissent penser que le chantier était divisé en deux moitiés, placée chacune sous la responsabilité d'un maître d'œuvre qui suivait ses propres usages. L'avancement des travaux en hauteur était contrôlé grâce à des assises horizontales de *bipedales*, grandes briques plates de 2 pieds romains de côté, qui étaient placées à des intervalles précis de 4,5 pieds romains (1,32 m). Ainsi, les bords des fenêtres, les linteaux de portes, les terrasses et les départs de voûtes se trouvaient au bon niveau, sans qu'il soit nécessaire de prendre les mesures à chaque fois depuis le sol. Ces assises en briques, qui marquaient la fin d'une étape, étaient aussi l'occasion de niveler le haut du mur et d'en vérifier l'aplomb. Souvent, les bâtisseurs montaient pendant ce temps un nouvel étage d'échafaudage. La rapidité de la construction dépendait beaucoup de la mise en place de système efficaces de ce genre.

Un projet d'une telle envergure posait également des problèmes d'accès à la superstructure. La hauteur du bâtiment exigeait la mise en place d'échafaudages complexes, faits de perches de bois fixées aux murs à l'aide de courts supports horizontaux, appelés boulins, qui ont laissé des trous révélateurs dans le tissu du mur. En tout, ce sont environ 100 000 perches qui ont été utilisées ; elles font partie des nombreux matériaux, aujourd'hui non apparents, qui ont servi à l'édification des thermes de Caracalla. Enfin, il fallait des grues per-

La colonne Trajane montre des soldats romains construisant un fort à l'aide de paniers et d'outils fort simples ; les thermes ont été construits avec les mêmes moyens techniques.

fectionnées, de taille imposante, pour hisser les grands coffrages en bois sur lesquels s'appuyèrent les voûtes en béton du *frigidarium* et du *caldarium*, ou pour déplacer les colonnes en granit du *frigidarium*, hautes de 12 m et pesant chacune près de 100 tonnes.

Un autre problème logistique était de trouver la place nécessaire pour entreposer et déplacer les colonnes et le bois des coffrages. Les raccords entre les différents bâtiments montrent que la partie centrale a été édifiée en plusieurs parties et que les matériaux étaient stockés dans les espaces intérieurs – *frigidarium*, piscine et cours de gymnastique –, où des ouvertures temporaires étaient ménagées dans les murs. Les terrasses à colonnes des cours intérieures n'ont été ajoutées qu'au dernier moment : la stabilité des voûtes légères était garantie par des tirants en fer, ancrés dans les pierres des murs au niveau des terrasses, préfiguration de notre béton armé d'aujourd'hui.

Dans les thermes de Caracalla, le métal a donné lieu à des utilisations encore plus novatrices, comme le montre la description de la mystérieuse *cella solearis* citée plus haut ; en fait, il s'agissait sans doute d'un treillis décoratif, en bronze doré, dont l'auteur du IVe siècle n'a probablement pas compris la fonction. Quel qu'ait été le système utilisé, il a fortement impressionné les générations suivantes. Globalement, par l'ambition du projet, les prouesses architecturales et techniques auxquelles il a donné lieu, les thermes de Caracalla montrent que les bâtisseurs romains ont su pousser la technologie jusqu'à ses limites, et délivrer à cette occasion un message très clair sur la puissance de la Rome impériale.

Le palais et les jardins
de Sigiriya

Datation : 473-491
Localisation : Sigiriya,
Sri Lanka

« Il se rendit par peur jusqu'à Sihagiri… Il y construisit un beau palais, digne d'être regardé, tel un autre Alakamanda, et il y habita comme Kuvera. »

Culavamsa, XXXIV, 2-5.

L E PALAIS DE SIGIRIYA, construit au Ve siècle de notre ère, est l'une des résidences les plus spectaculaires du début du Moyen ge en Asie méridionale. Dressé sur un éperon rocheux de près de 200 m de hauteur, entouré de jardins d'agrément soigneusement aménagés qui préfigurent de plusieurs siècles les réalisations mogholes, ce monument est unique et d'autant plus étonnant qu'il a été créé dans une zone relativement sèche de Sri Lanka.

L'ensemble, qui couvre une quarantaine d'hectares, se compose d'une cour extérieure, d'une cour intérieure et d'une citadelle. Partant de la cour extérieure, qui est entourée de douves et d'un mur, une avenue traverse un ensemble de jardins réguliers, ornés de citernes, de fontaines, d'étangs et de pavillons de plaisance bâtis sur des îlots. La cour intérieure renferme une série de terrasses parsemées de pavillons, de grottes et de blocs de pierre recouverts d'un enduit. Enfin, la citadelle se

FICHE SIGNALÉTIQUE

Généralités		**Cour intérieure**	
Hauteur	182 m	Superficie	4 ha
Superficie	40 ha	**Plate-forme du Lion**	
Jardins		Longueur	66 m
Jardin d'agrément		Largeur	33 m
Longueur	120 m	**Citadelle**	
Largeur	201 m	Superficie	1,2 ha
Jardin aux fontaines		**Citerne principale, taillée dans**	
Longueur	160 m	**la roche**	
Largeur	24 m	Longueur	24 m
Galerie		Largeur	21 m
Longueur	146 m	Profondeur	4 m
Hauteur	12 m		
Appartements privés			
Surface	168 m²		
Cour extérieure			
Douves extérieures	35 m de largeur		
Rempart extérieur	9 m de largeur		
Douves intérieures	25 m de largeur		
Rempart intérieur	9 m de largeur		

dresse au sommet de l'affleurement rocheux. On y accède par une longue volée de marches menant à une galerie, décorée de fresques, qui longe le flanc de la falaise et débouche sur une terrasse au nord de l'éperon rocheux. Cette falaise, abîmée aujourd'hui par l'érosion, avait été façonnée – en taillant la pierre et en ajoutant des parties en briques – de manière à représenter la tête et les pattes d'un énorme lion, d'où le nom de Sigiriya, qui signifie « rocher du lion ». L'en-trée dans la citadelle se faisait d'ailleurs par un escalier qui pénétrait dans la gueule du lion. Il est difficile d'imaginer symbole plus éloquent du pouvoir royal. Le sommet était couvert de bâtiments, de cours et de citernes placés sur des terrasses artificielles. Sur la ter-rasse la plus haute se trouvaient les chambres privées du roi. Hélas, mille cinq cents ans d'érosion ont mal-heureusement prélevé leur tribut sur ces diverses con-structions.

La citadelle royale, juchée sur un piton rocheux, domine les jardins aquatiques (au premier plan), avec leurs canaux et leur bassins.

183

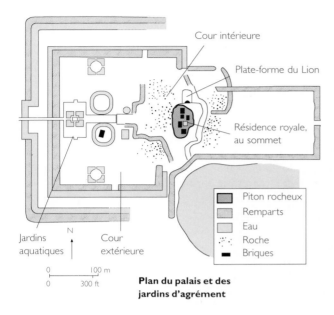

Cour intérieure

Plate-forme du Lion

Résidence royale,
au sommet

Piton rocheux
Remparts
Eau
Roche
Briques

Jardins
aquatiques

N

Cour
extérieure

0   100 m
0   300 ft

**Plan du palais et des
jardins d'agrément**

Le contexte historique

Sigiriya n'a été occupé que durant le seul règne de Kassapa
Ier (473-491). Selon le récit du *Culavamsa*, Kassapa aurait
tué son père, Dhatusena (455-473), et contraint à l'exil
son frère Moggalana, qui était apparemment l'héritier du
royaume. Puis, craignant le retour de ce dernier, il aurait
quitté Anuradhapura pour installer son palais à Sigiriya.
Cependant, il est plus vraisemblable de penser que
Kassapa a voulu faire de Sigiriya un centre dynastique si
monumental que personne ne songerait à contester son
pouvoir. Après dix-huit ans, durant lesquelles Kassapa
expia ses crimes, Moggalana revint. À la mort de son frère,
le nouveau souverain retourna s'établir à Anuradhapura,
abandonnant Sigiriya à la jungle.

Matériaux et techniques de construction

Ce complexe spectaculaire exploite les ressources de la
topographie. Les multiples pavillons et palais de la
citadelle et de l'enceinte intérieure ont été bâtis sur des terrasses artificielles, composées de fragments de gneiss
maintenus en place par des murs en pierres de taille ou en
briques. Ces murs étaient eux-mêmes ancrés dans les
flancs abrupts de l'éperon rocheux par des systèmes de
clefs. L'alimentation des jardins en eau qui se faisait par
gravité en jouant sur les dénivelés, constitue en soi une
prouesse. L'eau de pluie était recueillie au sommet de
l'éperon rocheux, dans des citernes dont le trop-plein se
déversait vers les jardins. L'eau descendait soit par des
tuyaux fabriqués dans des pierres calcaires, assemblées par
des bandes en métal, soit le long de rigoles taillées dans la

roche. Au niveau des jardins, la circulation horizontale
était assurée par des canalisations en briques ou en pierres,
posées sur de l'argile tassée. Régulées par des vannes, elles
apportaient l'eau jusqu'aux bassins, canaux et fontaines.
Ces dernières, ornées de figures en calcaire, étaient situés à
l'entrée ouest, là où la pression était la plus forte.

Fonction

Sigiriya a été plus qu'une somptueuse résidence. Il fut
également une tentative pour recréer le ciel sur la terre.
D'après diverses sources archéologiques et textuelles,
Sigiriya symboliserait Alakamanda, le palais du dieu
Kubera sur le sommet du mont Meru, au centre de
l'univers. La légende raconte que cette montagne est si
brillante qu'on l'appelle le « miroir des demoiselles du
paradis ». Le palais mythique de Kubera, que l'on atteint
par l'Himalaya et qui se dresse sur les rives du lac Ano-
tatta, près du jardin d'agrément de Caitraratha, est fait de
marbre. Ses habitants sont immensément riches et ils ne
sont pas touchés par les maux qui frappent les hommes.

Or, on retrouve à Sigiriya certains éléments de cette
topographie céleste. Le palais était situé sur les rives
d'une réserve d'eau, à proximité de jardins d'agrément.
Pour atteindre la citadelle, pavée de calcaire cristallin,
il fallait escalader les blocs de pierre cimentés de la
cour intérieure, qui évoquent la neige himalayenne.
Puis l'on suivait la galerie, appelée « mur du Miroir », dont
les décorations murales représentaient les princesses
des éclairs ainsi que des demoiselles flottant sur des
nuages. Selon les mots de l'archéologue sri lankais
S. Paranavitana, Sigiriya devait être « un Alakamanda
miniature et, en y résidant, Kassapa prétendait être

**Détail d'une peinture murale, sur le mur des Miroirs, représentant
une princesse des éclairs et une demoiselle des nuages.**

L'arche de Ctésiphon

Datation : vers 550-560
Localisation : Ctésiphon, Irak

« Tandis que le soleil tremblant se lève dans une splendeur sans nuage, le palais se transforme en une immense arcade reposant sur des colonnes et des masses de maçonnerie [...] jusqu'à ce que la ruine prenne la forme d'une tour qui s'élance de sa base vers son sommet en suivant la ligne de ces arcs monumentaux, et atteint le ciel. »

A. H. LAYARD, 1853.

JUSQU'À TRÈS RÉCEMMENT, l'arche de Ctésiphon a été l'arc parabolique le plus haut et le plus large au monde. Aujourd'hui encore, elle constitue une réalisation extraordinaire. Située au sud de Bagdad, en Irak, elle porte le nom du souverain sassanide pour lequel elle fut construite : Taq-e Kesra, ou arche de Khosrô. Il s'agit en réalité d'une salle voûtée à côté de laquelle subsiste la moitié de la façade du palais dont elle constituait la pièce maîtresse. C'est là que trônait jadis l'empereur sassanide lors des grandes occasions, entouré de panneaux en marbre byzantins et de mosaïques illustrant la prise d'Antioche. Au-dessus de sa tête était suspendue une magnifique couronne : beaucoup trop lourde pour être portée, elle était accrochée à la voûte par une chaîne en or. Aux pieds du souverain s'étendait un tapis représentant un jardin, tissé d'or et incrusté de pierres précieuses, qui mesurait au moins 25 m de côté.

Le meilleur des deux mondes

En 540 de notre ère, Khosrô Iᵉʳ (531-579), après avoir profondément réformé l'empire dont il avait hérité, se sentit suffisamment fort pour conduire son armée vers l'ouest, contre les Byzantins. Ses succès militaires l'entraînèrent vers la grande cité grecque d'Antioche, dont il s'empara. Outre l'ensemble de la population réduite en esclavage, il rapporta de nombreux éléments d'architectures, ainsi que des idées pour édifier un nouveau palais dans sa capitale hivernale, Ctésiphon. Cet édifice, devait être plus vaste et plus beau que tout ce qui avait jamais existé dans son pays, afin de lui permettre de rivaliser avec ses voisins de l'époque, les souverains de Byzance et de l'Inde.

Le palais, qui fait la synthèse de plusieurs traditions, fut construit avec l'aide d'experts envoyés par l'empereur Justinien. Le plan de base est sassanide, mais

L'arche de Ctésiphon, qui était la salle du trône des rois sassanides, était flanquée de deux façades à colonnades, dont une seulement est restée debout.

FICHE SIGNALÉTIQUE

Hauteur de la voûte	35 m
Portée de la voûte	25 m
Longueur de la voûte	50 m

le bâtiment comporte des façades à colonnades de type gréco-romain. Cependant, l'élément le plus étonnant est la voûte qui s'élève vers le ciel, réalisée selon la technique de la brique rampante. Même si les compétences nécessaires pour construire une voûte de telles dimensions ont probablement été apportées par les experts romains, la technique est d'origine mésopotamienne. Elle avait été utilisée dès 2500 av. J.-C. et même plus tôt, pour réaliser des toits en briques crues, certes beaucoup plus petits.

Pas besoin de coffrage

La voûte était et reste la partie la plus impressionnante du palais. Haute de 35 m environ et large de 25 m, elle couvrait à l'origine une salle de 50 m de longueur, ouverte à une extrémité. Sa forme n'est pas en plein cintre mais parabolique : les faces intérieures des murs convergent légèrement de la base vers l'imposte, ce qui a permis de réduire la portée de l'espace à couvrir.

L'ensemble de la structure est bâti en briques, d'environ 30 cm de côté et 7,5 cm d'épaisseur chacune, posées sur un ciment à prise très rapide, à base de gypse. Pour élever les murs inférieurs, les briques étaient placées à l'horizontale. Pour la voûte, elles étaient placées de chant, ou plus exactement selon un angle d'environ 18 degrés par rapport à la verticale, de manière à ce que l'extrémité de la salle prenne partiellement appui sur le mur du fond. Les rangées de briques étaient ainsi posées les unes après les autres.

Cette technique présente une différence majeure avec celle utilisée traditionnellement pour les arcs autoportants. Dans ce dernier cas, l'arc en cours de construction doit être soutenu par des cintres, c'est-à-dire par un coffrage temporaire en bois qui maintient en place les éléments structurels lourds jusqu'à ce que l'arc tienne de lui-même. À Ctésiphon, en revanche, les briques déjà posées et scellées grâce au ciment à prise rapide absorbaient une partie du poids relativement peu important de la nouvelle rangée de briques. L'ensemble formait une masse solidaire qui ne nécessitait pas l'installation d'échafaudages intérieurs. Ce système est bien sûr appréciable dans un pays où le bois est rare,

mais, surtout, aucune autre technique n'aurait permis de construire une voûte de cette dimension.

Si le sommet de la voûte ne mesure que 1 m d'épaisseur, les murs latéraux, qui supportent la poussée, atteignent 7 m de largeur à leur base. Les poutres en bois intégrées dans la partie inférieure du mur contribuaient sans doute à absorber les pressions occasionnées par les différences de tassement. Bien que dépouillé depuis longtemps de sa décoration, le palais de Khosrô Ier est longtemps resté à peu près intacte, jusqu'à ce qu'il s'effondre partiellement lors d'une grave inondation survenue en 1888.

Le plus beau des palais

En 637, Ctésiphon tomba aux mains des Arabes, qui pillèrent la ville et transformèrent le palais en mosquée mais, trouvant la région environnante trop marécageuse, ils abandonnèrent progressivement le site. Deux siècles plus tard, le palais de Khosrô Ier était encore considéré comme l'un des plus beaux jamais réalisés en briques. Puis la plupart des briques furent réutilisées pour construire d'autres bâtiments, mais l'arche était trop difficile à démonter. Récemment, elle a même résisté au souffle des bombes de forte puissance tombées à proximité.

Ci-contre **Malgré l'effondrement du mur arrière, l'arche reste très impressionnante par ses dimensions.** *Ci-dessous* **Schéma illustrant le mode de construction de l'arc parabolique ; chaque rangée de brique prend appui sur la précédente, déjà scellée.**

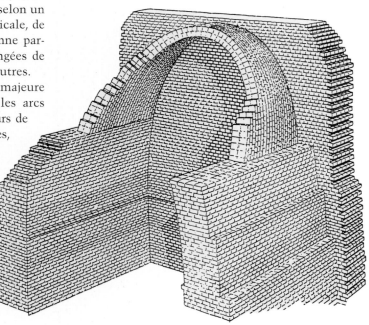

Les complexes royaux de Chanchan

Datation : vers 900-1470
Localisation : côte nord du Pérou

« *La vallée de Chimo doit son nom à un puissant seigneur ; lorsque les Incas l'occupèrent, ils la considérèrent avec estime et apprécièrent ses seigneurs et sa population. Il s'y trouve des tombes grandioses dans lesquelles de nombreux trésors ont été découverts.* »

ANTONIO DE HERRERA, 1610-1615.

LES IMPOSANTS complexes palatiaux de Chanchan, lieux de résidence des seigneurs qui dirigèrent le grand royaume péruvien de Chimú, entre le Xe et le XVe siècle de notre ère, sont les constructions les plus remarquables de ce genre en Amérique du Sud.

Les premières remontent à 900 environ, mais la cité n'atteint son apogée que vers 1350, époque où elle devint la capitale du plus grand royaume de la côte péruvienne, qui sera incorporé à l'empire Inca au XVe siècle. Ses vestiges s'étendent dans une zone désertique, non loin de l'océan Pacifique, près de l'actuelle ville de Trujillo. La partie centrale de Chanchan se compose de complexes rectangulaires monumentaux, appelés *ciudadelas*, qui couvrent 6 km². Dans ces « palais » ont résidé les rois chimús successifs, leurs familles et leurs serviteurs. Ils étaient également des sièges administratifs et des centres de redistribution des richesses du royaume.

L'ensemble de la cité couvre environ 20 km², mais elle n'a jamais été entièrement occupée à un même moment. Dispersées entre les *ciudadelas* se trouvaient les résidences des petits nobles qui constituaient l'élite, ainsi que des *huacas*, ou monticules monumentaux en terrasse, le tout construit en adobes, c'est-à-dire en briques moulées et séchées au soleil. D'autres quartiers réunissaient de modestes habitations en roseaux, de grands cimetières et des jardins creusés en dessous du niveau de la vallée afin de capter l'eau de la nappe phréatique. Au-dessus des *ciudadelas* s'élevaient cinq *huacas* en adobes, probablement des temples. Aujourd'hui, une grande partie de la cité de Chanchan est en ruines : ses murs en briques crues se sont désagrégés sous l'effet des pluies torrentielles d'El Niño, et ses temples et plates-formes funéraires ont été saccagés par les pillards.

Les complexes palatiaux

Les complexes palatiaux de Chanchan sont alignés selon un axe nord-sud et entourés d'imposants murs en adobes, bâtis sur des fondations en pierre. Ces murs, qui pouvaient atteindre 9 m de hauteur, isolaient l'élite

Ci-contre en haut **Cette maquette en bois représente peut-être la cérémonie au cours de laquelle le roi chimú était sorti de sa chambre funéraire pour recevoir de nouvelles offrandes.** *À droite* **Vue aérienne de Chanchan, la capitale chimú, qui s'étendait dans le désert septentrional du Pérou ; les complexes entourés de murs étaient les palais des rois chimús.**

FICHE SIGNALÉTIQUE

Superficie totale de la ville	20 km²
Superficie des complexes palatiaux	6 km²
Population estimée vers 1350	20 000 personnes
Nombre de complexes palatiaux	9
Hauteur des murs	9 m
Dimensions du plus grand palais	400 m (E-O) sur 500 m (S-N)

chimú des masses populaires. L'organisation interne des *ciudadelas* a varié selon les époques, cependant elles étaient en général divisées en trois secteurs : nord, centre et sud. Les différences que l'on observe dans leurs dimensions – les plus vastes atteignaient 20 530 m² – ou dans le nombre de magasins qu'elles contenaient pourraient refléter la prospérité plus ou moins grande de la cité sous les différents règnes.

Une unique entrée, du côté nord, donne accès au complexe palatial. Flanquée de deux figures humaines en bois peint, placées dans des niches, elle conduit dans une immense cour. Celle-ci est bordée par une banquette et comporte une partie surélevée à laquelle on accède par une rampe du côté sud. Des frises en briques crues, composées de motifs géométriques, mais aussi d'oiseaux, de poissons et de figures mythologiques, décorent les murs. Depuis cette cour d'entrée, qui devait être ouverte au public, des couloirs mènent vers des bâtiments en U, appelés *audiencias*. Ces derniers abritaient probablement des administrations et des logements pour les notables. Il semble que certains contrôlaient l'accès aux cours contenant les magasins, tandis que d'autres avaient des fonctions purement administratives.

La partie centrale du complexe contenait, elle aussi, des cours, des *audiencias* et des magasins, mais elle se singularise par la présence d'une plate-forme funéraire qui comportait des alvéoles faisant office de tombes. Au centre, une chambre en forme de I servait de sépulture au roi chimú. Les documents datant de la colonisation espagnole ainsi que les fouilles récentes donnent une idée des trésors contenus par ces plates-formes funéraires : belles poteries, textiles, instruments de tissage, objets en bois sculpté et en métal. Elles renfermaient aussi les squelettes des serviteurs royaux qui étaient rituellement sacrifiés pour accompagner leur maître dans l'au-delà.

Les momies des rois chimús étaient périodiquement sorties de leur chambre funéraire, à l'occasion de cérémonies somptueuses. On en trouve une illustration dans une petite maquette qui évoque une construction semblable à celles qui entourent les plates-formes funéraires : des figurines en bois, représentant des musiciens et des officiants, font face à une rampe et à des groupes de momies incrustées de coquillages. Cette scène représente peut-être la cérémonie qui accompagnait l'ouverture des sépultures royales, à l'occasion de laquelle on faisait de nouvelles offrandes aux rois.

Ci-dessous **Une des deux figures en bois qui flanquaient l'entrée des complexes palatiaux de Chanchan. Sans doute tenait-elle en main une lance ou un bâton.**

Grand Zimbabwe

Datation : XIII-XVe siècle
Localisation : Zimbabwe, Afrique australe

« Grand Zimbabwe est au cœur de l'histoire et de la culture du Zimbabwe. Aucun autre lieu ne peut donner au visiteur une compréhension plus profonde de l'histoire et du développement du pays. Comprendre Grand Zimbabwe et interpréter son passé nous aideront à comprendre beaucoup de choses sur le Zimbabwe d'aujourd'hui. »

PETER GARLAKE, 1985.

LE SITE archéologique de Grand Zimbabwe est l'un de ceux sur lesquels on a le plus écrit, et dit le plus d'absurdités. Lorsque les Britanniques ont redécouvert ces spectaculaires constructions en pierres, à la fin du XIXe siècle, ils ont voulu y voir un établissement d'étrangers en Afrique, associé parfois, de façon mal définie, à la reine de Saba. Plus récemment, l'ancienne cité est devenue le symbole de la culture africaine indigène, et a donné son nom à la république indépendante proclamée en 1980.

Le monument

Grand Zimbabwe se trouve près de la bordure occidentale de ce pays en plateau situé entre les fleuves Zambèze et Limpopo. Dans la langue des Shonas, *zimbabwe* signifie « maisons de pierres » ou « maisons vénérées », termes qui s'appliquent également aux très nombreuses ruines de petites constructions en pierres qui parsèment la région. Le site, longtemps désigné sous le simple nom de « Zimbabwe » – notamment à l'époque coloniale –, est aujourd'hui plus justement appelé « Grand Zimbabwe ».

À son apogée, Grand Zimbabwe était une ville qui s'étendait sur 78 hectares environ et accueillait une population estimée à 18 000 personnes. Le site comprend deux grandes ruines et de nombreux vestiges d'édifices de moindre importance, répartis sur une vaste superficie. Sur une colline rocheuse abrupte, des portions de murs réguliers relient les rochers pour former une série d'enceintes. Dans la vallée voisine s'élève une série de murailles autonomes, dont certaines renferment des maisons circulaires, faites de perches en bois et

de boue, recouvertes de chaume, et reliées par de petites portions de mur de même composition. Une de ces enceintes, qui se distingue par sa taille et sa complexité, a été modifiée et agrandie à plusieurs reprises. Son mur extérieur ainsi que la massive tour qui s'élève à l'intérieur dépassent les 10 m de hauteur.

Les édifices en pierres de Grand Zimbabwe sont des ouvrages immenses et soigneusement réalisés, avec des techniques assez simples. Ils se composent de blocs de granit à peu près carrés, faciles à transporter et posés sans mortier, qui proviennent sans doute de l'écaillage naturel des *kopies*, collines granitiques en forme de dôme qui caractérisent le paysage local. Les entrées étroites étaient munies de linteaux en pierre ou, plus rarement, en bois. Les entrées en forme de cône, par lesquelles le visiteur d'aujourd'hui pénètre à l'intérieur de la Grande Enceinte, sont le fruit de reconstitutions inexactes effectuées au début du XXᵉ siècle, quand on remplaça les portes à linteau qui s'étaient effondrées. Rien ne permet de penser que les bâtisseurs se soient servi de plans détaillés, d'instruments de mesure ou de fil à plomb. Il n'y a ni dôme ni arc. D'autres bâtiments sont habilement construits en boue compactée et séchée au soleil pour garantir sa dureté et sa durabilité. Par ses caractéristiques stylistiques et technologiques, Grand Zimbabwe ressemble à de nombreux autres bâtiments en pierres de l'Afrique australe, même s'il s'en distingue par ses dimensions et le soin apporté à sa construction.

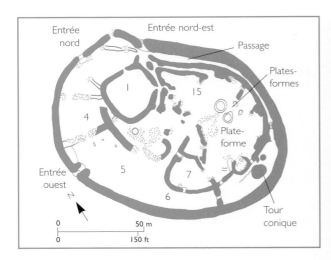

Entrée nord

Entrée nord-est

Passage

Plates-formes

Plate-forme

Entrée ouest

Tour conique

1

15

4

5

7

6

N

0   50 m

0   150 ft

Des recherches récentes nous permettent de mieux situer Grand Zimbabwe dans l'histoire de l'Afrique australe des deux derniers millénaires. Les premiers exemples de murs simples en pierres remontent probablement au Xᵉ siècle de notre ère. Dans la seconde moitié du XIIIᵉ siècle, on édifia des enceintes et des plates-formes en pierres, en même temps que des maisons en bois et en boue. Mais la grande période de l'architecture en pierres se situe entre la fin du XIIIᵉ siècle et le début du XVᵉ, époque au cours de laquelle furent érigés tous les grands édifices que l'on voit aujourd'hui à Grand Zimbabwe.

La fonction du site

Il ne fait guère de doute que les Shonas actuels soient les descendants directs des habitants de Grand Zimbabwe. Ce lien a incité certaines personnes à attribuer des fonctions particulières aux différentes parties du complexe, et notamment aux bâtiments en pierres. Toutefois, ces hypothèses sont controversées, car elles reposent en grande partie sur des traditions orales ou sur des informations plus récentes dont la fiabilité est douteuse. L'intérêt potentiel de tels travaux est indéniable, mais il serait hasardeux d'accorder trop de crédit aux conjectures selon lesquelles la principale enceinte en pierres était un lieu d'initiation pour les femmes, ou que tel secteur était la résidence des épouses royales.

Il est en revanche certain que Grand Zimbabwe a été la capitale de souverains qui contrôlaient des territoires

importants, riches en ressources naturelles et où se pratiquaient de nombreux échanges commerciaux. Les produits importés – perles en verre, poteries chinoises et perses, verreries du Proche-Orient et même pièces de monnaie frappées dans des ports maritimes de l'Afrique orientale – y sont plus courants que dans n'importe quel autre site zimbabwéen de la même époque. On a également découvert des objets en or et en cuivre provenant de l'intérieur du continent, ce qui laisse penser que la production des régions limitrophes convergeait vers Grand Zimbabwe, où s'organisaient les échanges avec les produits importés par voie maritime. L'apogée économique et architecturale de Grand Zimbabwe coïncide avec celle des exportations d'or par la côte de l'océan Indien. La ville était alors au centre d'un réseau

FICHE SIGNALÉTIQUE	
Superficie totale	78 ha
Population estimée	18 000 personnes
Circonférence de la Grande Enceinte	255 m
Poids du mur d'enceinte	15 000 tonnes
Hauteur maximale du mur qui subsiste	10 m

de localités qui s'étendait du nord du Zimbabwe jusqu'à la plaine côtière du sud du Mozambique.

Il est intéressant de constater que la période de fort développement de Grand Zimbabwe coïncide presque exactement avec le déclin d'un centre situé à Mapungubwe, dans la vallée du Limpopo – près de l'intersection des frontières actuelles du Zimbabwe, du Botswana et de l'Afrique du Sud. Pour des raisons qui restent obscures – on a invoqué le surpâturage et la dégradation de l'environnement –, il semble qu'à la fin du XIIIe siècle, le centre politico-économique se soit déplacé de la vallée du Limpopo vers le plateau au nord. Le site nouveau de Grand Zimbabwe était mieux placé pour exploiter les gisements d'or et pour accéder à la côte de l'océan Indien par le Sabi, un affluent du fleuve Save.

Déclin et décadence

Le déclin de Grand Zimbabwe intervint au XVe siècle, quand le centre du pouvoir politique remonta vers le nord, près de la vallée du Zambèze, qui remplaça le Save comme grande voie d'accès à la mer. Vers le milieu du XVIe siècle, les Portugais pénétrèrent dans le pays par la vallée du Zambèze. Aux XVIIe et XVIIIe siècles, ils firent du commerce avec le royaume de Guruhuswa, établi dans le centre et le sud-ouest du futur Zimbabwe, et qui conservait des traditions de Grand Zimbabwe, y compris son architecture de pierres. L'archéologie a depuis confirmé les témoignages transmis par la tradition orale qui évoque une continuité entre les habitants de Grand Zimbabwe et les peuples actuels parlant le shona.

Page opposée, à gauche **Plan de la Grande Enceinte, la plus grande et la plus complexe de Grand Zimbabwe.** *Page opposée, à droite* **Construite en assises maçonnées, la tour conique se dresse à l'intérieur de la Grande Enceinte, dont elle constitue un des éléments les plus remarquables.** *Ci-dessus* **Oiseau en stéatite : inconnus partout ailleurs, on en a retrouvé sept spécimens semblables à Grand Zimbabwe.** *À droite* **Le mur extérieur de la Grande Enceinte, haut de 10 m ; on remarquera la régularité des assises.**

Les Fortifications

LA RECHERCHE de la sécurité est un mouvement naturel et une préoccupation majeure des êtres humains, et l'évolution des technologies a apporté des solutions toujours plus élaborées pour répondre à ce besoin. Cependant, les enceintes et les forteresses imposantes ne servent pas uniquement à se protéger contre d'éventuels ennemis. Avec leurs hautes tours et leurs immenses portes, elles véhiculent un message non seulement militaire, mais aussi politique : elles sont un symbole de grandeur et de pouvoir.

Le besoin de construire des structures défensives permanentes est sans doute apparu en même temps que les premiers établissements humains, qui se sont multipliés dans différentes parties du monde avec l'accroissement démographique et le développement de l'agriculture. Les premières villes de Mésopotamie n'avaient peut-être pas de défenses, mais, dès le IIIe millénaire av. J.-C., presque toutes s'entourent de longs murs en briques crues. Au Proche-Orient, cette tradition naissante atteint sa première expression aboutie avec la célèbre enceinte élevée autour de Babylone par Nabuchodonosor, au VIe siècle av. J.-C., et considérée par plusieurs écrits anciens comme digne de figurer parmi les Sept Merveilles du monde antique.

Les murs de Babylone défendaient une ville entière, une capitale impériale. Ceux de Syracuse, le principal port grec de Sicile, édifiés par Denys l'Ancien au IVe siècle av. J.-C., entouraient non seulement la cité mais aussi le plateau stratégique des Épipoles, au nord. À l'intérieur ou le long de ces défenses, les souverains ont souvent construit des palais fortifiés pour protéger leur personne et affirmer leur puissance vis-à-vis des ennemis éventuels comme de leurs propres sujets. La

La Grande Muraille de Chine a été construite et reconstruite à plusieurs reprises à partir du IIIe siècle av. J.-C. Cette section dans le massif de Jinshan, au nord de Pékin, a été construite à l'époque du déclin de la dynastie Ming, au XVIe siècle.

citadelle de Van, une des forteresses de l'est de la Turquie, s'élevait en bordure de la ville ; elle avait pour fonction de garantir la sécurité du souverain en cas d'attaque étrangère, mais également d'isoler la cour des masses populaires. De même, les citadelles de Tirynthe et de Mycènes, élevées dans le sud de la Grèce à l'âge du bronze, étaient entourées par une ville basse où vivait les classes inférieures. Les édifices de ce genre exprimaient donc, sous une forme matérielle, la structure hiérarchisée de la société.

Massada, dans le désert de Judée, illustre une autre solution apportée à la recherche de sécurité : il s'agit d'une forteresse isolée dans le désert, où le roi Hérode pouvait se retirer en cas de besoin. Le site ayant été choisi pour ses qualités défensives naturelles, le problème fut moins de construire des défenses inexpugnables que de créer à l'intérieur une résidence véritablement digne d'un roi.

Du point de vue des dimensions, aucune forteresse antique ne peut rivaliser avec les énormes défenses linéaires créées par les premières puissances impériales. L'Empire romain s'entoura dès le IIe siècle de notre ère de frontières bien dessinées : certaines mettaient à profit les obstacles naturels, comme les cours d'eau, d'autres prenaient l'aspect de remparts ou de murs. L'exemple le plus impressionnant de ce genre est sans conteste la Grande Muraille de Chine. On peut se demander si des projets aussi démesurés ont été efficaces d'un point de vue strictement militaire. Il est toutefois certain qu'ils proclamaient d'une manière frappante et incontournable la puissance impériale. Aucun nomade venant du nord et s'approchant de la Grande Muraille ne pouvait douter du pouvoir d'un empire qui, à plusieurs reprises, avait mobilisé des centaines de milliers d'hommes pour construire ou entretenir cet immense ouvrage.

Le caractère extravagant de ces frontières impériales nous rappelle une fois de plus la double fonction des grandes fortifications : impressionner et protéger. L'ambiguïté est telle que les apparences sont parfois trompeuses : ainsi, la « forteresse » inca de Sacsahuamán était peut-être un temple. Beaucoup d'auteurs ont prétendu que les collines fortifiées du sud de la Grande-Bretagne, comme Maiden Castle, étaient une façon pour les élites ou les communautés locales d'affirmer leur pouvoir, plutôt que des refuges ou des lieux d'habitation. En l'absence de témoignages écrits, il est souvent difficile de parvenir à des certitudes. Les données de l'archéologie apportent rarement les preuves d'éventuelles attaques, mais l'absence de telles indications prouverait justement l'efficacité de ces dispositifs : ils garantissaient la sécurité autant par leur pouvoir d'intimidation que par la hauteur de leurs remparts ou la largeur de leurs douves.

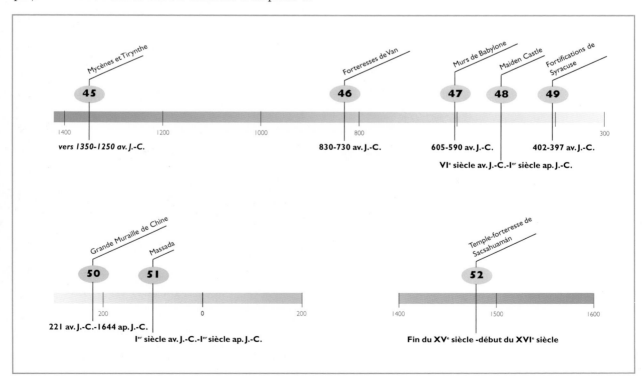

Mycènes et Tirynthe

Datation : vers 1350-1250 av. J.-C.
Localisation : Péloponnèse, sud de la Grèce

« Le mur, qui est la seule partie des ruines qui subsiste, est un ouvrage qui a été bâti par des cyclopes à l'aide de pierres brutes. Chaque pierre est si grosse que deux mules ne pourraient déplacer le moins du monde la plus petite d'entre elles. »

PAUSANIAS, vers 150 ap. J.-C.

MYCÈNES ET TIRYNTHE, citadelles de l'âge du bronze situées dans l'est du Péloponnèse, sont célèbres pour leurs imposantes fortifications, faites d'énormes blocs de pierre assemblés selon un appareillage dit « cyclopéen ». Cette technique de construction doit en effet son nom aux cyclopes de la légende grecque, car on pensait que seuls des géants avaient pu déplacer des pierres aussi énormes. Le public moderne redécouvre Mycènes en 1876, quand Heinrich Schliemann commence à mettre au jour ce qu'il croit être le palais du roi Agamemnon, décrit par Homère dans l'*Odyssée*. L'archéologue trouve effectivement les restes d'un palais, ainsi que les célèbres tombes dites à fosse, qui contiennent des épées, des dagues et d'autres objets précieux. Tout ceci confirme que Mycènes a bien été une forteresse royale. Fort de ce premier succès, Schliemann entreprend également des fouilles à Tirynthe, à 5 km au sud. Plus tard, des sites comparables seront découverts ailleurs en Grèce, mais Mycènes et Tirynthe restent les plus impressionnants de l'habileté des Mycéniens à édifier des fortifications.

Les murailles de Tirynthe et de Mycènes renferment chacune un palais, des lieux de culte, des magasins pour le stockage des denrées alimentaires, et de

L'imposante porte des Lions à **Mycènes** : le linteau et les jambages en pierre pèsent plus de 20 tonnes.

FICHE SIGNALÉTIQUE

Tirynthe

Périmètre de l'enceinte	1 105 m
Hauteur actuelle	12,5 m en certains endroits
Largeur	7,5-17 m
Volume de pierre utilisé (minimum)	145 215 m
Temps pour déplacer une pierre (pour des hommes)	2,125 jours*
Temps pour déplacer toutes les pierres (pour des hommes)	110,5 ans*
Temps pour déplacer une pierre (avec des bœufs)	0,125 jours
Temps pour déplacer toutes les pierres (avec des bœufs)	9,9 ans

* En supposant une journée de travail de 8 heures

Reconstitution de la citadelle de Mycènes. Dans sa phase finale, le mur d'enceinte englobait le cercle des tombes à fosses, à l'ouest, et il avait été agrandi au nord-est. Les créneaux sur les murailles et la forme des bâtiments sont ici purement hypothétiques.

précieuses ressources en eau souterraine. Les élites dirigeantes étaient enterrées près des citadelles dans de vastes tholos (tombeaux à coupole), comme celle dite du « trésor d'Atrée » à Mycènes (p. xxx). Il est difficile de savoir si ces sites étaient le siège d'un État autocratique ou d'une oligarchie, mais il ne fait aucun doute qu'ils étaient des centres de pouvoir. À considérer les dimensions mêmes des fortifications, on imagine l'ampleur des efforts et des effectifs engagés pour extraire les pierres, les transporter et les mettre en place.

Les premières fortifications de Mycènes datent de 1350-1330 av. J.-C. et sont à peu près contemporaines de celles de Tirynthe. Les murs, constitués de grands blocs de calcaire, sont emplis à l'intérieur de terre et de pierres. L'appareillage des pierres de parement, calées à l'aide de pierres plus petites, ne répond à aucun ordre particulier ; les plus grandes pierres sont en général placées aux angles, mais les assises des murs sont irrégulières.

Cette technique de construction se maintient lors des amplifications ultérieures, même si l'on commence à utiliser de l'argile pour jointoyer les pierres. Ces dernières, taillées à l'aide de marteaux en pierre, deviennent alors plus grandes, beaucoup dépassant 1 m de longueur. L'enceinte s'étend de manière à protéger un espace plus vaste : à Mycènes, elle englobe, à l'ouest, les tombes à fosse jadis à l'extérieur ; à Tirynthe, elle ceinture la partie supérieure du rocher où se dresse la citadelle. D'imposantes portes d'entrée sont édifiées, dont les linteaux et les jambages pèsent plus de 20 tonnes.

Lors de la dernière phase de construction de Mycènes, vers 1250 av. J.-C., la muraille est à nouveau prolongée de manière à entourer l'éperon nord-est de la citadelle. À peu près à la même époque, Tirynthe remplace par un ouvrage en pierre les murs en briques de terre situés dans la partie inférieure de son rocher. Les pierres utilisées sont plus grandes – certaines atteignent

La galerie orientale à Tirynthe : ce passage en encorbellement conduisait à des magasins.

4 m de long –, et les murs sont épais : 8 m de largeur en moyenne à Mycènes, et jusqu'à 17 m en certains endroits de Tirynthe, où ils sont parfois percés par des passages couverts. À ce stade final, les fortifications devait présenter un aspect particulièrement impressionnant.

L'édification des fortifications

Le travail commençait dans les carrières, qui se trouvaient à environ 1 km des citadelles. Pour extraire les pierres les plus grandes, qui pesaient jusqu'à 100 tonnes (comme celles utilisées pour les portes monumentales), il fallait au préalable entailler la roche afin de pouvoir y placer des coins et des leviers. Pour les plus petites (près de 2 tonnes en moyenne), les hommes travaillaient le calcaire à la pioche, puis détachaient les blocs en faisant levier. Les pierres étaient probablement transportées à l'aide de traîneaux et de chariots, puis levées et mises en place au moyen de leviers, de rampes et de cordages.

Les traîneaux, tirés par un attelage de bœufs, permettaient de gagner du temps et d'économiser de l'énergie : un ou deux hommes étaient sans doute suffisants pour guider les bêtes et leur charge. Les traîneaux étaient également bien adaptés au déplacement des immenses pierres pour les linteaux et les jambages de porte, dont aucun chariot n'aurait supporté le poids. En revanche, les chariots convenaient mieux pour le transport de petites charges sur un terrain irrégulier et cahoteux. À l'approche des citadelles, des bœufs supplémentaires venaient probablement compléter les équipes pour faciliter la montée sur les pentes abruptes. On utilisait aussi des ânes, mais uniquement comme bêtes de somme, pour acheminer la pierraille et l'argile.

Il existait diverses méthodes pour positionner les pierres. Celles de petite taille étaient simplement levées à l'aide de cordes passant par-dessus des chevalets. Pour les grands blocs, on insérait une pierre sous une extrémité, que l'on soulevait à l'aide de leviers, puis l'on

Les fortifications extérieures de la citadelle de Tirynthe.

faisait de même à l'autre extrémité afin de hisser le bloc sur une sorte de plate-forme. On répétait l'opération jusqu'à ce que le bloc atteigne la hauteur requise et puisse être ripé en place. Pour les pierres les plus lourdes, qui pesaient jusqu'à 100 tonnes, il fallait certainement construire une rampe et faire appel à des bœufs.

La conception de ces murailles est complexe. À Tirynthe, les côtés sud et sud-est de la citadelle supérieure sont parcourus par des galeries. Bien que certains pensent que ces murs avaient des fonctions défensives, ils ne comportaient pas d'ébrasement par lesquels les défenseurs auraient pu viser les assiégeants. Par ailleurs, ces galeries ne se trouvaient pas dans les parties les plus vulnérables des remparts et elles conduisaient à une série d'espaces fermés qui étaient peut-être des entrepôts. En fait les ébrasements n'apparaissent que dans le dernier mur élevé dans la zone inférieure ; c'est sans doute à cette époque que le site a pris une fonction défensive.

Les toits des passages étaient construits selon la technique de l'encorbellement, les pierres se chevauchant de plus en plus de chaque côté des parois, jusqu'à ce qu'elles se rencontrent au milieu. Ces « arches » en pierres sèches ont certainement été édifiées à l'aide d'échafaudages, qui maintenaient les blocs en place jusqu'à ce qu'ils puissent être calés par introduction de terre et de pierres plus petites dans les interstices.

Des galeries donnaient également accès aux sources d'eau souterraines. À Tirynthe, deux passages en encorbellement passent sous le mur d'enceinte intérieur ; à Mycènes, ce même type de construction est utilisé dans une partie du passage qui mène, au nord-est, à l'alimentation en eau.

De tels travaux ont exigé d'énormes moyens. À Tirynthe, on estime qu'il a fallu au moins cent douze bœufs et cinquante hommes pour édifier l'ensemble de la muraille, mais ces chiffres sont certainement bien en dessous de la réalité, car il est probable que plusieurs équipes travaillaient simultanément à l'extraction des pierres, à leur transport et à leur mise en place dans les différentes parties du mur. De plus, les fortifications ont traversé plusieurs phases avant d'atteindre leur forme définitive. De nouveaux bâtiments ont été construits à l'intérieur de l'enceinte, cette dernière a été bordée de promenades et de parapets, dotée de tours et d'escaliers, enrichie de décorations et de raffinements architecturaux.

Malgré l'impression de ruines qu'ils laissent, les sites n'ont pas été pillés : certains dégâts sont imputables aux tremblements de terre ; à Tirynthe, une inondation a détruit le mur inférieur de la cité, qui était en brique crue. Il semble que le rôle de ces constructions n'ait pas été d'abord défensif, mais plutôt offensif, voire répressif, en affirmant un pouvoir sur les territoires environnants. Il ne fait aucun doute qu'elles ont pleinement rempli leur fonction, car les fortifications massives de Tirynthe et de Mycènes continuent, aujourd'hui encore, de transmettre ce message très fort de domination et de contrôle.

Les forteresses de Van

Datation : vers 830-730 av. J.-C.
Localisation : Turquie, Arménie et Iran

« De la beauté du site il serait impossible d'en dire trop de bien… Les Arméniens ont un proverbe qui est souvent cité : Van dans ce monde, le paradis dans le prochain. »

H. B. F. LYNCH, 1901.

L'ARMÉNIE, l'Iran et la Turquie se rejoignent dans un étrange paysage de plaines, d'étroites vallées et de lacs d'un bleu minéral, dominé par des montagnes dont la plus imposante est le mont Ararat, qui culmine à plus de 5 000 m d'altitude. Entre 850 et 600 av. J.-C. s'étendait dans cette région le puissant royaume de Van, ou Ourartou. Les forteresses qui en assuraient le contrôle restent aujourd'hui encore parmi les plus spectaculaires au monde. À leur apogée, leurs remparts en briques crues enduites, leurs soubassements massifs en pierres et leurs créneaux scintillants devaient attirer le regard à des kilomètres. Comparées par un auteur antique aux étoiles du ciel, elles s'accrochent à des pics abrupts, menaçantes et impressionnantes. De toutes ces forteresses, celle de Van, qui domine Toushpa, la capitale de l'Ourartou, est sans conteste la plus spectaculaire.

Aucun site n'était trop abrupt

Exploitant la configuration du terrain, les Ourartéens ont construit leurs forteresses sur les escarpements qui surplombaient les grands centres de population. Certaines de ces collines sont d'une étroitesse qui rendaient les travaux difficiles, mais les bâtisseurs ne se laissaient pas décourager par de tels obstacles. La citadelle de Van en est une bonne illustration : elle se dresse sur une crête

FICHE SIGNALÉTIQUE

Citadelle de Van (Turquie) ... I 050 sur I25 m (largeur max.)
Citadelle de Bastam (Iran) ... I 000 sur 325 m (largeur max.)
Citadelles et ville d'Armavir (Arménie) ... 3 500 sur 600 m (largeur max.)
Fondateur du royaume, Aramou (?) ... vers 860-840 av. J.-C.
Fondateur de Van (Toushpa), Sardouri Ier ... vers 840- 825 av. J.-C.
Extension du système de forteresses ... 830-730 av. J.-C.

L'entrée du château médiéval de Van, construit sur les anciens murs de la forteresse.

abrupte qui mesure environ 1 km de longueur pour une largeur variant de 50 m à 125 m. Sur un autre site, la forteresse ourartéenne était séparée de la crête voisine par un fossé de 10 m de large, creusé dans la roche.

Les murs présentent parfois un appareillage de type cyclopéen, posé directement sur le sol naturel. Mais, le plus souvent, les flancs de l'éperon rocheux ont été au préalable taillés, à l'aide de pioches et de marteaux en pierre. Ce travail était probablement effectué par une foule de prisonniers de guerre, qui aménageaient dans le rocher une série de degrés, atteignant parfois 1 m de hauteur, sur lesquels prenaient appui les bases des murs.

Des maîtres maçons

Les parties inférieures des murailles sont faites de pierres plus ou moins dressées, assemblées sans mortier et légèrement inclinées vers l'arrière. Le matériau de base est d'ordinaire une pierre locale, extraite par sciage. Néanmoins, on trouve à Van des blocs de basalte pouvant atteindre 6 m de long, qui proviennent d'une montagne volcanique située à 50 km, de l'autre côté du lac.

Le mur est de hauteur variable selon l'endroit où il prend appui, et il se compose d'assises régulières de 50 cm à 1 m de hauteur. Empli de petites pierres tassées en son centre, il mesure en général de 3 à 4 m de largeur. Tous les 10 m environ, la muraille était ponctuée de tourelles ou de contreforts en faible saillie, de 4 m de largeur. Le haut des murs de pierre était nivelé, et parfois recouvert d'une couche de chaux, apparemment pour empêcher les remontées d'humidité.

La superstructure de la forteresse, qui était le véritable organe de défense, était réalisée dans le matériau classique du Moyen-Orient, à savoir les briques séchées au soleil et recouvertes d'un enduit d'argile. En 714 av. J.-C., Sargon d'Assyrie décrit une forteresse ourartéenne – dont il s'était probablement emparé – dont les murs comportaient 120 rangées de briques. Avec des briques de 15 cm d'épaisseur environ, cela équivaudrait donc une hauteur de 18 m, sans compter le soubassement en pierres et les créneaux. Selon des chroniqueurs de l'Antiquité, plusieurs forteresses se seraient élevées à 120 m au-dessus de la plaine, mais cette dernière mesure englobe sans doute les affleurements rocheux sur lesquels elles étaient construites.

Une organisation très rigoureuse

Certaines forteresses abritaient des palais et des temples. D'autres, semble-t-il, étaient avant tout des centres administratifs, contenant notamment des entrepôts de denrées alimentaires telles que céréales, fruits, viande, huile et vin. À l'intérieur de l'enceinte, les bâti-ments s'élevaient sur plusieurs niveaux, s'appuyant sur des terrasses taillées dans la roche ou sur des plates-formes artificielles.

Les textes rapportent que les armées assyriennes s'y emparèrent de quantités impressionnantes de blé et d'orge : une seule forteresse pouvait contenir jusqu'à 5 000 tonnes de céréales. L'huile et le vin étaient conservés dans des jarres dont la contenance atteignait parfois 1 000 litres ; dans un groupe de magasins, on a compté jusqu'à

400 récipients de ce genre. Le royaume était très organisé, et l'on peut penser, compte tenu de l'hétérogénéité de la population de la région, que ce réseau de forteresses a été mis en place pour contrôler le territoire intérieur plus que pour se protéger des agressions extérieures.

Nous disposons de nombreuses inscriptions lapidaires commémorant les conquêtes des souverains ourartéens et les ouvrages publics qu'ils réalisèrent. Néanmoins, nous connaissons mal les raisons du déclin de ce royaume qui se désintégra vers la fin du VIIe siècle av. J.-C., à l'époque où les Scythes et d'autres nomades venus des steppes septentrionales se mirent à sillonner le Proche-Orient. Ourartou sera rattaché plus tard à l'Empire perse. Les forteresses seront pillées et abandonnées, mais leurs soubassements en pierres resteront en place. Ceux de Van soutiennent aujourd'hui des murs du Moyen Âge.

La forteresse de Van domine une crête longue et étroite, bordée par un précipice de l'autre

Les murs de Babylone

Datation : 605-590 av. J.-C.
Localisation : Babylone, Irak

« J'ai construit un robuste mur de douve en briques et en bitume, et je l'ai rattaché au mur de douve construit par mon père. J'en ai posé les fondations dans le monde souterrain. Je l'ai fait aussi haut qu'une montagne. »

NABUCHODONOSOR, ROI DE BABYLONE, vers 590 av. J.-C.

EN 625 AV. J.-C., NABOPOLASAR chasse les Assyriens de Babylone et s'y établit comme monarque. En vingt ans, il étend son empire du golfe Persique jusqu'à la Méditerranée. Son fils et successeur, Nabuchodonosor (605-562 av. J.-C.), entreprend de transformer la capitale en une métropole impériale d'une magnificence inouïe.

La principale innovation introduite par Nabuchodonosor est la généralisation de la brique cuite. En Mésopotamie, où la pierre est rare, on utilisait les briques en terre crue, séchées au soleil, qui sont faciles à fabriquer mais exigent un entretien constant. Les briques cuites sont plus difficiles à réaliser – il faut des fours et du combustible – mais elles sont pratiquement éternelles. Malheureusement, du fait même de l'exceptionnelle qualité de ce matériau,

les plus beaux bâtiments seront « démontés » au fil des siècles, et leurs composant réutilisés.

Ces briques étaient fabriquées à partir d'une argile ou d'une terre alluviale locale, de texture très fine, mélangée à une grande quantité de paille hachée. Selon Hérodote, l'argile provenait des douves de la ville, et les briques étaient fabriquées sur place, ce qui paraît tout à

FICHE SIGNALÉTIQUE

Enceinte extérieure
Nabuchodonosor (605-562 av. J.-C.)
Longueur : au moins 12 km
Mur intérieur en briques crues, large de 7 m, avec, des deux côtés, des tourelles en saillie, espacées de 52,5 m, larges de 8,37 m et hautes de 25 m (?)
Remplissage en moellons entre les murs : largeur 12 m, hauteur 15 m (?)
Mur extérieur en briques cuites, large de 7,8 m, avec des tourelles (?) hautes de 20 m (?)
Mur des douves en briques cuites, large de 3,3 m ; hauteur inconnue.
Nombre de portes principales : 5.

Enceinte intérieure
Nabopolasar (625-605 av. J.-C.) et Nabuchodonosor (605-562 av. J.-C.)
Longueur : environ 8,5 km
Mur intérieur en briques crues, large de 6,5 m ; avec, des deux côtés, des tourelles (?) espacées de 18,1 m, larges de 9,5 m et hautes de 25 m (?)
Remplissage en terre (?) entre les murs : largeur 7,2 m, hauteur 15 m (?)
Mur extérieur en briques cuites, large de 3,7 m ; avec, des deux côtés, des tourelles en saillie, espacées de 20,5 m, larges de 5,1 m et hautes de 20 m (?)
Distance entre le mur extérieur et le mur de douve : 20 m
Fondations du mur de douve en briques cuites : largeur 3,5 m
Douves larges de 80 m ; profondeur inconnue
Nombre de portes principales : 8

La muraille longeant l'Euphrate à Babylone ; à l'arrière-plan, la ziggourat, ou « tour de Babel ».

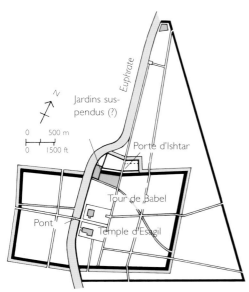

Babylone : l'enceinte extérieure, triangulaire, renferme
partiellement l'enceinte rectangulaire de la ville.

fait plausible. Les briques mesurent en général de 32 à
35 cm de côté et 11,5 cm d'épaisseur. Beaucoup sont
estampillées du nom du roi. Quant à celles qui composent
les animaux en bas relief ornant la porte d'Ishtar, elles ont
nécessité au moins quarante moules différents.

Aucun four n'a été retrouvé. Il s'agissait probablement d'installation fort simples, faites de parois en
briques enfermant les entassements de briques à cuire,
recouvertes d'argile ; la température de cuisson devait se
situer entre 800 et 900 °C. Le combustible était placé à la
base du four ainsi que dans des tunnels ménagés en
dessous. Sans doute utilisait-on à cette fin de la bouse de
vache, des roseaux secs et des arbustes, mais il est difficile de croire qu'il ait été possible d'en réunir des quantités suffisantes. En effet, des millions de briques ont été
fabriquées, pour édifier les murs d'enceinte mais aussi
les immenses palais. Peut-être a-t-on acheminé du bois
des montagnes, par bateau sur l'Euphrate, et utilisé le
bitume provenant de la région située en amont de Hit.
Une fois cuites, les briques étaient bâties à l'aide d'un
mortier en terre, sauf dans les parties exposées à l'eau,
où l'on utilisait le bitume. Certaines rangées étaient
séparées par des tapis en roseaux.

Une cité gigantesque

Les documents de Nabuchodonosor mentionnent les
fortifications, mais c'est chez les historiens grecs qu'il
faut chercher les descriptions les plus vivantes de Babylone. Il y avait en réalité deux murs. Vers 440 av. J.-C.,
Hérodote décrit le mur extérieur comme un carré d'en-

viron 20 km de côté, ce qui donnerait un périmètre
total de 85 km. Les historiens postérieurs ont ramené
ce chiffre à 60 ou 70 km, ce qui ne correspond toujours
pas, et de loin, aux vestiges retrouvés. Les récits grecs
étant généralement bien documentés, il est difficile
d'imaginer que les chiffres qu'ils donnent soient purement fantaisistes, mais il se pourrait, dans la mesure où
la ville est décrite comme carrée, que la longueur totale
ait été, par inadvertance, multipliée par quatre.

On peut encore voir, à l'est de l'Euphrate, un côté de la
muraille extérieure, jusqu'à son point de rencontre à angle
droit avec un autre côté. Cette portion fait 4,4 km de long,
ce qui donnerait une superficie intérieure de 1 936
hectares. Mais les spécialistes estiment en général la
superficie de Babylone à 850 hectares environ, car aucune
trace de mur extérieur n'a été trouvée à l'ouest du fleuve.
Quoi qu'il en soit, Babylone reste la plus grande cité de
l'ancienne Mésopotamie.

Des défenses inexpugnables

Le mur était ponctué de tours et de portes revêtues de
bronze. Devant s'étendaient les douves, alimentées par
l'Euphrate. Les descriptions de l'Antiquité évaluent
l'épaisseur du mur à 25 m, dimension confirmée par les
fouilles, et sa hauteur à 100 m, ce qui est certainement
exagéré. Certains auteurs anciens réduisent ce chiffre à
celui, plus plausible, de 25 m, comme pour les murailles
de Ninive. Le chemin de ronde était suffisamment large
pour que des chars tirés par quatre chevaux puissent
manœuvrer, ce qui permettait de déplacer rapidement
les soldats en cas de danger. Le mur se compose en fait
d'une paroi extérieure en briques cuites et d'une paroi
intérieure en briques crues, avec, entre les deux, un
remplissage en moellons. Le mur intérieur était proba-

Un des taureaux en brique émaillée décorant la grande porte
d'Ishtar. Le taureau était un symbole du pouvoir royal.

blement plus haut que le mur extérieur, de sorte que les assaillants avaient deux obstacles à franchir. On retrouve un dispositif comparable sur le mur d'enceinte de la ville, qui protégeait le cœur résidentiel de Babylone par un rectangle d'environ 8 km de périmètre. Selon Hérodote, ce mur était presque aussi solide que celui de l'enceinte extérieure.

L'entrée principale de l'enceinte intérieure était la porte d'Ishtar, qui atteignait 25 m. Celle-ci reposait sur des fondations profondes de 15 m, dotées de joints intérieurs pour éviter les affaissements. Elle était flanquée de gigantesques taureaux sacrés et de dragons en bronze. Au-dessus et en dessous du niveau du sol, les murs de la porte et de la rue étaient parés de briques moulées représentant d'autres taureaux et dragons. Celles qui étaient au-dessus du niveau du sol étaient colorées en bleu vif. Les spécialistes de la conservation des monuments ont eu beaucoup de mal, dans les années 1920, à reproduire la technique de fabrication de ces briques.

Le point faible

Le point faible de ces murailles était l'Euphrate. En amont, un lac ou un marécage absorbait le trop-plein d'eau en cas de crue importante. Par ailleurs, les berges du fleuve étaient renforcées, et des grilles contrôlaient les points d'entrée de l'eau dans les douves et dans les canaux irriguant la ville. Mais rien ne pouvait protéger la cité contre la convoitise des hommes… En 539 av. J.-C., le roi de Perse Cyrus détourna le cours de l'Euphrate. Dès que le niveau de l'eau fut assez bas, ses troupes avancèrent sur le lit du fleuve et marchèrent sur Babylone. Avant même que les habitants n'aient pris conscience de ce qui leur arrivait, leur cité était tombée aux mains des Perses. Ce fut la fin de l'Empire babylonien. Même si ces murs retrouveront à certaines époques leur fonction défensive, ils avaient failli à leur première mission.

La porte d'Ishtar, située sur la voie processionnelle dans l'enceinte intérieure de Babylone, était décorée de briques émaillées figurant des taureaux et des dragons.

Maiden Castle

Datation : VIe siècle av. J.-C.-Ier siècle ap. J.-C.
Localisation : Dorset, sud-ouest de l'Angleterre

« On peut le comparer à un énorme organisme antédiluvien doté de multiples membres, mais qui gît sans vie, recouvert d'un léger manteau vert qui cache sa substance tout en révélant ses contours. »

THOMAS HARDY, 1885.

PARMI LES MILLE forteresses, ou davantage, qui ont été édifiées dans le sud de la Grande-Bretagne au cours du Ier millénaire av. J.-C. – c'est-à-dire durant l'âge du fer –, Maiden Castle est l'une des plus grandes et certainement la plus impressionnante. À distance, elle ressemble à un immense serpent lové autour d'une longue colline basse, dans les ondulations d'un paysage calcaire. En s'approchant, on distingue claire-ment des remparts concentriques et des fossés, taillés ou construits dans la pente de la colline en tirant parti de la nature du terrain et qui transformaient ce plateau aux flancs abrupts en une enceinte fermement défendue.

Vue aérienne de Maiden Castle montrant l'entrée ouest du site. Le talus peu élevé que l'on voit au milieu de l'enceinte marque la limite du petit fort primitif.

La partie de la colline comprise à l'intérieur des défenses représente un peu plus de 17 hectares. Au nord et au sud, des lignes successives de remparts, séparés par des fossés, en assurent la sécurité. Mais ce sont les entrées situées aux extrémités est et ouest qui illustrent le mieux la conception du dispositif défensif : en effet, des ouvrages avancés ou en forme de corne obligent les assaillants à effectuer un chemin sinueux pour atteindre les deux dernières portes du rempart intérieur.

La construction des collines fortifiées

Les travaux de construction, d'agrandissement et de réaménagement se sont étendus sur plus de trois cents ans. Le premier fort, construit au VIᵉ siècle av. J.-C., n'englobait que la partie est de la colline. Les matériaux de

Les défenses sud de Maiden Castle sont formées par des lignes successives de fossés et de remparts qui ceinturent la colline.

base étaient trouvés sur place : il s'agissait d'amoncellements de craie extraite des fossés et recouverte d'herbe. Des traces de racines laissent penser que ce rempart initial, large de 10 m et peut-être haut de 4 m, était planté d'une haie d'épineux.

Les accès ont fait l'objet d'une attention particulière. De chaque côté de l'entrée orientale, la première ligne de rempart était renforcée à ses extrémités par des revêtements en bois, ou peut-être même par une structure à pans de bois, les montants verticaux avant et arrière étant reliés ensemble par des poutres horizontales traversant le rempart en craie. Les bâtisseurs ont sans doute commencé par ériger cette structure, avant d'empiler les blocs de craie dans les intervalles. Les portes également étaient en bois, probablement en chêne coupé dans les forêts voisines. Plus tard, les revêtements en bois seront remplacés par des murs de pierres sèches provenant de carrières calcaires proches d'Upwey, à environ 3 km au sud.

Le changement le plus important intervenu dans l'histoire de Maiden Castle est l'agrandissement du fort

FICHE SIGNALÉTIQUE	
Superficie à l'intérieur des défenses	17,22 ha
Superficie y compris les défenses	45,28 ha
Superficie du fort primitif	6,47 ha
Largeur maximum des défenses à l'entrée ouest	190 m
Largeur maximum des défenses du côté sud	130 m

Reconstitution du site de Maiden Castle tel qu'il pouvait apparaître au IVᵉ siècle av. J.-C., avec ses groupes de maisons circulaires à toits coniques. Les entrées principales, dans les remparts intérieurs, étaient équipées d'imposantes portes en bois.

d'origine qui couvrira l'ensemble de la colline au IVᵉ siècle av. J.-C. Commence alors une série d'améliorations et de réparations. Le rempart intérieur en craie du nouveau fort est d'abord rehaussé par un parapet en mottes de terre, puis par un tertre en craie, avant qu'un nouvel élargissement n'englobe ces ouvrages dans un rempart réalisé non plus en craie mais en argile ; celle-ci est extraite de carrières en puits, situées sur la bordure intérieure du rempart. Durant cette dernière phase, l'intérieur et l'extérieur du premier rempart sont recouverts d'un revêtement de blocs de craie ou de calcaire. Enfin, une palissade de poteaux massifs est érigée sur la crête de ce rempart, qui, se trouvant directement dans le prolongement du fossé creusé en V, forme désormais une unique pente abrupte de 14 m de haut. Au-delà, se trouvent les enceintes extérieures, deux au nord et trois au sud, qui s'étagent depuis le sommet de la colline et créent une forte impression sur le visiteur. La largeur du dispositif de défense, qui atteint 130 m au sud, était peut-être destinée à assurer une protection contre les pierres lancées par les frondes ennemies – au cours des fouilles, on a retrouvé de nombreuses caches contenant de telles pierres – ou, plus simplement, à intimider les assaillants.

On ignore combien de personnes ont participé à l'édification de Maiden Castle, ni comment était organisé le travail. Peut-être faut-il imaginer des opérations saisonnières de construction, de réparation et de reconstruction, menées chaque année pendant trois cents ans ou plus. À l'intérieur du fort, on a retrouvé des traces de rues et d'habitations circulaires, mais les quantités impressionnantes de céréales conservées dans les puits ou les greniers de Maiden Castle pouvaient très bien provenir des villages environnants et servir à nourrir la main-d'œuvre qui travaillait au renforcement des défenses. La construction du fort, conçu à la fois pour décourager d'éventuels agresseurs et pour protéger les personnes qui y trouvaient refuge, était peut-être également un moyen de renforcer les liens entre les communautés de la région, par un travail collectif et une contribution en aliments.

Les fortifications de Syracuse

Datation :
402-397 av. J.-C.
Localisation : Sicile, Italie

« Souhaitant édifier les murs aussi rapidement que possible, [Denys l'Ancien] força les ouvriers agricoles à se rassembler, au nombre de 60 000 en tout, et il les répartit le long de la section de muraille à construire […]. L'activité d'autant d'hommes, qui se consacraient à leur tâche avec ardeur, était un spectacle extraordinaire […]. En conséquence, cette partie des fortifications fut, contre toute attente, achevée en vingt jours. Elle était longue de 30 stades [5,3 km]. »

DIODORE DE SICILE, vers 40 av. J.-C.

LORSQUE DENYS Ier, dit l'Ancien, devient tyran de Syracuse en 405 av. J.-C., il s'empresse de protéger sa ville par d'imposantes fortifications dans lesquelles il intègre des dispositifs défensifs inconnus jusqu'alors dans le monde antique. L'expérience récente du conflit avec les Athéniens (415-413 av. J.-C.), qui avaient campé en toute impunité sur le plateau des Épipoles, juste au-dessus de la ville, avait convaincu Denys que l'inexpugnabilité de Syracuse ne pouvait être garantie qu'en fortifiant l'ensemble du plateau, ainsi que l'îlot d'Ortygie où s'élevait son palais. Le fait d'avoir pu réaliser ce projet en à peine six années (entre 402 et 397 av. J.-C.) donne une idée de l'énergie et de l'esprit visionnaire de cet homme, mais aussi des immenses ressources en main-d'œuvre, en matériaux et en argent qu'il fut capable de rassembler. Diodore de Sicile (cité plus haut) parle d'un tronçon de 5,3 km construit en vingt jours. Les fortifications de Syracuse, qui ceinturent la crête défensive naturelle que constitue le plateau des Épipoles, sont longues de 27 km au total. Elles étaient la plus grande enceinte défensive du monde grec antique.

Des innovations en matière de défense

Ce n'est pas seulement la longueur des murs qui valent à Denys une place particulière dans l'histoire de l'art militaire. En 409 av. J.-C., la prise par les Carthaginois de la

En haut **Carte montrant l'étendue des fortifications qui subsistent.** *Au centre* **Reconstitution montrant la forteresse de l'Euryale (à droite) et la porte ouest (en haut) avec ses chicanes, qui ouvre sur le plateau des Épipoles.**

cité de Sélinonte, également en Sicile, l'avait convaincu de la priorité de moderniser les systèmes de fortification. Il créa donc, à Syracuse, des « laboratoires » chargés de réfléchir sur le sujet, offrant des primes à toute personne qui proposerait des idées novatrices en matière d'ouvrages défensifs. C'est ainsi que certaines techniques de construction furent modifiées. Par exemple, les faces extérieure et intérieure des murs de défense – composées de grands blocs de pierre – vont être, pour la première fois, reliées par des murs transversaux qui compartimentent le remplissage intérieur en terre et renforcent la stabilité de l'ensemble, notamment contre les impacts des coups de béliers. Des tours seront construites aux points stratégiques de l'enceinte : portes d'entrée, changements de direction de la muraille et autres parties vulnérables. Nous ne savons pas quelle hauteur atteignait le mur, car les vestiges qui subsistent ne dépassent guère 2,5 m, mais sans doute était-il assez haut pour pouvoir faire front aux tours de siège des Carthaginois.

Les pierres calcaires utilisées pour l'édification des murs ont été, autant que possible, extraites dans les

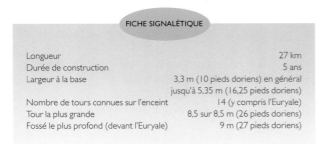

FICHE SIGNALÉTIQUE

Longueur	27 km
Durée de construction	5 ans
Largeur à la base	3,3 m (10 pieds doriens) en général
	jusqu'à 5,35 m (16,25 pieds doriens)
Nombre de tours connues sur l'enceint	14 (y compris l'Euryale)
Tour la plus grande	8,5 sur 8,5 m (26 pieds doriens)
Fossé le plus profond (devant l'Euryale)	9 m (27 pieds doriens)

environs immédiats – plusieurs petites carrières sont encore visibles juste sous les fortifications –, mais la plupart d'entre elles proviennent des grandes carrières situées dans les faubourgs nord de Syracuse, les « latomies ».

À la pointe occidentale des Épipoles se dresse l'imposante forteresse de l'Euryale, qui protégeait la grande porte ouest ouvrant sur le plateau. Cette porte est située dans le fond d'une cour ouverte, construite en forme d'entonnoir pour forcer l'ennemi à s'y entasser. Plus tard, un des battants de la porte (qui était double à l'origine) a été bloqué, et de petits murs ont été construits en travers de la cour pour obliger l'ennemi à suivre un parcours sinueux. Ces améliorations sont certainement postérieures à l'époque de Denys, de même que le château de l'Euryale qui, dans son état actuel, a été agrandi et consolidé par Agathocle (317-289 av. J.-C.) puis au cours du IIIe siècle. Elles sont néanmoins un héritage du génie de Denys en matière d'ouvrages militaires, offensifs et défensifs.

Les cinq grandes plates-formes qui dominent aujourd'hui

Un des fossés de défense de la forteresse de l'Euryale, avec des entrées de galeries taillées dans la roche.

le site (elles étaient destinées à recevoir d'énormes catapultes) ont sans doute été construites sous Agathocle ou à l'époque de la première guerre punique (261-241 av. J.-C.) ; les dates exactes de tous ces ouvrages restent incertaines. Elles étaient protégées par de grands fossés en V. Un réseau complexe de galeries (autre héritage de l'art militaire des Carthaginois), qui relie l'intérieur du fort aux fossés, permettait de déplacer les troupes en secret ou de dégager la terre que les assaillants déversaient dans le fossé pour le remblayer. La construction de l'immense ouvrage avancé, à cinq côtés, et du nouveau fossé extérieur – tous deux inachevés – est sans doute immédiatement antérieure au siège de Syracuse par les Romains, en 213 av. J.-C. On peut, selon toute probabilité, les rattacher au nom d'Archimède, qui contribua à la conception de nouveaux moyens de défense pour tenir les Romains en échec. Mais le grand mathématicien et savant syracusain périt durant l'assaut romain, malgré les ordres donnés par le général Marcellus qui voulait le capturer vivant.

La Grande Muraille de Chine

Datation : 221 av. J.-C.-1644 ap. J.-C.
Localisation : nord de la Chine

« Si les autres parties [de la muraille] sont semblables à celles que j'ai vues, c'est certainement l'ouvrage le plus prodigieux édifié par l'homme, car j'imagine que si l'on alignait bout à bout la maçonnerie de tous les forts et lieux fortifiés du monde entier, la distance obtenue serait inférieure, et de loin, à celle de la Grande Muraille de Chine. »
LORD MACARTNEY, 1793.

L EXISTE d'innombrables légendes sur la « Longue Muraille de dix mille li » (*Wanli Changcheng*). Considérée (à tort) comme le seul ouvrage construit par l'homme qui soit visible de la lune, elle évoque l'idée d'une Chine vaste et mystérieuse. Par son ampleur, l'entreprise n'a pas d'équivalent dans l'histoire du monde. Le mur parcourt en effet une distance de près de 2 700 km, de Shanhaiguan, sur la côte nord-est, à Jiayuguan, au nord-ouest. Mais sa longueur réelle, qui comprend des boucles dans les cols, ainsi que des branches secondaires et le redoublement de certaines sections, dépasse les 5 000 km ; enfin, si l'on y ajoute les parties primitives, aujourd'hui disparues, la longueur totale approcherait même les 10 000 km. Il subsiste quelque vingt mille tours de guet et dix mille tours aménagées pour la transmission des signaux lumineux. Avec la totalité des pierres et des briques utilisées pour construire la muraille, on pourrait élever un mur de 1 m d'épaisseur et de 5 m de hauteur qui ferait dix fois le tour de la terre.

En réalité, la Grande Muraille est un terme général pour désigner de nombreux murs construits à des périodes différentes. Dès l'origine, elle a été plus qu'une défense. En chinois, un même caractère désigne la « muraille » et la « ville » : le mur signalait une unité administrative et séparait le monde chinois, organisé et agricole, du monde barbare et désorganisé des nomades des steppes. La muraille marquait donc, pour les Chinois, la limite du monde civilisé connu.

Histoire

Après avoir réalisé l'unité du pays, en 221 av. J.-C., le premier empereur de Chine, Qin Shihuangdi, ordonna au général Meng Jian d'abattre les murailles ; construites par les États qu'il avait conquis et d'élever à leur place une barrière ininterrompue pour protéger les frontières du nouveau territoire. Les difficultés liées à l'édification de cette première Grande Muraille, qui coûta beaucoup de vies humaines, sont contées dans d'innombrables légendes. Plus de 300 000 hommes furent recrutés, y compris des soldats, des paysans, des fonctionnaires en disgrâce, des prisonniers et des lettrés qui refusaient de brûler les classiques confucéens. Travaillant dans des régions montagneuses ou désertiques, aux conditions climatiques extrêmes, mal nourris ou mal logés, beaucoup périrent.

Depuis, l'état de la muraille a toujours reflété le rapport de force entre la Chine et ses voisins nomades. Aux époques de coexistence pacifique, le mur était laissé à l'abandon. Mais lorsque les cavaliers des steppes manifestaient de nouveau des intentions hostiles, on le rebâtissait. C'est sous la dynastie Han (v. 206 av. J.-C.- 220 ap. J.-C.) que la muraille atteint son extension maximale, avec la construction d'une boucle en direction de l'ouest, vers Lop Nor, pour protéger le couloir de Hexi, qui était la porte des routes de la soie à travers l'Asie centrale. Aux Ve et VIe siècles, les Dynasties du Nord (Wei, Qi septentrionaux, Sui) édifient de nouveaux murs pour contenir les vagues d'envahisseurs venus du nord.

FICHE SIGNALETIQUE

Largeur à la base	6 m
Largeur au sommet	4,5 m
Hauteur	entre 6 et 8,7 m
Hauteur des créneaux	2 m
Hauteur du parapet	1 m

La Grande Muraille se compose en fait de nombreuses portions de murs construites à différentes époques ; la plus grande partie de ce qui subsiste aujourd'hui date de la dynastie Ming. Les bâtisseurs ont su utiliser au mieux la topographie pour assurer leur défense. La muraille est ponctuée sur toute sa longueur d'imposantes tours carrées et de portes.

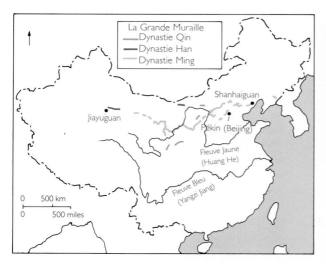

Carte montrant les parties qui subsistent de la Grande Muraille. Les dynasties ultérieures ont adapté et complété les sections de mur plus anciennes.

La muraille Ming

La plus grande partie de la muraille date de la dynastie Ming (1368-1644). Serpentant le long des crêtes des montagnes, elle mesure 6 m de largeur à sa base et 6 à 8,7 m de hauteur. Le chemin de ronde, est doté de hauts créneaux du côté extérieur et d'un parapet sur l'intérieur. Il est suffisamment large pour que cinq chevaux puissent y avancer de front. Sur les cols et dans les vallées, d'autres murs complétaient les défenses. Les 20 000 tours de guet, placées tous les 70 à 120 m, sont desservies par des escaliers en pierres. À intervalles réguliers, des rampes permettaient aux chevaux d'accéder à la muraille. 10 000 autres tours assuraient une communication rapide par signaux visuels : le jour, les messages étaient envoyés par signaux de fumée, la nuit, par des feux. Au VIIe siècle, il était prévu que les messages puissent franchir 1 064 km en 24 heures, l'importance des forces assaillantes étant indiquée par la taille du signal.

Construction

Les premiers murs furent construits avec les matériaux locaux, selon les techniques de la terre tassée : des couches de terre sont versées et compactées entre des « banches » placées de part et d'autre du mur à construire. Ces coffrages mesuraient en moyenne 4 m de longueur et renfermaient 80 m³ de terre, ce qui donnait en principe des couches de 8 à 10 cm d'épaisseur. Cependant, on remarque que leur épaisseur varie en fait de 3 à 20 cm. Dans le désert de Gobi et les régions des steppes, les bâtisseurs utilisèrent des plantes locales, mélangeant

par exemple des feuilles de palmier ou des roseaux à des galets et à de la terre locale pour former des couches de 15 cm d'épaisseur. Dans le bassin du Tarim, les murs des tours étaient réalisés en énormes fagots de broussailles et en troncs de peupliers, alternant avec des couches d'argile damé.

La survie de fragments de muraille remontant à 656 av. J.-C. atteste la durabilité de ces constructions. Dans le nord-est de la Chine, subsistent encore certaines sections du mur Qin du IIIe siècle av. J.-C. : elles se composent de couches compactées d'argile jaune, mélangée à de petites quantités de moellons, et mesurent 3 m de hauteur sur 4,2 m de largeur à la base et 2,5 m au sommet. On peut également admirer des murs Han, de 4 m de hauteur, dans le Gansu, ainsi qu'une grande forteresse à Yumenguan, dans le Dunhuang, où les couches de terre et de petits galets alternent tous les 15 cm avec des couches de roseaux entrecroisés, encore en bon état. Les portes, carrées à la base, rétrécissent vers le haut pour assurer une meilleure stabilité des murs. Il subsiste dans cette région plus de 100 tours qui servaient à transmettre les signaux lumineux, construites en terre compactée ou en grandes adobes plates (c'est-à-dire des briques séchées au soleil), de 38 sur 25 et 9 cm. S'élevant de part et d'autre du mur à intervalles de 1,6 à 2,5 km, ces tours de 25 m de hauteur mesurent 17 m de côté à leur base mais sont beaucoup plus étroites à leur sommet, présentant ainsi une forme trapézoïdale ; leurs murs portent des traces d'échafaudage.

Les Ming, les derniers bâtisseurs de la muraille, introduisirent de nouvelles techniques. Alors que la partie occidentale de la Grande Muraille a été édifiée selon les méthodes traditionnelles, la moitié orientale, celle qui protégeait Pékin (*Beijing*) contre les agressions mongoles et mandchoues, est faite de pierres et de briques posées sur un remblai de moellons ou de terre compactée. Des forteresses comme celle de Shanhaiguan, dont les murs descendent dans la mer, étaient de véritables petites villes, dotées d'abris fortifiés pour se réfugier en cas d'attaque, d'un pont-levis, d'esplanades pour l'entraînement des soldats, d'arsenaux, ainsi que d'une enceinte extérieure dans laquelle étaient gardés les céréales et les animaux.

De telles constructions ont exigé de gros investissements en temps et en argent. Si un homme équipé d'une pelle en bois, d'un panier en bambou pour transporter la terre, de dames pour la tasser et de planches de coffrage réutilisables, pouvait construire 5,5 m de muraille en

« La plus forte des forteresses sous le Ciel ». Cette forteresse de Yumenguan, à Dunhuang dans le Gansu, marque l'extrémité occidentale de la Grande Muraille ; elle a été reconstruite à l'époque Ming, sur des fondations Han.

terre en un mois, il fallait, pour réaliser la même longueur en pierre ou en brique, une centaine d'hommes, parmi lesquels des spécialistes de la pierre, de la brique et du bois. La pierre devait être extraite et taillée à l'aide de marteaux et de ciseaux en fer ou en acier, puis transportée depuis des carrières souvent situées en haut de falaises abruptes. Les lits des rivières et les ravins étaient pavés pour servir de chantier. Il fallait lever les dalles en pierre, parfois longues de 2 m et pesant 1 tonne, à l'aide de poulies ou de treuils. Lorsque cela était possible, les blocs étaient tractés sur des rampes en terre jusqu'au niveau supérieur de la muraille. Mais quand le terrain était trop pentu, il fallait avoir recours à des poulies et à des leviers en bois. Dans certains cas, et notamment pour les plaques monumentales de granit – longues de 50 m et larges de 10 m – qui forment la base de la muraille de Shanhaiguan, à son point de rencontre avec la mer, le déplacement des blocs a exigé l'effort collectif de plusieurs centaines d'hommes.

Les parements en brique étaient constitués de sept à huit épaisseurs. Les briques étaient cuites dans de petits fours construits le long de la muraille, tel celui mis au jour en 1991, encore en bon état et capable de cuire des briques de 41 sur 20 et 10 cm ; on a calculé qu'il avait fallu vingt-deux fours de ce genre par mètre linéaire de muraille. Le qualité des travaux était strictement contrôlée : certains documents du Ve siècle rapportent que si le contremaître pouvait enfoncer un poinçon de 2,5 cm dans une brique, l'ouvrier était tué et enterré dans la muraille. À Jiayuguan, une inscription lapidaire Ming, qui porte la date de 1540 et le nom du responsable de l'équipe, précise que les travaux entrepris à cet endroit pour doubler la hauteur des murs – c'est-à-dire la porter à 9 m –, en dressant des briques sur l'assise d'origine en terre damée, ont duré cent ans.

Les parties les mieux préservées de la muraille ont conservé leur pavage, leurs grands créneaux du côté extérieur et leur parapet sur l'intérieur.

Massada

Datation : Ier siècle av. J.-C.-Ier siècle ap. J.-C.
Localisation : Israël

« C'est une illustration prodigieuse de cette persévérance romaine qui a soumis le monde que d'avoir pu s'installer délibérément dans un tel désert et entamer un siège contre une telle forteresse ; et, ajouterais-je, d'avoir pu en venir à bout. »

S. W. WOLCOTT, 1843.

ES-SEBBEH, la Massada de l'Antiquité, est un affleurement rocheux, plat à son sommet, qui se dresse dans le désert et surplombe la rive occidentale de la mer Morte. Cette spectaculaire forteresse naturelle a une histoire étrange et troublée. Hérode le Grand (37-4 av. J.-C.) en avait fait un refuge presque imprenable qui abritait un palais luxueux. L'ambition de cette réalisation ne sera surpassée que par celle des ouvrages édifiés par les Romains pour l'assiéger, environ un siècle plus tard. Le site de Massada offre donc de magnifiques exemples de constructions antiques, l'une défensive, l'autre offensive.

La forteresse d'Hérode le Grand

Hérode avait des raisons de se sentir menacé, car des rivaux lui disputaient son trône. Au début de son règne, la reine Cléopâtre d'Égypte – qui bénéficiait d'un appui important en la personne de Marc Antoine – manifesta des visées sur son royaume.

Hérode avait donc décidé de construire une forteresse inexpugnable dans laquelle il pourrait se retirer avec sa famille. L'éperon rocheux de Massada, qui avait déjà été fortifié dans le passé, se prêtait admirablement bien à cet objectif. Hérode l'entoura d'un magnifique mur à casemates. À l'intérieur de cette enceinte, il disposait de

La forteresse de Massada vue du nord : on distingue le palais d'Hérode, sur la pointe avant, et la rampe construite par les Romains pour s'en emparer, sur la droite.

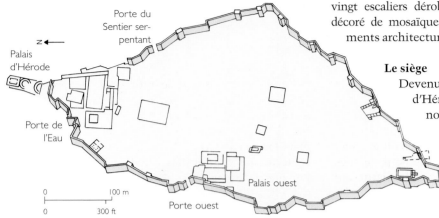

vingt escaliers dérobés. L'ensemble du bâtiment était décoré de mosaïques, de peintures murales et d'ornements architecturaux enduits, peints ou dorés.

Le siège

Devenue province romaine après la mort d'Hérode, la Judée se rebella en 66 de notre ère. En 72, le dernier bastion de la rébellion était Massada, occupée par un groupe de nationalistes irréductibles. Les Romains entreprirent alors d'encercler la forteresse par un mur de 3,5 km

toute la place nécessaire pour édifier des bâtiments et des magasins. Seule l'alimentation en eau posait problème… Bâtisseur ambitieux, Hérode résolut la question avec l'énergie qui le caractérisait.

L'opération, assez simple, exigea un travail gigantesque. Des barrages furent construits sur les deux cours d'eau qui irriguaient les collines derrière Massada, et des canaux furent creusés dans les falaises. Des aqueducs permirent de franchir la distance qui séparait les collines de la forteresse, et d'acheminer l'eau vers une série de citernes taillées dans la roche. Quelques heures de pluie suffisaient à les remplir, et d'autres citernes pouvaient recevoir le trop-plein. Même si l'ennemi détruisait les aqueducs, les assiégés disposaient d'une abondante réserve d'eau potable.

Un palais accroché à la falaise

Un autre défi était d'édifier un palais où le roi puisse conserver son style de vie luxueux. Un seul emplacement offrait l'intimité et la sécurité nécessaires, dans un endroit frais et ombragé, avec une vue magnifique : il s'agissait de la pointe nord, là où le rocher s'interrompt par un précipice. En taillant dans la roche et en élevant des revêtements massifs en appui sur les saillies inférieures de la falaise, Hérode y créa une série de terrasses sur lesquelles il construisit un palais à trois niveaux, reliés entre eux par cent

Ci-dessus **Plan des bâtiments occupant le sommet de l'éperon rocheux de Massada.** *À droite* **Reconstitution montrant les murs de Massada en 73 av. J.-C., vus de l'ouest ; au premier plan, les soldats romains commencent l'édification de la rampe.**

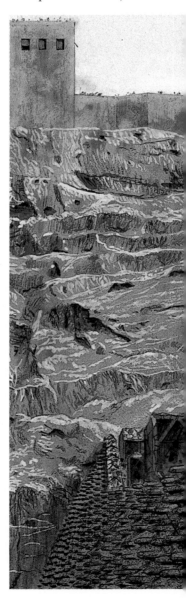

FICHE SIGNALÉTIQUE

Longueur	env. 650 m
Largeur	250 m
Fortifications	vers 150-50 av. J.-C.
Remaniements apportés par Hérode	vers 35 av. J.-C.
Occupation par la garnison romaine	vers 6-66 ap. J.-C.
Occupation par les résistants juifs	66-73
Capture par les Romains	73
Occupation par des moines chrétiens	vers 400-600

de long. L'année suivante, ne souhaitant pas prolonger le siège indéfiniment, ils décidèrent de préparer l'assaut en construisant une rampe d'accès.

Ils construisirent une rampe en terre, longue de 200 m et haute de 100 m, maintenue par une structure en bois. Bien qu'érodée par les intempéries, elle mesure aujourd'hui encore 200 m de largeur. Au sommet de la rampe, les Romains érigèrent une plate-forme en pierre, haute de 25 m, sur laquelle ils placèrent une tour bardée de fer, de 30 m de hauteur. Tous ces travaux furent bien sûr réalisés sous une pluie continuelle de projectiles. L'historien Flavius Josèphe en attribue le mérite aux soldats romains, mais ceux-ci avaient à leur disposition des milliers de prisonniers ; on peut donc imaginer que beaucoup de ces derniers, contraints de travailler sur la rampe, y furent aussi enterrés.

Lorsque l'ouvrage fut suffisamment haut, les flèches et les catapultes romaines vinrent à bout des derniers défenseurs, et le mur de la forteresse fut détruit à l'aide d'un bélier. Cette nuit-là, pour éviter d'être capturés, les assiégés de Massada tuèrent leur famille avant de se donner eux-mêmes la mort. La plate-forme en pierre a disparu, mais il reste l'ouvrage en terre, qui est l'un des grands monuments nés de l'opiniâtreté romaine.

Le temple-forteresse de Sacsahuamán

Datation : fin du XVᵉ siècle-début du XVIᵉ siècle
Localisation : Cuzco, Pérou

« Le plus grand et plus magnifique bâtiment jamais érigé pour exprimer la puissance et la majesté des Incas est la forteresse de Cuzco [...] ; ceux qui l'ont vue [...] imaginent, et même sont convaincus, qu'elle a été construite par enchantement, qu'elle est l'œuvre des démons plutôt que celle des hommes. »

GARCILASO DE LA VEGA, 1609.

PEU DE MONUMENTS anciens ont suscité autant de commentaires ou inspiré autant d'interprétations que Sacsahuamán, temple-forteresse posé sur une hauteur surplombant Cuzco, l'ancienne capitale inca, dans le sud des Andes péruviennes. Les Européens, qui découvrirent l'édifice en 1533, le comparèrent aux monuments d'Espagne, estimant que « ni le pont de Ségovie ni aucune construction d'Hercule ou des Romains n'est aussi magnifique que celle-ci », proposant même de faire figurer Sacsahuamán parmi les sept merveilles du monde.

La caractéristique la plus notable de Sacsahuamán est le triple mur de soutènement qui flanque un côté de la colline sur laquelle est bâti l'édifice. Ces murailles, longues de 400 m environ, sont ponctuées d'une cinquantaine d'angles en zigzag. Le mur inférieur contient des mégalithes parfaitement assemblés qui ont suscité l'admiration des Espagnols : « La personne qui les voit ne peut imaginer qu'elles ont été placées là par la main de l'homme. Elles sont aussi grosses que des morceaux de montagne ou de rocher... » Un de ces blocs pèserait, estime-t-on, 128 tonnes environ, et certains monolithes mesurent 5 m de hauteur et autant de largeur.

Pour les Espagnols, ces murailles ressemblaient à celles d'une forteresse, et c'est ainsi que beaucoup d'auteurs modernes qualifièrent le site. En réalité, rien ne prouve qu'il s'agissait d'une forteresse, même si l'édifice a assumé cette fonction lors du siège de Cuzco, en 1536, lorsque les Incas se soulevèrent contre les envahisseurs espagnols. Un chroniqueur parle de « maison du soleil », ce qui laisserait penser que Sacsahuamán jouait un rôle religieux dans le culte solaire inca. Sa fonction militaire a peut-être été symbolique, et la vaste esplanade qui s'étend entre les remparts et le grand affleurement rocheux situé de l'autre côté (connu sous le nom de Rodadero) accueillait peut-être des batailles rituelles,

FICHE SIGNALÉTIQUE	
Longueur du rempart le plus long	400 m
Dimensions du plus gros monolithe en calcaire	5 sur 5 m
Poids estimé du plus gros monolithe	128 tonnes

comme celles qui, selon les chroniqueurs, se déroulaient sur la place de la ville. Aujourd'hui, elle sert de décor pour des mises en scène modernes du Festival du solstice d'hiver inca, manifestation qui attire chaque année des milliers de touristes.

Sacsahuamán était également un immense dépôt de biens divers, stockés dans des *qolqas*. Ces constructions carrées contenaient « des armes, des massues, des lances, des arcs, des flèches, des haches et d'autres armes de différents types, ainsi que de lourdes vestes en coton matelassé et des vêtements pour les soldats... Il y avait des étoffes et beaucoup d'étain et de plomb et d'autres métaux, beaucoup d'argent et un peu d'or ». Sur le sommet du temple-forteresse s'élevaient deux tours, une ronde et une rectangulaire, dont les fondations ont été mises au jour dans les années 1930 ; Garcilaso a décrit une troisième tour, mais ses fondations sont difficiles à discerner. Derrière la colline de Rodadero s'étend une zone appelée Suchuna, occupée par des aqueducs, des citernes, des tunnels, des terrasses, des patios, des escaliers et des bâtiments, ainsi que par une grande retenue d'eau qui alimentait jadis la ville de Cuzco.

Le transport des pierres

Ce qui intrigua les Espagnols au XVIᵉ siècle et continue de dérouter les spécialistes modernes est « la manière dont les pierres ont été apportées sur place », puisque les Incas « n'avaient pas de bœufs et ne connaissaient pas les véhicules à roues ». Certains des premiers visiteurs attribuèrent donc cet exploit à des démons ou à des forces surnaturelles.

La réponse est cependant assez simple : les Incas disposaient d'équipes très organisées qui tiraient les blocs à l'aide de cordages. Les pierres, rapporte un chroniqueur, « étaient déplacées par la force des hommes à l'aide de câbles épais. Les routes par où elles venaient n'étaient pas plates ; c'étaient des montagnes escarpées dont les hommes montaient et descendaient les flancs abrupts en traînant les rocs ». Durant la construction de la cathédrale de Cuzco, les Espagnols eurent l'occasion d'observer des travailleurs indigènes qui déplaçaient de très grosses pierres en utilisant « beaucoup la force humaine ainsi que des grandes cordes de lianes et de chanvre, grosses comme une jambe ». Comme une grande partie de la technologie inca,

Vue aérienne des remparts de Sacsahuamán, qui dominent Cuzco, la capitale inca. On distingue encore, au sommet, les fondations des tours rondes et rectangulaires.

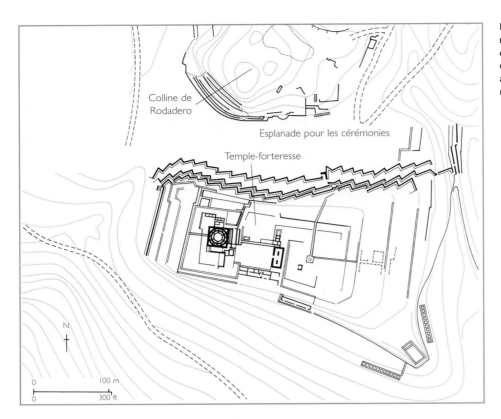

Colline de Rodadero

Esplanade pour les cérémonies

Temple-forteresse

l'extraction, le transport et l'appareillage des pierres s'appuyaient non pas sur des instruments particuliers mais sur des compétences humaines très développées.

Certains auteurs attribuent la construction de Sacsahuamán à Pachacutec, le célèbre roi inca du XVe siècle qui aurait été l'architecte de la Cuzco impériale : « Il ordonna que vingt mille hommes soient envoyés des provinces… Quatre mille d'entre eux extrayaient et coupaient les pierres, six mille les déplaçaient à l'aide de grands câbles de cuir et de chanvre ; d'autres creusaient les tranchées et posaient les fondations ; d'autres encore coupaient des poteaux et des poutres pour le bois d'œuvre… » Cependant, on pense que la construction de Sacsahuamán a duré cinquante ans, et qu'elle n'était peut-être pas encore terminée à la veille de l'invasion espagnole.

Le système inca d'assemblage des pierres

Une des grandes questions posées est de savoir comment les maçons incas ont appareillé les pierres pour obtenir un assemblage aussi remarquable. Plusieurs théories ont été échafaudées, s'appuyant sur les chroniques, sur les données archéologiques et sur l'étude des techniques incas de travail de la pierre.

Jean-Pierre Protzen, professeur d'architecture, a démontré de façon convaincante que les Incas se servaient de marteaux en pierre pour façonner les blocs. Selon lui, le bloc était taillé jusqu'à ce qu'il ait la forme souhaitée pour pouvoir s'adapter parfaitement à l'emplacement qui lui était réservé. Des levées de terre permettaient d'apporter les pierres à la hauteur voulue. Cependant, Protzen le reconnaît lui-même, si cette méthode convient parfaitement pour de petites pierres, elle est peu plausible dans le cas des grands mégalithes.

L'architecte Vincent Lee propose une autre explication. Observant les séquences de mise en place des blocs et les curieuses cannelures à la base de certaines pierres, il a élaboré une théorie inspirée du mode de construction des cabanes traditionnelles en bois, où les rondins sont entaillés pour pouvoir s'encastrer les uns dans les autres. Il pense que les Incas utilisaient un cordeau ou un compas fait de ficelle, de bois et d'un fil à plomb en pierre, qui permettait au maçon de reporter le dessin de la pierre à venir sur la pierre déjà en place ; il suffisait alors de tailler cette dernière à l'aide de marteaux pour la préparer à recevoir la pierre suivante.

Avant d'en arriver à ce stade, il fallait transporter toutes les pierres jusqu'à une plate-forme située au-dessus du mur en construction. Selon Lee, les Incas creusaient une partie de la colline derrière et au-dessus du mur de soutènement pour y rassembler les pierres, puis ils remblayaient l'arrière du mur. Les ouvriers amenaient les pierres jusqu'à ce lieu de rassemblement en construisant des rampes faiblement inclinées.

Lee pense que les mégalithes, une fois préparés, pouvaient être descendus en place à l'aide de piles de bois glissées sous la pierre que l'on souhaitait positionner. Pour retirer les pieux placés dans les cannelures creusées dans la partie inférieure du bloc, les maçons faisaient basculer celui-ci d'un côté sur l'autre, en faisant porter le poids sur le bois empilé en dessous. En répétant ce mouvement jusqu'à ce que les derniers pieux soient retirés, les ouvriers pouvaient descendre la pierre dans son emplacement définitif. Mais les chroniqueurs ne décrivent pas les éventuels systèmes de mesure utilisés pour garantir la perfection des assemblages, et les archéologues n'ont pas trouvé d'instrument correspondant. Lee reconnaît donc que sa théorie n'est pas entièrement satisfaisante et, comme Protzen, il admet que la porte reste ouverte à d'autres explications.

La provenance des pierres

Les grands blocs qui forment les murailles en zigzag de Sacsahuamán sont des pierres calcaires extraites sur place ou provenant des nombreux affleurements rocheux des collines environnantes. Les blocs en andésite, plus petits, utilisés pour construire les tours de Sacsahuamán et les structures de Suchuna, venaient de la carrière de Rumiqolqa, située à 35 km au sud-est de Cuzco. Après 1540, les colons espagnols utilisèrent Sacsahuamán comme une carrière de pierres, et seule la taille des mégalithes empêcha les remparts d'être totalement démantelés. Garcilaso raconte : « Et pour s'épargner la dépense, l'effort et le temps qu'il fallait aux Indiens pour travailler la pierre, les Espagnols prirent les pierres les plus petites pour construire leurs demeures et leurs églises dans la cité en contrebas. Ainsi, a été détruite la majesté de la forteresse, un monument qui méritait d'être épargné d'une telle dévastation, et que regretteront éternellement ceux qui méditeront sur sa splendeur passée. »

Ces alpagas donnent l'échelle des énormes blocs de calcaire qui constituaient l'étage inférieur des murs de soutènement de Sacsahuamán.

Ports, ouvrages hydrauliques et routes

MAÎTRISER LES FORCES de la nature a nécessité de construire des aqueducs et des ponts, d'aménager des routes, des canaux et des ports, parfois d'une dimension considérable. Les systèmes d'irrigation de la Mésopotamie sont apparus il y a 7000 à 8000 ans, sous la forme de simples canaux creusés pour apporter de l'eau dans les champs. Le développement des villes, des États et des empires donna à ces entreprises une envergure nouvelle. Les jardins suspendus de Babylone sont un bon exemple (en partie légendaire) de ce qu'il était possible de réaliser : un jardin en terrasses, s'élevant à une grande hauteur au-dessus de la plaine de Mésopotamie. L'eau de l'Euphrate était acheminée par des canaux et propulsée au sommet par un système de pompes ; elle redescendait ensuite par une succession de cascades et de rigoles. Dans la chaleur de l'été mésopotamien, un jardin verdoyant, au cœur d'une plaine plate et desséchée, faisait figure de merveille.

Mais la maîtrise de l'eau répondait à des besoins autant spirituels que pratiques. En Inde, ce sont les rites – peut-être de purification spirituelle – qui ont suscité la construction de la Grande Piscine de Mohenjo-daro, un bassin de 160 m³, tapissé de bitume, implanté sur un tertre « citadelle » dominant la plaine de l'Indus. Ingéniosité et adresse se sont ici combinées pour surmonter d'énormes problèmes techniques, sans compter la difficulté pratique que dut constituer le remplissage d'une telle structure en l'absence de monte-charge ou de pompes. Un des éléments les plus admirables des jardins suspendus de Babylone était les pompes à vis (dites aussi « vis d'Archimède ») employées pour faire monter l'eau jusqu'aux terrasses.

L'aqueduc romain de Los Milagros a été construit au IIe siècle pour alimenter en eau la ville d'Emerita Augusta (actuelle Meridá), dans le sud de l'Espagne.

La technologie appliquée aux barrages et aux aqueducs ne fut pas moins impressionnante. Les aqueducs romains de Nîmes, de Ségovie, de Carthage et de Rome traversent toujours d'un pas confiant les campagnes. Tout aussi spectaculaire est le plus grand barrage construit dans l'antiquité, à Marib en Arabie méridionale. On est frappé autant par sa taille, que par l'immense couche de limon accumulée au fil des ans contre sa paroi et ses ruines érodées par le passage des torrents depuis qu'il a cédé.

En outre, certains canaux d'irrigation pouvaient aisément servir de voies navigables. Ils permettaient de transporter les marchandises volumineuses sur des bateaux ou des chalands, pour un coût bien inférieur à celui du transport terrestre. Les grands canaux chinois furent construits dans ce but, ainsi que pour l'irrigation et le contrôle des inondations. Le chef-d'œuvre du genre est le Grand Canal du VIIe siècle, qui s'étend sur 2 700 km de longueur, un exploit de l'envergure de la Grande Muraille.

Les villes importantes se développèrent à proximité des voies navigables, le long des côtes et des rivières. Dans la Méditerranée romaine, l'invention du béton, capable de prendre sous l'eau, a contribué au développement des échanges à partir de ports artificiels. Portus, près de Rome, en est un exemple, mais le plus spectaculaire fut sans doute le port de Césarée sur la côte levantine. Grâce à ces projets, les navires disposaient d'un mouillage abrité. Cependant, la conquête de la nature ne fut que temporaire; chenaux et bassins sont maintenant ensablés.

Les routes aussi facilitaient les communications. Elles rapprochaient États et empires, elles franchissaient les obstacles naturels pour assurer l'acheminement rapide des ordres, des nouvelles et des armées. La plupart des empires ont possédé un réseau routier, plus ou moins développé, souvent jalonné de relais pour les chevaux ou les coursiers. Sur leurs grandes voies de communication, Romains et Incas aménagèrent d'immenses tronçons qu'un revêtement spécial rendait praticables par tout temps. Cependant, c'est aux endroits où ces routes franchissent des obstacles naturels, tels que rivières et gorges, qu'elles deviennent impressionnantes du point de vue technique. Le réseau routier romain comprenait des ponts en pierre et en bois qui pouvaient atteindre des longueurs importantes. Le réseau inca est surtout connu pour ses ponts suspendus à des cordes, surplombant les rivières et les défilés des Andes à des hauteurs vertigineuses. Ceux qui les traversent encore, vivent des instants mémorables.

Les routes de jadis n'étaient pas seulement des infrastructures utilitaires. Certes, elles facilitaient les voyages des marchands et des messagers, mais elles étaient également des symboles culturels des communautés qui les avaient construites. Avec les routes du Chaco, dans le sud-ouest des États-Unis, on atteint un niveau de symbolisme encore plus riche. En effet, elles ne se contentaient pas de relier des Grandes Maisons dispersées, elles servaient également de canaux spirituels entre le monde des vivants et celui des morts.

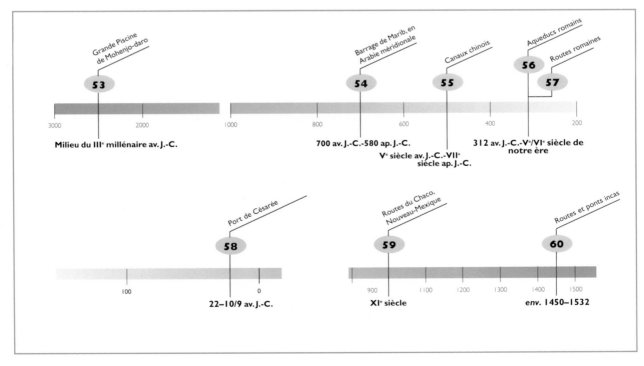

226

La Grande Piscine de Mohenjo-daro

Datation : milieu du IIIe millénaire av. J.-C.
Localisation : Sind, Pakistan

« Aucune cité antique n'a accordé autant d'attention à la question du bain que Mohenjo-daro. C'est pourquoi, il nous est difficile de croire que cette pratique ait pu être si générale et si profondément enracinée dans les usages sans qu'elle ait été considérée comme un devoir religieux. »

SIR JOHN MARSHALL, 1931.

LA GRANDE PISCINE de Mohenjo-daro est l'un des monuments les plus étonnants que nous ait laissés la célèbre civilisation de l'Indus, dont les capitales ont été Mohenjo-daro (Sind) et Harappa (Pendjab). Située dans les déserts semi-arides de la province pakistanaise du Sind, elle constitue un cas unique au IIIe millénaire av. J.-C., tant du point de vue de la conception que de la technique hydraulique.

La civilisation de l'Indus, qui s'étendit sur une aire d'un million de kilomètres carrés fut la plus grande civilisation de l'âge du bronze au monde. Ses villes s'épanouirent entre 2500 et 2000 av. J.-C. et entretinrent des liens commerciaux avec les cités de la Mésopotamie, à l'ouest. Mohenjo-daro, ou « Tertre des Morts », était la

plus grande ville de l'Indus. Elle était suffisamment proche du grand fleuve pour profiter de sa crue annuelle et des possibilités de transport fluvial, mais également suffisamment distante pour être à l'abri des inondations.

Le site de Mohenjo-daro comprend deux monticules, la ville basse et la citadelle. La ville basse était le centre résidentiel, constitué de maisons réparties en secteurs par un quadrillage des rues. Les structures monumentales, dont la Grande Piscine, sont rassemblées sur le tertre de la citadelle, à l'ouest.

Près du centre de la citadelle s'élève un complexe en briques. Sur le côté sud, deux portes donnent accès à une antichambre étroite qui s'ouvre à son tour sur une cour rectangulaire à colonnes, à l'intérieur de laquelle

La Grande Piscine et la colonnade vues de l'ouest.

FICHE SIGNALÉTIQUE

Ensemble		**Grande Piscine**	
Superficie	200 ha	Taille	12 m sur 7 m
Nombre de puits	plus de 700	Profondeur	2,4 m
		Volume	160 m³
Citadelle			
Superficie	10 ha	**Ville basse**	
Hauteur	12 m	Superficie	190 ha
Volume	1 152 000 m³	Hauteur	9 m
		Nombre d'habitants	env. 40 000

se trouve la Grande Piscine. Sur son côté est, la colonnade était flanquée par huit cellules pavées de briques. Au nord, des ouvertures conduisaient à une autre cour à colonnes. Dans un angle du complexe, subsiste un escalier qui laisse supposer l'existence d'un étage. La disposition d'ensemble des lieux suggère un usage rituel ou cérémoniel.

La Grande Piscine de Mohenjo-daro mesurait 12 m sur 7 m. Son remplissage devait constituer une tâche laborieuse, car l'eau devait être tirée du grand puits situé dans une des cellules du côté est. Elle pouvait se vider par

un égout, à voûte en encorbellement. Ce réservoir étanche, d'une capacité de 160 m³, juché au sommet d'une plate-forme en brique de 12 m de hauteur, au milieu d'un désert, est une structure proprement prodigieuse.

Les matériaux et techniques de construction

La pierre et le bois sont rares sinon totalement absents dans la plaine de l'Indus. C'est pourquoi la Grande Piscine fut construite presque entièrement en brique. L'étanchéité du bassin était assurée par trois revètements superposés qui témoignent d'une technique élaborée. La paroi externe, en brique, était renforcée par des contreforts afin de résister à la pression de l'eau. Elle était séparée de la coque interne, en brique également, par une couche de 3 cm d'épaisseur de bitume assurant l'étanchéité. Au deux extrémités du bassin, de larges escaliers descendaient dans l'eau ; leurs marches en bois étaient encastrées dans du bitume. Le puits d'alimentation, de forme cylindrique, était constitué de briques en

À gauche **La Grande Piscine et la colonnade vues du sud.**
Ci-dessous **Reconstitution du complexe en brique enserrant la Grande Piscine.**

forme de coin afin de résister à la pression s'exerçant à 15 m de profondeur. L'égout et sa voûte en encorbellement étaient également en brique.

Fonction

L'écriture de l'Indus, identifiée pour la première fois en 1922, n'a pas encore été déchiffrée à ce jour. Aussi sait-on peu de choses sur l'organisation sociale et les croyances religieuses de cette civilisation. La fonction de la citadelle de Mohenjo-daro et des monuments qui se dressent à son sommet risquent donc de demeurer longtemps encore un mystère. Cependant, le rôle central que devait jouer la Grande Piscine est souligné par sa nature exceptionnelle et par sa situation au sommet d'une plate-forme élevée. Par ailleurs, il faut également considérer les compartiments de bains qui équipent presque toutes les maisons de la ville basse, ainsi que les quelque 700 puits du site et son système complexe d'égouts. En fait, l'importance de l'eau à Mohenjo-daro rappelle le rôle fondamental que celle-ci joue encore aujourd'hui dans les grandes traditions religieuses de la région : l'eau est précieuse et purificatrice, c'est un élément indispensable à la vie ici-bas et dans l'au-delà.

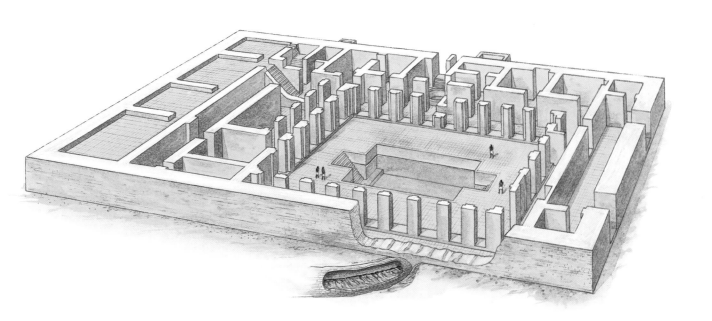

Le barrage de Marib en Arabie méridionale

Datation :
vers 700 av. J.-C.-580 ap. J.-C.
Localisation : Yémen du Nord

« Il y avait effectivement pour la tribu de Saba, dans leur lieu d'habitation, un signe : deux vergers à droite et à gauche... Ils se détournèrent et Nous lâchâmes alors sur eux les eaux torrentueuses du barrage et changeâmes leurs deux vergers en deux vergers aux fruits amers. »

Coran (Sourate 34, 15-16).

LA PLUIE arrose rarement les montagnes d'Arabie méridionale, mais quand elle tombe, c'est un déluge qui lessive les pentes dénudées, érodant les roches et les sols, se déversant dans les plaines où se forment de brèves inondations. Toute cette eau se perd ensuite dans la mer ou dans les sables du désert. Pendant des milliers d'années, les peuples de la région ont essayé de retenir cette eau afin d'irriguer des champs et des vergers. La méthode la plus élaborée fut peut-être celle qui a donné naissance au barrage de Marib, dont les vestiges imposants subsistent dans l'actuel Yémen du Nord. Cet ouvrage s'est développé sur plusieurs siècles, mais la taille gigantesque qu'il finit par atteindre n'était pas tant le résultat du plan initial que la conséquence inévitable, et même indésirable, des travaux antérieurs.

La maîtrise du flux

Après quelques semaines de pluies, le Wadi Dhana grossit et descend par une gorge étroite jusqu'à Marib, situé au pied des collines. Lors des crues, qui se produisent deux fois par an, le débit du cours d'eau peut atteindre 1 000 m³ à la seconde. Bien avant 2000 av. J.-C., on construisit en divers points de son parcours dans la plaine de modestes barrages en terre, probablement refaits chaque année. Ceux-ci dirigeaient le flot vers un réseau de petits canaux. Cependant, le limon envasait aussi bien les champs que les rigoles. Pour que l'eau puisse s'écouler librement, il fallait régulièrement retirer la vase des canaux, ce qui avait pour effet de grossir les berges et de réduire la superficie cultivée. Le nivellement de ces talus produisit une élévation graduelle du niveau du sol des oasis, à un rythme moyen évalué à 1,1 cm par an. Par endroits, l'épaisseur des sédiments dépasse aujourd'hui les 30 m.

Il fut donc nécessaire de construire de nouveaux barrages aussi loin que possible en amont. La structure visible de nos jours est la dernière d'une série ainsi construite en

FICHE SIGNALÉTIQUE

Premiers barrages : v. 3000-2500 av. J.-C.
Construction, entretien et agrandissement des grands barrages : v. 700 av. J.-C.-580 ap. J.-C.
Rupture finale et abandon : v. 610 ap. J.-C.

Longueur	620 m
Hauteur minimum	16 m
Largeur à la base	env. 30 m
Volume de la structure finale	env. 150 000 m³

remontant la rivière. Chacune comportait, à ses deux extrémités, un système de vannes perfectionnées qui permettait de contrôler la quantité d'eau détournée vers les champs et commandait son propre réseau de canaux. Le problème essentiel consistait à réaliser des ouvrages étanches et suffisamment solides, tout en assurant un flux minimum pour limiter la salinité.

De la pierre au béton

Entre 1000 et 500 av. J.-C., le développement des villes d'Arabie méridionale permit aux ingénieurs de Marib de mettre au point ou d'adopter des techniques de maçonnerie de pierre comparables à celles de leurs partenaires commerciaux d'Égypte et de Palestine. On choisit d'édifier le barrage avec un calcaire dense, que l'on hissait par blocs de 1 ou 2 tonnes sur des rampes de terre. Les pierres étaient taillées pour s'ajuster sans mortier et former une paroi lisse. Le travail fut accéléré en élevant la paroi par sections, en partant de l'angle de chaque section vers le centre où l'on insérait avec précision, par le haut et pour chaque assise, une pierre plus petite en forme de coin. Ces parois enserraient un noyau de blocaille non consolidée.

Dans les derniers siècles avant notre ère, apparut une technique alliant l'efficacité à l'économie, qui utilisait du plâtre et un ciment à base de roche volcanique. Cette pierre est en effet abondante dans la région, et le ciment qu'elle compose est très résistant à l'eau. Le noyau devenu du béton était retenu par des parois transversales et lié aux parements extérieurs par des boutisses faisant saillie. La partie saillante, plus large que la tige ancrée dans le mur, agissait comme un boulon fixant le parement au noyau. La qualité de la pierre des parements et des vannes importait moins, et les pierres elles-mêmes n'avaient plus besoin d'être ajustées avec autant de précision. Cependant, il fallait fréquemment renforcer les joints avec des crampons en fer.

Croissance sans lendemain

Le barrage de Marib permit d'irriguer de manière intensive une superficie de presque 100 km², qui suffisait à nourrir une population atteignant 50 000 habitants. Mais les travaux d'entretien étaient constants. Durant les premiers siècles de notre ère, la puissance de Marib déclina, et il devint difficile de trouver la main-d'œuvre nécessaire pour réparer les brèches les plus importantes. Au VIe siècle, le barrage avait atteint une hauteur démesurée et il se rompit plusieurs fois. La dernière grande inondation se produisit du vivant de Mahomet, vers 610. Le Coran s'en est fait l'écho. Le barrage ne fut pas réparé.

Ci-dessous **à gauche La structure de la vanne sud avec, à droite, la tour de la prise d'eau principale. Le barrage a disparu, et le Wadi Dhana coule librement.** *Ci-dessous* **Détail de la maçonnerie.**

Les canaux chinois

Datation : Ve siècle av. J.-C.
-VIIe siècle ap. J.-C.
Localisation : Chine

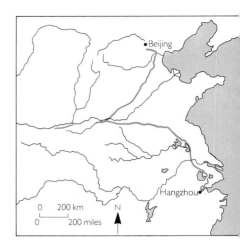

« *Fais les canaux profonds et les digues basses.* »
Maxime chinoise, IIIe siècle av. J.-C.

L ORS DE L'INAUGURATION du Grand Canal, aménagé entre 584 et 610, sous la dynastie Sui (581-618), le cortège impérial s'étirait sur 96 km. Large de 40 m et long de 2 700 km, le canal reliait les capitales Chang'an (actuelle Xi'an) et Luoyang à Pékin (Beijing), au nord, et à Hangzhou, au sud. Une route impériale longeait ses berges, jalonnée de relais de poste et de grands entrepôts pour le stockage des céréales. En reliant rivières et lacs, le canal créait un système de transport fluvial unique au monde, offrant 50 000 km de voies navigables, parcourues par un nombre de bateaux inégalé dans l'histoire. Plus d'un million d'ouvriers avaient été enrôlés, et la dépense représenta une telle charge pour l'État qu'elle contribua à la chute de la dynastie Sui, huit ans plus tard.

Cependant, le Grand Canal n'était que l'élément le plus imposant d'un réseau de canaux dont la réalisation avait commencé dès le Ve siècle av. J.-C. et dont certains sont toujours en usage aujourd'hui. La majeure partie de son parcours reprenait le tracé d'anciens canaux du IIe siècle av. J.-C., qui totalisaient déjà une longueur de près de 2 000 km. Au XIIIe siècle, la dynastie mongole Yuan (1271-1368) établit sa capitale à Dadu (actuelle Pékin), d'où elle fit aménager un tronçon plus direct vers le sud.

FICHE SIGNALÉTIQUE

Grand Canal de la dynastie des Sui

Longueur	2 700 km
Largeur	40 m
Profondeur moyenne	3,05 à 3,96 m
Point le plus haut au-dessus du Yangzi	42,08 m
Longueur totale des voies navigables	env. 50 000 km

Charges maximales pour divers moyens de transport

1 cheval de bât	125 kg
1 cheval tirant une charrette sur route accidentée	625 kg
1 cheval tirant une charrette sur route empierrée	2 t
1 cheval tirant un chaland sur une rivière	30 t
1 cheval tirant un chaland sur un canal	50 t

Construction et conception hydraulique

Le terme chinois pour ingénierie hydraulique peut être traduit pas « bienfait de l'eau ». Les canaux faisaient partie d'un système global de contrôle, destiné à prévenir les inondations et les sécheresses. Les écluses, qui équilibraient les niveaux d'eau, étaient complétées par des vannes et des barrages (berges immergées en travers du cours principal des rivières). Des canaux latéraux permettaient de détourner l'eau en cas de crue ou d'en fournir davantage en période de sécheresse, à partir de bassins de stockage. (En période de crue, le débit du fleuve Jaune, de 20 000 m^3 par seconde, est suffisant pour inverser le courant dans le Grand Canal.) Aux points de jonction du canal avec des lacs ou des rivières, ces derniers ont souvent été en partie canalisés ou des digues de diversion ont été construites afin de réduire le courant et d'assurer le passage en douceur des bateaux. Pour prévenir l'envasement (le fleuve Jaune charrie près d'un milliard de tonnes de limon par an), des digues en dents de scie ont été élevées sur le bord intérieur des courbes, afin de ralentir le courant et de forcer le flot à rogner les hauts-fonds du bord opposé.

Les premiers canaux étaient régulés par des écluses simples, dont les portes de rondins coulissaient verticalement dans des gouttières en pierre, fichées dans les berges. Elles étaient manœuvrées à l'aide de treuils ou de poulies. Les bateaux montant étaient halés au moyen de treuils à manivelle, les bateaux descendant étaient portés par le flot libéré lors de l'ouverture des portes. Vers le XIe siècle, fut introduite l'écluse à sas, semblable à celle de l'Occident. Les bateaux pénétraient dans un sas où le niveau de l'eau était élevé ou abaissé à volonté, mais les portes étaient toujours coulissantes à la verticale, plutôt que battantes comme en Occident.

L'ensemble des canaux, des digues et du système d'irrigation a été réalisé par des soldats et des ouvriers enrôlés de force qui se servaient d'outils restés inchangés pendant 2 000 ans : essentiellement des bêches en bois doublées de fer, à long manche, et des paniers en bambou pour évacuer la terre. Les berges étaient faites de murs en pisé, recouverts de dalles de pierre. Pour barrer ou dévier le courant, de grandes corbeilles ajourées en bambou (des gabions) emplies de pierres, et d'énormes fagots de tiges de kaoliang étaient plongés dans l'eau, depuis la rive, à l'aide de cordes. Chaque couche était recouverte d'une épaisseur de bambous enchevêtrés. Pour donner une échelle de ces travaux, on rappellera qu'un observateur occidental, en 1904, dénombra pas moins de 20 000 hommes mobilisés pour colmater avec des fagots de kao-

Ci-contre **Tracé du Grand Canal des Sui, qui constituait le principal axe de communication nord-sud.** *Ci-dessous* **Un chaland pouvant porter 50 tonnes de marchandises sur un canal, le transport fluvial devint la base de tous les échanges commerciaux. Des convois de plusieurs kilomètres n'étaient pas rares.**

liang une brèche qui s'était ouverte dans une levée. La méthode était peu coûteuse et efficace. Les fagots poreux, capables de résister à de brusques poussées des eaux, étaient flexibles et pouvaient être utilisés sur des sols légers, sans fondations profondes. Une fois en place, ils absorbaient rapidement le limon et s'intégraient au lit de la rivière. Tout le processus reposait sur la solidité des cordages faits en lamelles de bambou tressées. Plus légers, plus flexibles et trois fois plus solides que les cordages en chanvre qui perdent 20 % de leur force dans l'eau, les cordages en bambou devenaient au contraire plus résistants à l'état humide. Un câble de bambou humide, de 3,8 cm de diamètre, peut supporter un poids de 6 tonnes, et un câble fait de trois cordes tordues ensemble a une résistance de 517 kg par cm^2, soit à peu près celle d'un câble en acier.

Les aqueducs romains

Datation : 312 av. J.-C.-Ve siècle ap. J.-C.
Localisation : ancien Empire romain

« Si nous considérons, d'un côté, la quantité d'eau qui alimente les édifices publics, les thermes, les piscines, les canaux, les maisons privées, les jardins et les résidences de campagne, et de l'autre, les distances parcourues par cette eau avant d'arriver, les arcs élevés sur son parcours, les tunnels creusés dans les montagnes, les routes horizontales qu'il a fallu tracer pour traverser des vallées profondes, nous admettrons sans peine que rien de comparable n'a été fait dans le monde entier. »

Histoires naturelles (36, 123), PLINE L'ANCIEN.

IL N'EXISTE sans doute pas de monument d'ingénierie hydraulique de l'Antiquité comparable aux aqueducs romains. L'approvisionnement en eau était un problème particulièrement aigu dans le Bassin méditerranéen, où les étés sont longs, chauds et secs. À l'époque où les établissements humains étaient encore de petite taille, et leur consommation d'eau limitée aux besoins essentiels, les sources locales, les puits et les citernes souterraines étaient suffisants. Mais le développement des villes vit augmenter la demande d'eau et, au moins à partir du Ve siècle av. J.-C., quelques grandes cités grecques s'approvisionnèrent à des sources éloignées grâce à des aqueducs. Le premier aqueduc romain date de 312 av. J.-C. Il s'inspire peut-être des grands ouvrages construits à la même époque par les monarques hellénistiques.

Les arcs de l'Aqua Claudia portant le canal de l'Anio Novus filent à travers la campagne romaine.

FICHE SIGNALETIQUE

Aqueducs de Rome	Date de construction	Capacité estimée (m3/s)	Longueur totale estimée (km)	Longueur estimée sur arcs (km)
Appia	312 av. J.-C.	75,000	16	0.1
Anio Vetus	272–269 av. J.-C.	180,000	81	–
Marcia	14?–140 av. J.-C.	190,000	91	10
Tepula	125–125 av. J.-C.	17,800	18	9
Julia	33 av. J.-C.	48,000	22	10
Virgo	22–19 av. J.-C.	100,000	21	1.2
Alsietina	2 av. J.-C.	16,000	33	0.5
Claudia	38–52 ap. J.-C.	185,000	69	14
Anio Novus	38–52 ap. J.-C.	190,000	87	11
Traiana	109 ap. J.-C.	?	35–60	–
Alexandriana	226 ap. J.-C.	?	22	2.4

234

Au milieu du Ier siècle de notre ère, Rome possédait neuf aqueducs auxquels un éminent sénateur et consul romain, Sextus Julius Frontinus consacra un traité détaillé, en sa qualité de *curator aquarum*, « responsable des eaux ». Deux aqueducs seulement furent construits par la suite, portant leur longueur totale à 450 km. C'est à Frontinus que l'on doit l'essentiel des chiffres cités depuis lors à propos des aqueducs de Rome, bien que certains soient contestables.

Ces chiffres laissent notamment penser que la Rome antique disposait d'un approvisionnement par habitant supérieur à celui de la ville actuelle, mais cela a été mis en doute. Quoi qu'il en soit, il est clair que les aqueducs ne furent pas construits uniquement pour amener de

l'eau potable à la population de Rome. Ils avaient bien d'autres finalités : une partie de l'eau irriguait les jardins potagers de la périphérie, une autre était utilisée par les petites industries, notamment pour le foulage des tissus, et une part croissante était destinée aux bains publics, de plus en plus gourmands. Comme le raccordement des particuliers au réseau public était payant et, de plus, soumis à l'autorisation du Sénat romain, l'eau portée à domicile par des canalisations était un luxe dont quelques privilégiés aimaient faire étalage en érigeant bassins et fontaines. Dans d'autres régions de l'empire, les aqueducs étaient des ouvrages de prestige, venant compléter parfois la construction d'un nouvel ensemble de thermes. Très souvent, de majestueuses fontaines marquaient leur point d'entrée dans la ville – une façon, pour les donateurs, de rappeler au peuple leurs largesses et leur puissance.

La technologie des aqueducs

Presque tous les aqueducs antiques étaient des systèmes simples, par gravité. En partant d'une source plus haute que la ville approvisionnée, et en suivant un parcours en pente régulière, l'eau s'écoulait d'un point à un autre par la seule action de la gravité. Elle était acheminée jusqu'à l'entrée dans la ville dans un canal rectangulaire, tapissé par un ciment étanche fait de chaux et de terre cuite broyée. Si le canal était couvert par souci de propreté, il n'était pas hermétique pour résister à la pression comme les canalisations modernes. La pente devait être aussi faible que possible, afin que l'eau n'érode pas le fond du canal, mais suffisante pour assurer l'écoulement. Les auteurs antiques conseillaient des inclinaisons comprises entre 1 pour 200 et 1 pour 5 000. Cependant, les pentes observées sur les monuments restants vont de 1 pour 40, sur les six premiers kilomètres de l'aqueduc de Carthage, à 1 pour 14 000 sur un tronçon de 10 km de l'aqueduc de Nîmes. Autant que possible, le canal était creusé dans le sol.

Ci-dessous **Diagramme montrant le mécanisme d'un siphon inversé. Il permet de franchir une vallée encaissée à l'aide d'un système fermé de tuyaux.**

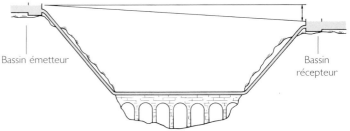

Bassin émetteur

Bassin récepteur

Lorsqu'il devait traverser de petites vallées ou des dépressions, il était surélevé sur de puissantes structures en maçonnerie afin de maintenir une pente égale. Parfois, de courts tronçons verticaux, comparables à des chutes d'eau, permettaient de franchir de fortes dénivellations.

En aucun point du parcours, le canal ne pouvait remonter plus haut que sa source. L'aqueduc devait donc soit contourner l'obstacle, soit le traverser au moyen d'un tunnel. Une longue inscription conservée en Algérie laisse deviner les difficultés de telles entreprises. Elle rend hommage au travail d'un ingénieur et géomètre militaire du nom de Nonius Datus. Celui-ci avait été chargé d'établir le tracé de l'aqueduc de Saldae, en Mauritanie césarienne. Hélas, lors du percement d'un tunnel important, de près de 500 m de longueur, il arriva, comme nous l'apprend l'inscription, que les équipes parties des deux extrémités en même temps creusèrent plus de la moitié de la longueur sans se rencontrer. Datus, qui avait été rappelé, modifia le tracé et mena l'entreprise à bien. Les tunnels ont toujours été les parties les plus délicates de l'ouvrage. Une étude du tunnel de Sernhac, sur le parcours de l'aqueduc de Nîmes, a montré que six équipes échelonnées sur 60 m avaient travaillé pendant deux mois pour venir à bout de ce tronçon.

Des problèmes survenaient également lors du franchissement des vallées profondes. Lorsque cela était possible, on préférait contourner la vallée, solution techniquement la plus simple et la moins coûteuse. L'autre solution courante consistait à construire un pont, tel celui du Gard qui permet à l'aqueduc de Nîmes de franchir le Gardon. D'une hauteur de 49 m, avec un arc central d'une portée de 24,5 m, c'est un des ponts-aqueducs les plus grandioses, mais il n'est en aucun cas unique. Tout aussi spectaculaires sont les vestiges de longues substructures à arcs qui portaient les aqueducs dans la campagne romaine. Les arcs réduisaient le volume à construire et n'entravaient pas la circulation au sol, où s'étendaient des champs et des zones résidentielles. Il arrivait fréquemment que l'eau achève son parcours sur des arcs, non seulement parce que nombre de villes antiques étaient implantées sur des collines, mais aussi parce que les canaux devaient atteindre une certaine hauteur pour garantir une pression d'eau suffisante. D'où certaines structures imposantes comme l'aqueduc à trois étages de Ségovie.

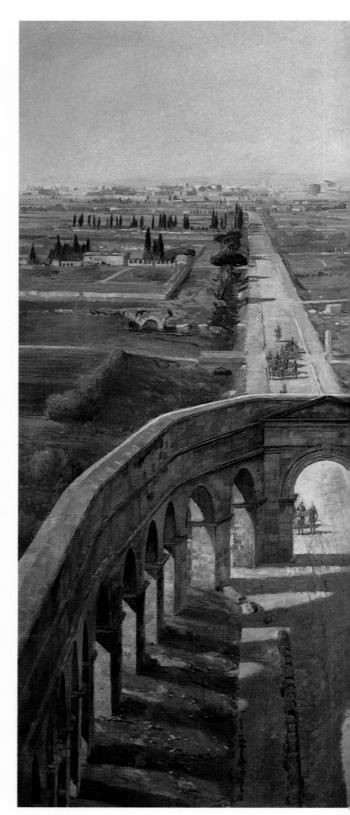

Reconstitution où l'on voit les arcs de l'Aqua Claudia-Anio Novus coupant une boucle de l'aqueduc plus ancien et plus bas de l'Aqua Marcia-Tepula-Julia, à Tor Fiscale, juste avant la quatrième borne milliaire de la Via Latina partant de Rome.

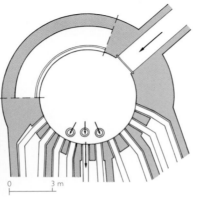

Vue et plan du *castellum aquae* de Nîmes : le bassin central était découvert et son pourtour très décoré ; dix conduites de 40 cm de diamètre portaient l'eau en différents points de la ville.

Quand les vallées étaient trop profondes pour être traversées par un simple pont, l'on mettait en place un système à pression fermé, sous la forme d'un siphon inverse : depuis un bassin de retenue situé sur un point élevé, l'eau descendait dans une batterie de tuyaux en plomb, jusqu'à un pont traversant la vallée ; de là, elle remontait sous sa propre pression jusqu'à un deuxième bassin, légèrement plus bas que le premier, situé sur l'autre versant, où l'aqueduc reprenait son cours normal. De tels siphons sont encore visibles à Aspendos, en Turquie, et à Lyon. Les tuyaux de plomb pouvaient

mesurer jusqu'à 0,3 m de diamètre (un pied romain), et le système était applicable avec des différences de niveaux supérieures à 100 m.

À l'endroit où l'aqueduc entrait dans la ville, on construisait un château d'eau (castellum aquae) qui répartissait l'eau entre plusieurs grosses conduites munies de vannes. Ces dernières permettaient de contrôler l'alimentation et d'assécher les conduites qui avaient besoin d'êtres réparées. Les conduites, le plus souvent de plomb, mais aussi en terre cuite ou en bois dans les provinces du Nord-Ouest, passaient sous les rues, les trottoirs et acheminaient l'eau sous pression dans un système fermé. À Pompéi, l'eau était distribuée jusqu'à des réservoirs situés au sommet de tours afin d'empêcher une trop forte accumulation de pression dans les canalisations. Il est possible, comme le suggère le célèbre architecte Vitruve dans ses écrits, que le réseau ait été organisé de telle manière qu'en période de pénurie l'alimentation des maisons privées soit coupée en premier, puis celle des thermes et des édifices publics, afin de laisser toute l'eau disponible aux fontaines publiques ; aucun foyer de Pompéi n'étant éloigné de plus de 50 m d'une fontaine, toute la population urbaine avait accès à de l'eau propre et rationnée.

Pris séparément, chacun des éléments d'un aqueduc fait impression. Mais c'est surtout l'envergure du système dans son ensemble et le génie pratique mis en œuvre par les ingénieurs hydrauliques romains pour vaincre les difficultés qui forcent l'admiration. On ne peut qu'être d'accord avec les auteurs de l'Antiquité, tels Pline l'Ancien et Frontinus, lorsqu'ils vantaient les aqueducs comme une des plus grandes merveilles de leur époque.

Les grandes arcades du pont du Gard portent l'aqueduc de Nîmes, au-dessus de la vallée encaissée du Gardon.

238

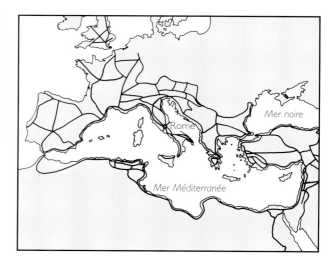

Les routes romaines

Datation : 312 av. J.-C.-VIe siècle ap. J.-C.
Localisation : ancien Empire romain

« Après un lissage des plus poussés, les dalles furent découpées en formes polygonales. Ensuite, il les assembla sans chaux ni matière d'aucune sorte. Elles se joignaient les unes aux autres avec tant de précision, et les interstices étaient si infimes que l'observateur ne croyait pas avoir affaire au travail de l'homme mais à celui de la nature. »

Les Guerres gothiques (XIV, 6-11), PROCOPE.

LORSQUE PROCOPE, au milieu du VIe siècle, donna cette description de la Via Appia, elle existait déjà depuis plus de huit siècles. La première des routes consulaires, amorcée en 312 av. J.-C., reliait Rome à Capoue, le grand centre de la Campanie. Elle fut ensuite prolongée jusqu'à Brundisium d'où les navires partaient pour la Méditerranée orientale. À la fin de la République, toute l'Italie était sillonnée par des voies rayonnant à partir de Rome. Cinquante ans plus tard, il était possible de voyager des Colonnes d'Hercule, à l'embouchure de la Méditerranée, jusqu'au Bosphore.

La première fonction des voies romaines étant stratégique, il n'est pas surprenant que leur réseau se soit étendu en même temps que l'empire, ni qu'il se soit développé jusqu'aux confins du monde romain, du nord de l'Angleterre à l'Euphrate. Selon de récentes estimations, l'Afrique du Nord, à elle seule, aurait totalisé 15 000 à 20 000 km de routes, sans compter celles à usage purement militaire ni les pistes de caravanes. Si leur fonction militaire n'a jamais totalement disparu, les voies avaient aussi une finalité administrative en assurant des communications rapides aux individus et à la poste impériale. D'autres voyageurs, notamment les pèlerins, tant païens que chrétiens, profitèrent également du réseau, de même que le commerce, en particulier celui des marchandises légères et de grande valeur. Plusieurs itinéraires et cartes d'époque tardive, comme l'*Itinéraire d'Antonin* de la fin du IIIe siècle, nous

---

FICHE SIGNALÉTIQUE

La Via Appia

Date

De Rome à Capoue	312 av. J.-C.
De Capoue à Bénévent	268 av. J.-C.
De Bénévent à Brindisi	après 268

Longueur

De Rome à Capoue :	132 milles romains (196 km)
De Capoue à Bénévent :	33 milles romains (48 km)
De Bénévent à Brindisi :	200 milles romains (286 km)
Total Rome-Brindisi :	365 milles romains (530 km)
Durée moyenne du trajet Rome-Brindisi :	13 ou 14 jours
Plus rapide voyage Rome-Brindisi attesté :	5 jours (191 av. J.-C.)
Largeur moyenne d'une route pavée :	14 pieds romains (4,14 m)
Largeur des trottoirs latéraux :	10 pieds romains (2,96 m)
Largeur de la chaussée traversant les marais pontins : 50 pieds romains (15,8m)

Ouvrages principaux

Viaduc d'Ariccia :	780 pieds rom. de long. sur 22 de haut. et 8,5 de larg. (230 sur 13 et 8,2 m)
Tranchée de Terracina :	120 pieds romains (36 m)

En haut **Longue ligne droite de la Watling Street, une des grandes voies romaines en Grande-Bretagne, entre Wroxeter et Wall.** *Ci-dessus* **Carte simplifiée des routes principales (consulaires) de l'Empire romain.**

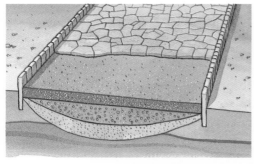

Ci-dessus **La construction d'une route romaine sur terrain marécageux (en haut) ou solide (en bas). En terrain instable, des troncs d'arbre étaient posés sur un châssis en bois, qui était couvert par une couche de dalles plates en calcaire, revêtues d'un mélange de gravier et de galets. En terrain sec, les couches étaient superposées dans l'ordre suivant : résidus de carrière, gravier ou blocaille, sable, et pierres de pavage.** *À droite* **La Via Appia, à sa sortie de Rome, est pavée de grandes dalles polygonales de basalte.**

restituent les conditions générales d'un voyage sur les routes romaines. Le fait qu'elle soient restées en usage durant tout le Moyen Âge montre à quel point elles furent importantes dans le modelage du paysage européen et méditerranéen.

La construction des routes

Tout comme les aqueducs, mais à une échelle bien plus grande, les voies romaines luttaient avec le relief et laissaient une trace indélébile dans le paysage. Si leur mode de construction variait selon leur usage et la nature du terrain, les grandes routes consulaires, comme la Via Appia, supposaient d'importants travaux d'ingénierie. Certaines suivaient en partie d'anciennes pistes très fréquentées qui furent rendues rectilignes, nivelées et pavées pour être carrossables en toutes saisons. On commençait par délimiter les bords extérieurs de la route en traçant deux sillons parallèles, distants de 40 pieds romains (12 m), entre lesquels on creusait une tranchée jusqu'à rencontrer la roche ou l'argile ; en terrain instable, la route était solidement posée sur des pilotis. La tranchée était ensuite comblée avec une première couche de pierres liées avec du mortier ou de l'argile, puis une deuxième couche de cailloux ou de gravier, et enfin une couche de sable grossier sur laquelle on posait les pavés, dont l'ajustement parfait a suscité l'admiration de Procope.

Au fil du temps, on perfectionna le tracé du réseau en créant des raccourcis à travers les obstacles naturels. L'empereur Trajan fit ainsi couper tout un pan de colline, sur une hauteur de 120 pieds romains (env. 36 m), afin que la Via Appia puisse longer la côte au sud de Terracina au lieu de gravir un promontoire escarpé. Plus au sud, Domitien fit construire un tronçon de plusieurs kilomètres sur pilotis, qui franchissait en ligne droite les abords marécageux de Naples. La

description qu'en fait le poète Stace (*Les Silves* IV, 3, v), entrecoupée de louanges dithyrambiques de l'empereur, donne un excellent aperçu des problèmes logistiques.

De telles chaussées, ainsi que les nombreux ponts et les quelques tunnels qui subsistent, témoignent de la volonté de conquérir la nature là où l'efficacité du réseau l'exigeait. La même impression se dégage du tracé général des routes, avec leurs longs tronçons rectilignes qui marquent encore si fortement les paysages européens.

L'habileté des géomètres romains, qui travaillaient souvent dans des contrées mal connues, est exemplaire. Ils étaient capables, par exemple, de calculer la distance entre deux points inaccessibles. Ils disposaient de formes primitives de nos instruments topographiques usuels, y compris un genre de théodolite (mais dépourvu de lentilles), la *dioptra*, et un long clinomètre, le *chorobates*; ils traçaient les lignes et calculaient les angles droits à l'aide d'un outil appelé *groma*. Néanmoins, si la science et l'adresse des hommes se manifestent sous des formes différentes dans chacune des routes de l'empire, c'est bien l'ampleur du réseau qui traduit le mieux la puissance de Rome.

Le port de Césarée

Datation : 22-10/9 av. J.-C.
Localisation : Césarée, Israël

« Sur la côte, Hérode découvrit une ville portant le nom de Tour de Straton qui, bien que très délabrée, était à même de bénéficier de sa générosité à cause de son emplacement favorable. Il la reconstruisit entièrement en marbre et l'orna des palais les plus splendides. Ce projet était à la mesure de son génie pour les desseins grandioses, car la côte, de Dor à Joppa [...] manquait d'un port [...]. Ainsi, au prix de dépenses considérables et poussé par son ambition, le roi conquit la nature elle-même en bâtissant un port plus grand que le Pirée... »

La Guerre des Juifs (1408-10), FLAVIUS JOSEPHE, 75-79.

L E GRAND PORT artificiel de Césarée fut, du point de vue technique, une des entreprises les plus audacieuses de l'Antiquité. Hérode le Grand, roi de Judée de 39 à 4 av. J.-C., fonda la ville prétendument en l'honneur de l'empereur Auguste, de qui il tenait son trône. Mais ses mobiles étaient tout autant économiques et politiques : il créait ainsi un nouveau port sur les grandes routes commerciales entre l'Orient et l'Occident, et fondait une ville gréco-romaine sans liens avec le passé du peuple juif. La perspicacité de ses vues se confirma après sa mort, lorsque les Romains fixèrent la capitale de la nouvelle province de Judée à Césarée.

Le port

L'avant-port, d'environ 20 hectares, était protégé par deux grandes digues artificielles d'environ 70 m de largeur (200 pieds romains). Le port s'ouvrait au nord, et le plus long des deux ouvrages contenait la houle du large venant de l'ouest et du sud. Un deuxième bassin, de taille similaire, avait été construit pour la ville précédente, dite Tour de Straton. Selon l'historien Flavius Josèphe, la nouvelle digue était jalonnée de tours, et à l'entrée du port se dressaient trois statues colossales montées sur de hautes colonnes, elles-mêmes reposant

---

FICHE SIGNALÉTIQUE

Superficie de l'avant-port	env. 200 000 m²
Superficie du port	env. 105 000 m²
Longueur de la digue nord	env. 200 m
Longueur de la digue sud	500 m
Largeur max. de la digue sud	70 m (env. 200 pieds rom.)
Plus grand bloc en béton : 11,5 sur 15 et 24 m (39 sur 51 et 8 pieds rom.)	
Plus grands blocs de pierre : 5,5 sur 1,25 et 1,25 m (58 sur 4 et 4,25 pieds rom.)	

sur de gigantesques fondations. Flavius Josèphe ne fait pas mention d'aucun phare pour guider les navires. Cependant, la tour Drusion (nommée d'après le fils adoptif d'Auguste, Drusus) pourrait avoir rempli cet office. Elle est décrite comme la plus haute et la plus somptueuse de tout le complexe.

Hérode s'est manifestement inspiré des grands ports de la Méditerranée, tels Alexandrie et Carthage, mais la technologie semble bien avoir été importée de Rome. Flavius Josèphe prétend que des blocs de pierre de 50 pieds de longueur sur 10 pieds de largeur et 9 pieds de hauteur (soit 15 m sur 3 m et 2,5 m) furent employées dans la construction. Cette affirmation, apparemment invraisemblable, a été en partie confirmée lors des fouilles pratiquées dans les années 1980. On a découvert que les pierres locales utilisées étaient en fait assez petites, et que les grands blocs étaient non en pierre mais en béton. C'était le cas notamment du grand musoir de la digue nord, mesurant 11,5 m sur 15 m et 2,4 m, soit approximativement 39 sur 51 et 8 pieds romains.

Du fait de l'environnement aquatique, une partie du coffrage en bois utilisé pour mouler les blocs a également été préservé, ce qui a permis de comprendre le processus de construction. Le coffrage était à lui seul une prouesse technique avec ses assemblages de planches à clin et à mortaise. Une grande partie du bois était du pin et du sapin, essences importées d'Europe, que l'on ne trouve pas sur place. Sur une base de grosses poutres, on élevait un parement double de planches, consolidé à l'intérieur avec des poutres transversales. L'analyse du béton a révélé une technologie très

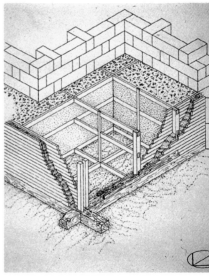

Ci-dessus **De grands blocs de pierre auraient été difficiles à manipuler et à positionner en mer. Aussi a-t-on construit des coffrages en bois qui ont été emplis de ciment hydraulique puis remorqués jusqu'au site.** *À gauche* **Dessin restituant le port de Césarée au temps d'Hérode.**

sophistiquée. Le mortier contient un sable volcanique, la pouzzolane, qui confère au béton des propriétés lui permettant de prendre sous l'eau. La pouzzolane de la coque extérieure de chaque bloc était broyée plus finement que celle du cœur pour accélérer le durcissement. Sec, le béton obtenu était si léger qu'il pouvait flotter pendant quelque temps. Ainsi, le parement du coffrage pouvait être rempli sur le rivage ou non loin, ce qui devait être beaucoup plus pratique à réaliser qu'en mer. Ensuite, l'ensemble de la structure pouvait être remorquée jusqu'à son emplacement définitif. En prenant, le béton absorbait de l'eau et s'alourdissait suffisamment pour descendre sur le fond. Une fois le coffrage immobilisé, il était possible de le remplir avec davantage de béton pour constituer les blocs.

La pouzzolane utilisée était certainement importée. Elle provenait très vraisemblablement de Pouzzoles, sur la baie de Naples, d'où ce matériau tire son nom. La proportion de chaux et de pouzzolane était de un pour deux environ, suivant les recommandations du traité d'architecture écrit par Vitruve, peu avant la construction du port, vers 27 av. J.-C. La technologie du béton pour bâtir des ports avait été mise au point en Italie centrale, au cours des deux siècles précédents, et elle faisait appel aux matériaux locaux tels que la pouzzolane. Hérode, on le voit, devait davantage à Rome que la seule volonté politique de créer un port qui « conquit la nature elle-même ».

À gauche **Vue aérienne des vestiges du port de Césarée.**
Ci-dessus **Une équipe d'archéologues sous-marins, dirigée par Avner Raban, a dégagé une grande partie du port antique.**

245

Les routes du Chaco au Nouveau-Mexique

Datation : XIᵉ siècle
Localisation : Nouveau-Mexique, États-Unis

« Ne vous contentez pas d'admirer les ruines magnifiques, l'architecture envoûtante, le paysage saisissant et les beaux objets d'art. Pensez également à l'expérience de développement politique et économique qui eut lieu ici. »
DOUGLAS SCHWARTZ, 1984.

PEU DE PEUPLES de l'Amérique du Nord excitent autant l'imagination que les Anasazi. Le mot Anasazi, qui signifie « le premier peuple » en navajo, rend hommage à une culture pueblo qui atteignit un haut degré d'épanouissement aux XIᵉ et XIIᵉ siècles, avant de disparaître au siècle suivant, laissant derrière elle un mystérieux réseau routier d'une grande extension.

Entre 850 et 1150, le Chaco Canyon du Nouveau-Mexique était un des principaux sites d'implantation de la société Anasazi. Il comptait au moins cinq Grandes Maisons – ou grands *pueblos* – qui étaient aussi des centres rituels et commerciaux. À son apogée, au XIᵉ siècle, Pueblo Bonito renfermait au moins 600 pièces, où logeaient environ un millier d'habitants. Ce fut, en quelque sorte, le plus grand immeuble à appartements que l'Amérique du Nord ait connu avant les immeubles new-yorkais des années 1880. Les Grandes Maisons à plusieurs étages étaient des agglomérations où les foyers étaient répartis par parentés. Dans la partie centrale du complexe, chaque « clan » disposait d'une petite *kiva*, un espace où travailler, éduquer les enfants et accomplir les cérémonies. Lors des cérémonies plus solennelles ou pour prendre des décisions intéressant l'ensemble de la communauté, on se rassemblait dans les grandes *kivas*.

Ci-dessus **Reconstitution de Pueblo Bonito, par H. H. Nichols en 1881 ; la hauteur des falaises est exagérée.** *À droite* **Pueblo Bonito aujourd'hui, vu depuis l'escarpement dominant le site. À l'intérieur du demi-cercle, on aperçoit les grandes kivas circulaires.**

FICHE SIGNALETIQUE

Longueur connue	au moins 250 km
Longueur max. en ligne droite continue	63 km
Largeur maximale	9 m
Profondeur maximale	1,5 m

Plan simplifié montrant la distribution rayonnante du réseau routier du Chaco.

Les routes

Ce que l'on a appelé le « phénomène du Chaco », c'est-à-dire un certain nombre de communautés dispersées entretenant des liens sur des distances considérables durant les périodes de pluies abondantes, fonctionnait à plein vers 1050. En 1115, pas moins de soixante-dix communautés étaient dispersés sur plus de 65 000 km² dans le nord-ouest du Nouveau-Mexique. Beaucoup étaient originaires du Chaco et leur architecture présentaient des traits communs avec celle des *pueblos* du canyon. Celui-ci se trouvait au centre d'un système routier complexe et

extrêmement étendu, qui fut reconnu pour la première fois sur des photographies aériennes des années 1930, mais dont aucun plan n'a pu être dressé avant que le radar à balayage latéral ne livre des clichés plus précis, dans les années 1970 et 1980.

Un réseau de plus de 650 km de routes sans revêtement relie Chaco à plus de trente colonies éloignées. Ces voies, qui peuvent atteindre 12 m de largeur, sont creusées dans le sol sur une profondeur de quelques centimètres et sont délimitées par des talus bas ou des murets de pierre. Elles parcourent de longues distances – 96 km pour l'une d'entre elles –, filant en ligne droite vers le canyon où elles descendent les falaises par de marches taillées dans le roc. Au fond du canyon, elles fusionnent dans les défilés et se séparent à nouveau pour mener chacune à une Grande Maison différente. En trois endroits où elles s'unissent, un sillon, au centre, délimite clairement deux chaussées distinctes.

Le sens de ce réseau routier n'est pas facile à déterminer. Pendant plusieurs années, les archéologues ont cru que ces routes étaient empruntées par des centaines, voire des milliers, de marchands et de pèlerins se rendant au canyon afin d'accomplir des rites importants aux solstices et à d'autres dates. Ils auraient logé dans les Grandes Maisons, dotées de magasins pouvant nourrir les visiteurs. Cette théorie ingénieuse s'effondra lorsqu'un relevé plus approfondi révéla qu'un grand nombre de voies du Chaco ne conduisaient nulle part bien qu'elles soient reliées à une Grande Maison ou une *kiva*. Dans notre monde moderne, une route va nécessairement d'un point à un autre, aussi avait-on imaginé que tous les tronçons retrouvés devaient former des lignes droites, alors que cela ne fut pas forcément le cas. Les grandes voies nord et sud partent du Chaco, mais seuls 250 km de route ont été effectivement relevés au sol.

L'explication la plus vraisemblable aujourd'hui ferait intervenir la cosmologie pueblo. La voie dite « Grande Route nord » part du Chaco et s'étend sur 63 km avant de disparaître brusquement dans le Kutz Canyon. Le nord est une direction essentielle pour les peuples de langue keresan qui pourraient avoir une ascendance chaco. Selon leurs croyances, le nord conduit au « lieu des origines », où errent les esprits des morts. Peut-être la Grande Route nord était-elle un cordon ombilical conduisant au monde des esprits, un canal investi d'une puissance spirituelle. Les Keresan croient également en l'importance d'un « lieu médian », point de convergence des lignes partant des quatre points cardinaux. Pueblo Bonito, dont le plan se conforme à ces quatre directions, pourrait avoir été le « lieu médian » du Chaco.

Ainsi sommes-nous peut-être en présence d'un paysage sacré qui ordonnait le monde et unissait des communautés isolées à un puissant « lieu médian » par des liens spirituels.

Abandon

À partir de 1130, le plateau du Colorado fut frappé par une sécheresse intense qui dura cinquante ans. Bientôt, les communautés périphériques cessèrent de commercer et d'échanger de la nourriture avec les Grandes Maisons, obligeant les villes du canyon à compter sur leur propre environnement, déjà surexploité. Peu à peu, la population des grands *pueblos* partit s'installer dans des villages et des hameaux éloignés du grand *arroyo*. Au début du XIIIe siècle, le canyon et ses routes étaient à l'abandon.

Les routes du Chaco descendaient dans le canyon par des escaliers, tel celui-ci, taillé dans le grès mesa, qui s'élève derrière Casa Rinconada. Sentiers symboliques ou simples voies de communication couvrant des distances considérables, les routes du Chaco restent une énigme dans l'histoire pueblo.

Les routes et les ponts incas

Datation : vers 1450-1532
Localisation : ancien Empire inca

« Ah, peut-on dire pareillement d'Alexandre ou de l'un quelconque des puissants rois qui dirigèrent le monde, qu'ils construisirent une telle route... »

PEDRO DE CIEZA DE LEON, 1553.

LE RÉSEAU routier inca constitue l'une des plus grandes prouesses techniques du Nouveau Monde, à la mesure du réseau des voies romaines de l'Ancien Monde. Un réseau de 25 000 km reliait Cuzco, la capitale inca perchée sur les hauteurs andines du sud du Pérou, aux territoires les plus éloignés de l'empire. Pedro de Cieza de León, un jeune soldat espagnol qui a parcouru les hauts plateaux dans les années 1540, écrit : « Dans les annales des peuples, je doute que l'on trouve mention d'une route comparable à celle-ci, passant au fond de vallées encaissées, au sommet de hautes montagnes, à travers des monceaux de neige et des bourbiers, sur le roc nu et le long de rivières tumultueuses... »

Deux axes constituaient l'épine dorsale du réseau : la *Qhapaq Ñan* (« Voie opulente ») entre Cuzco et Quito (aujourd'hui en Équateur) et une route côtière parallèle. Elles étaient reliées par des dizaines de tronçons transversaux, et d'autres voies les prolongeaient au sud, jusqu'à Santiago au Chili, et en Argentine du Nord. La route des hauts plateaux s'achevait au nord près de l'actuelle frontière entre la Colombie et l'Équateur. Celle « de la Conquête » reliait le grand pôle administratif de Huánuco Pampa, au

Un villageois traverse un pont de corde de fabrication récente, sur le cours supérieur de l'Apurimac.

FICHE SIGNALÉTIQUE	
Longueur totale du réseau	25 000 km
Largeur max. des routes d'altitude	16 m
Longueur du pont suspendu sur l'Apurimac (dans les années 1870)	45 m
Hauteur au-dessus de l'eau, au point le plus bas du pont	35 m

Ci-dessus **Carte du réseau routier inca qui couvrait quelque 250 000 km.**
À droite **La route inca à Huánuco, au centre du Pérou, fut construite sur un terre-plein surélevé et mesure 10 m de largeur.**

centre du Pérou, à Chachapoyas sur les pentes boisées des Andes orientales. Plusieurs voies, parmi les plus hautes jamais construites, conduisaient à des sanctuaires de montagne dont certains culminaient à plus de 5 000 m d'altitude.

La *Qhapaq Ñan* fit une forte impression sur les conquistadores espagnols. Aucune autre route ne traversait autant de villes incas, aucune n'était construite sur d'aussi longues distances, avec un tel luxe de pavage en pierre, de cassis, de canaux de drainage et de chaussées surélevées traversant des marécages. Les carrières locales et autres affleurements proches de la voie avaient fourni les matériaux de construction. Les escarpements étaient franchis à l'aide de marches en pierres brutes ou taillées. (Les peuples andins ne connaissant pas la roue, les escaliers étaient la solution la plus simple pour les pentes les plus raides.) La largeur de la chaussée variait selon la nature du terrain: au sud de Huánuco Pampa, dans la *puna*, une haute plaine déserte et désolée, on a relevé un tronçon pavé de 20 km de longueur et 16 m de largeur.

Dans la jungle d'altitude, enveloppée par la brume, les ingénieurs incas ont construit des routes vertigineuses, empierrées en cailloux, courant à flanc de falaise, souvent interrompues par des marches taillées dans la roche et d'une largeur variant entre 1 et 3 m. Le long de la côte désertique, où les pluies sont rares, la chaussée n'était jamais pavée. D'une manière générale, la voie côtière était moins « construite » que son homologue d'altitude, mais on relève, çà et là, des passages en escalier pour franchir des collines basses. Sa largeur varie de 3 à 10 m, et dans les parties désertiques, seules des pierres ou des poteaux en bois bornaient le chemin. Lorsqu'on entrait dans des vallées irriguées, des murs d'adobe ou de *tapia* (terre damée) empêchait les passants et les caravanes de lamas de sortir de la route et de piétiner les cultures.

Le franchissement des rivières
Les Incas n'ont jamais connu l'arche. À la place, ils ont conçu d'ingénieux ponts suspendus de portée considérable. Faits de cordes tressées qui s'incurvaient au centre et s'accrochaient à des culées en pierre, ils terri-

fiaient les Espagnols. L'installation d'un pont suspendu n'était pas une mince entreprise. En 1534, Pedro Sancho, secrétaire du conquistador Francisco Pizarro, observa qu'il fallut vingt jours aux troupes incas pour reconstruire un pont, sous la direction d'un *chaka-kamayoq* ou maître de pont.

Quelques ponts incas sont encore en service de nos jours. À Huinchiri, au sud-ouest de Cuzco, cinq cents personnes des quatre villages environnants consacrent trois jours de l'année à refaire un pont suspendu. Au préalable, chaque famille fabrique son lot de cordes, appelées *k'eswa*, à partir des tiges de fleurs de la plante q'oya ; un pont se dit *k'eswa chaka*, ou pont de corde. Les femmes filent les tiges sèches entre les paumes de leurs mains pour produire une corde à deux brins, de l'épaisseur d'un doigt et d'une longueur de 50 m. Le jour venu, les villageois se rassemblent de part et d'autre de la rivière avec leurs *k'eswa*. Les groupes d'hommes de chaque village alignent les cordes le long de la route en trois groupes de vingt-quatre, avant de tordre vigoureusement les torons pour faire des câbles, eux-mêmes tressés ensemble. Les cordes finales ainsi obtenues font environ 20 cm de diamètre. Il faut huit hommes forts pour porter chacune d'elles jusqu'à l'emplacement du pont.

Les hommes d'un village sont spécialement affectés au lancement et au serrage des cordes. Les câbles tressés, attachés à une corde-guide, sont lancés en travers du canyon et fixés à des poutres calées derrière les butées. Puis l'équipe se divise en deux, et, dans un effort surhumain, s'aidant de grands cris, chaque groupe tend les câbles en les enroulant autour de poutres en pierre. À la fin du deuxième jour, la base du pont est en place : quatre lourdes tresses tendues en travers du gouffre. Deux câbles tressés plus petits feront office de main courante. Le troisième et dernier jour, le *chaka-kamayoq* ou maître de pont, à califourchon sur les

quatre câbles, avance le plus loin possible pour installer une barre transversale en bois au point le plus bas afin de fixer l'écartement, qu'il arrime solidement. Tandis qu'il progresse sur le pont, un deuxième homme, derrière lui, attache les mains courantes au tablier avec un nœud simple. On pose ensuite un plancher de nattes et le pont est terminé.

Les villageois de Huinchiri utilisent une technologie et une méthode de travail semblables à celles de leurs ancêtres, sans la moindre trace d'influence européenne. Le pont de Huinchiri, sur le cours supérieur de l'Apurimac, existait déjà à l'époque inca. C'était une structure mineure, peu fréquentée et de petite taille en comparaison des grands ponts suspendus de l'empire.

Le plus célèbre des anciens ponts suspendus se trouvait en aval de Huinchiri, en travers de la gorge de l'Apurimac, à l'ouest de Cuzco. Il a été entretenu jusqu'au XIXe siècle. Il mesurait 45 m de longueur et, à son point le plus bas, il surplombait de 35 m les flots rugissant de la rivière. Il était constitué de cinq câbles de 10 cm d'épaisseur, tressés en cabuya, une plante apparentée à l'agave. Son plancher était fait de petites branches et de cannes de jonc attachées avec des ficelles en cuir brut. Les cordes tressées étaient fixées à des butées en pierre.

Les Incas ont également construit des ponts moins audacieux, en pierre et en bois ; à l'occasion, ils se contentaient de bacs pour traverser les rivières. Mais les ponts suspendus et le système dérivé des *oroyas*, qui utilise un panier suspendu à un câble tendu entre deux rives, constituent la réelle originalité de la technologie inca dans ce domaine.

À gauche **Des villageois apportent des cordes dont ils font des tresses.** *Au centre* **Avant de tordre les cordes ensemble, on les étend sur le bord de la route.** *Ci-dessous* **Le pont achevé se balance à une hauteur vertigineuse au-dessus de l'Apurimac.**

Statues colossales et monolithes

LE GIGANTISME a toujours été pour les individus comme pour les peuples un moyen privilégié d'impressionner leurs semblables : sujets, ennemis ou héritiers. Au fil des âges, ont été élevés des statues et des monuments dont la taille a donné lieu à toutes sortes de légendes, tissées d'exploits surhumains, d'interventions divines et de pouvoirs magiques. La grandeur de ces créations est d'autant plus frappante lorsqu'il s'agit de visages ou de corps humains : des têtes ou des corps entiers, de la taille de géants, délivrent leur message avec une force redoublée. À cet égard, l'exemple moderne du mont Rushmore, en Amérique du Nord, n'est pas différent du Bouddha de Bamian, en Afghanistan, du Sphinx de Gizeh et des colosses de Memnon en Égypte, ou des têtes olmèques au Mexique : ces sculptures colossales, d'individus réels ou imaginaires, représentés à une échelle telle qu'ils dominent le cadre où ils s'inscrivent, communiquent au spectateur une impression de puissance mêlée de mystère.

La force de l'image réside en partie dans le fait qu'elle soit visible de loin, conséquence à la fois de sa dimension et de sa situation. Les colosses de Memnon, tout comme le Bouddha de Bamian, incarnent le pouvoir royal ou religieux sous la forme d'un ouvrage qui domine toute la vallée environnante. Ailleurs, on a tiré parti du relief et implanté un monument au sommet d'une hauteur, augmentant ainsi sa visibilité. C'est le cas du mémorial à colonnade de La Turbie (qui célèbre une victoire), juché sur une colline d'où il surplombe la Méditerranée et proclame l'invincibilité des armées romaines ainsi que la toute-puissance de l'empereur Auguste.

Une rangée de statues monolithiques de l'île de Pâques se dresse sur une plate-forme rituelle. Pourvues à l'origine d'yeux incrustés, ces statues représentent peut-être des ancêtres vénérés.

À la taille et à la visibilité s'ajoute parfois une autre cause d'émerveillement : nombre de ces œuvres ne sont pas seulement grandes, elles sont monolithiques. L'impression de puissance surhumaine est renforcée par la difficulté d'imaginer comment un bloc de pierre ou une fonte en métal aussi gigantesques ont été façonnés et mis en place. Le colosse de Rhodes, qui faisait partie des Sept Merveilles du monde antique, en est l'exemple type. Les auteurs anciens témoignent que le « merveilleux » résidait dans l'incroyable prouesse technologique représentée par cette statue, fondue *in situ*, morceau par morceau.

Les volumineux monolithes érigés en des temps reculés suscitent de nos jours des réactions analogues : il en va ainsi du Grand Menhir de Locmariaquer, en Bretagne, avec ses 280 tonnes, ou des stèles d'Aksoum, en Éthiopie, dont la plus haute dépasse les 500 tonnes. Mais ces monuments eux-mêmes auraient paru anodins à côté des 1 150 tonnes de l'obélisque de granite qui repose, inachevé, dans les carrières d'Assouan, en Haute-Égypte. La Stèle 1 d'Aksoum est sans doute le plus grand monolithe jamais érigé et l'obélisque d'Assouan, le plus grand jamais conçu.

À chaque fois, les hommes ont dû trouver des techniques efficaces non seulement de dégager le bloc de son lit de roche, mais aussi pour l'acheminer, sur la terre ou sur l'eau, parfois sur des distances considérables, jusqu'à son lieu d'érection. Bien des experts du XXᵉ siècle sont restés perplexes devant un tel gigantisme, et ils n'ont eu de cesse de découvrir comment ces pierres avaient été manœuvrées sans le secours de la technologie moderne. Ces œuvres devaient cependant impressionner bien davantage leurs contemporains : emblèmes du savoir et du pouvoir, elles s'auréolaient en outre du mystère de leur création ; elles étaient les outils d'une propagande coûteuse mais efficace.

Nombre d'entre elles étaient des manifestations de puissance autant que de piété et étaient associées au sacré. Le Bouddha de Bamian, le colosse de Rhodes et le Grand Sphinx de Gizeh avaient tous un sens religieux. Les statues de l'île de Pâques également relevaient du sacré en tant que représentations des ancêtres dont l'intercession était considérée comme cruciale au bien-être de leurs descendants. Sacrées également, les images formées par les célèbres lignes nazcas, grattées à la surface du sol dans le désert du Sud péruvien. Si certaines se contentaient de définir des chemins processionnels que l'on parcourait à pied, d'autres avaient la forme d'oiseaux, de poissons ou de singes qui n'étaient identifiables que vues du ciel, très haut au-dessus du désert. Elles étaient destinées aux dieux ou aux chamans, et non au commun des mortels.

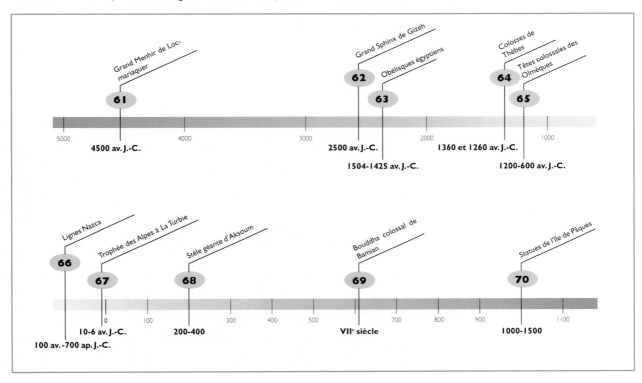

Le Grand Menhir brisé
de Locmariaquer

Datation : vers 4500 av. J.-C.
Localisation : Bretagne, France

« N'oublions pas que l'érection de l'obélisque de Locmariaquer fut l'œuvre d'un âge primitif, ignorant vraisemblablement les forces mécaniques, et ne disposant donc, pour l'essentiel, que de la force physique de l'homme. »

JOHN BATHURST DEANE, 1834.

SUR LA CÔTE méridionale de Bretagne, près de Locmariaquer, quatre énormes blocs d'une pierre brisée reposent sur le sol. Ce sont les restes du Grand Menhir, le plus grand monolithe érigé en Europe à l'époque préhistorique. Intact, il devait s'élever à 20 m de hauteur ; les quatre fragments pèsent au total 280 tonnes. On pourrait penser que seule une société forte d'une expérience multiséculaire dans la taille, le transport et l'érection de grands blocs de pierre, a pu être capable d'une telle prouesse. Or, d'après des recherches récentes, il semblerait que le Grand Menhir appartienne à la phase la plus ancienne du néolithique breton, soit environ 4500 av. J.-C.

Le transport et la finition de la pierre
La pierre du Grand Menhir est un granite à gros grain qui provient très certainement d'un affleurement situé dans l'estuaire de l'Auray, à 12 km au nord. Sans doute l'eau fut-elle mise à contribution pour le transport. Il a toutefois fallu déployer des trésors d'ingéniosité et mobiliser une main-d'œuvre importante pour traîner un tel bloc, ne fût-ce que sur quelques mètres. Rappelons qu'il est deux fois plus long et sept fois plus lourd que la plus volumineuse des pierres de Stonehenge.

À première vue, la pierre ne semble avoir subi aucun traitement, mais un examen détaillé révèle les traces d'un intense travail de bouchardage et de martelage afin de lisser la surface. La finition fut exécutée après l'érection de la pierre, car la base, fichée dans le sol, fut laissée brute.

Un motif gravé, que l'on devine encore près de la cassure du deuxième morceau, a été ajouté à mi-hauteur du menhir lors de la phase finale. On pense généralement qu'il s'agirait d'une hache en pierre à manche en bois, bien que la lame soit bien courte et curieusement recourbée. L'usure du temps empêche de la voir distinctement, sauf dans la lumière oblique du soir. À l'origine, elle devait ressortir plus nettement et pourrait même avoir été peinte.

Les deux personnes juchées sur un morceau du Grand Menhir brisé donnent une idée de l'énormité de la pierre. Le soin apporté au façonnage des larges faces bombées et des bords arrondis et étroits est également évident.

FICHE SIGNALÉTIQUE	
Poids estimé	280 t
Longueur estimée	20 m
Largeur max.	4,1 m
Longueur de la hache gravée	1,65 m

L'érection et la destruction

Le Grand Menhir est si imposant que pendant des années, on s'est demandé s'il avait jamais pu être dressé. À en croire une légende locale, il aurait bien été érigé, mais un tremblement de terre, ou la foudre, l'aurait renversé dans le courant des deux derniers millénaires. Cependant, un examen minutieux des cassures entre les fragments incite Jean L'Helgouach à conclure que le menhir fut abattu par les hommes et en deux temps. Alors que la pierre était encore debout, des coins formant un anneau furent enfoncés au premier tiers de sa hauteur, provoquant l'éclatement du menhir et la chute en direction de l'est des deux tiers supérieurs qui se brisèrent en trois morceaux. Les traces des coins sont encore visibles, formant comme des empreintes de dents sur le rebord du fragment inférieur. La souche massive restante fut arrachée de son trou lors d'une seconde opération, et renversée, cette fois en direction de l'ouest. C'est pourquoi la base et le sommet du menhir gisent aujourd'hui à l'opposé.

Les trous découverts à proximité du Grand Menhir indiquent qu'il était le dernier élément d'un alignement s'étirant en ligne à peu près droite, sur 55 m vers le nord. Les trous diminuent en taille en s'éloignant du Grand Menhir. Des autres monolithes eux-mêmes, il ne reste que d'infimes fragments.

Ci-dessus **Le motif gravé sur le Grand Menhir brisé représente sans doute une hache de pierre, munie d'un manche en bois, de forme complexe.** *Ci-contre* **Les morceaux épars du Grand Menhir avec, à l'arrière, la tombe à passage de la Table des Marchands, reconstruite.**

Que sont devenues les pierres qui se dressaient dans ces trous ? La réponse est fournie par les tombes à passages de La Table des Marchands, à quelques mètres du Grand Menhir, et par celles de Gavrinis, une île située à 4 km à l'est. On connaît depuis longtemps le motif gravé sur la face inférieure de la dalle de couverture de la Table des Marchands : une forme de charrue ou de hache avec un manche, et un détail d'animal peut-être à longues cornes. Lorsqu'en 1984 des fouilles mirent au jour la face supérieure de la dalle du Cairn de Gavrinis, il apparut qu'elle était le prolongement de la même pierre. Les deux dalles provenaient d'un même menhir, probablement dressé à l'origine à Locmariaquer. Il fut renversé et brisé, et ses morceaux transportés pour être réutilisés dans des monuments néolithiques voisins. La destruction date donc de l'époque néolithique. Ainsi, les pierres sacrées d'une génération étaient renversées sans ménagement pour être incorporées dans les monuments funéraires des générations suivantes.

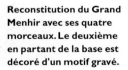

Reconstitution du Grand Menhir avec ses quatre morceaux. Le deuxième en partant de la base est décoré d'un motif gravé.

Le Grand Sphinx de Gizeh

Datation : v. 2500 av. J.-C.
Localisation : Gizeh, Égypte

« En avant des pyramides, se trouve le Sphinx, qui mérite peut-être davantage l'admiration. Il impressionne par son immobilité et son silence ; c'est la divinité locale des habitants de la région. »

PLINE L'ANCIEN, 23-79.

LE GRAND SPHINX de Gizeh reste l'un des monuments les plus extraordinaires d'Égypte. Quoique écrasé par les pyramides voisines, il a conservé sa hauteur originelle d'environ 20 m et il s'étire sur une longueur de 72 m. Le sphinx égyptien réunit la tête, et par conséquent l'intelligence, du roi régnant au corps et à la puissance du lion, qui est également lié au symbolisme solaire. Bien que les sphinx soient assez fréquents dans l'art égyptien plus tardif, le Grand Sphinx est l'un des plus anciens et, de loin, le plus grand de son espèce. Son sens originel est incertain, mais on sait que, ultérieurement, les Égyptiens le considéraient comme une manifestation du dieu Horus, incarnation du Soleil levant, associé à la royauté primitive.

Il a été taillé dans le roc du plateau de Gizeh, probablement sous le règne du roi Khéphren (v. 2520-2494 av. J.-C.), car il se dresse à côté de la rampe qui progresse vers le temple de vallée de la pyramide de ce pharaon. Bien que l'on ait récemment suggéré, considérant son usure, qu'il puisse dater de plusieurs millénaires avant les pyramides, il est peu probable, d'après le contexte archéologique, qu'il ait été sculpté avant le complexe de Khéphren.

La construction

Il est difficile de savoir quelle était la topographie du site avant la réalisation du Sphinx, car on y a abondamment puisé les matériaux de construction des pyramides. Cependant, il semble que la tête du Sphinx ait été taillée dans un nodule naturel de roc faisant saillie à la surface du plateau ; un affleurement similaire, mais non taillé, est visible à proximité. Sans doute a-t-on conservé ce morceau de roche intact à dessein, lorsqu'on a extrait les pierres environnantes pour les pyramides, car la tête et le haut du corps se dressent au-dessus du niveau du sol environnant.

Une tranchée en U a été creusée autour du noyau rocheux réservé pour le corps, afin de tailler les parties basses sous le niveau du plateau. Comme les pyramides et temples voisins, le Sphinx est orienté avec précision en direction de l'est, mais le fossé qui l'entoure est de forme trapézoïdale, car son côté sud est

FICHE SIGNALÉTIQUE

Hauteur	20,22 m
Longueur	72,55 m
Largeur	10 m (taille)
	19,10 m (hanches)

Principales campagnes de restauration
Phase I : v. 1400 av. J.-C. (XVIIIe dynastie)
Phase II : v. 664-525 av. J.-C. (XXVIe dynastie)
Phase III : v. 332 av. -642 ap. J.-C. (périodes grecque et romaine)
Moderne : quatre campagnes entre 1925 et 1998

parallèle à la rampe de la pyramide de Khéphren. À l'époque de la réalisation du Sphinx, les Égyptiens maîtrisaient les techniques d'extraction et de transport de gros blocs de pierre. Le creusement de cette tranchée ne dut pas poser de problème à la main-d'œuvre.

Lorsque le roc pouvait être attaqué en surface, on extrayait les blocs en creusant un quadrillage de tranchées étroites. Les carriers travaillaient avec des outils de broyage, en pierre dure, et des pics en pierre, mais aussi probablement en cuivre. Les corridors descendaient un peu en dessous de l'épaisseur voulue pour le bloc. On le découpait d'abord par une légère incision, puis on le dégageait de sa base à l'aide de leviers en bois, et on le sortait en le tirant par devant. Dans le cas de la tranchée du Sphinx, nombre de blocs ont servi à construire le temple voisin. Les strates de ses pierres correspondent à celles que l'on observe sur les flancs de la tranchée et sur le corps du Sphinx.

Une fois extraite la pierre qui entourait la statue, celle-ci fut façonnée avec soin, à l'aide de ciseaux en cuivre et de maillets en bois. Le style de la tête est proche de celui des statues royales de Khéphren, notamment dans le traitement des insignes royaux que sont la coiffure à plis (nemes) et le cobra sur le front. Le visage porte encore des traces de peinture rouge qui remonte au moins à l'époque de la visite de Pline, au Iᵉʳ siècle, et très probablement à une date bien antérieure. Pline lui assignait un sens cultuel, sans doute avec raison, car les Égyptiens associaient le rouge au culte du soleil.

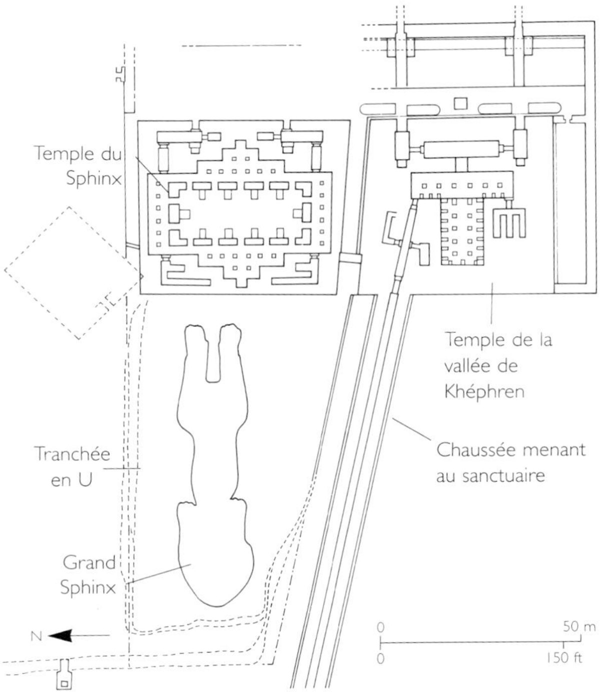

Temple du Sphinx

Tranchée en U

Grand Sphinx

N

Temple de la vallée de Khéphren

Chaussée menant au sanctuaire

0   50 m
0   150 ft

Ci-dessus **Plan montrant le Sphinx, dans sa tranchée en U, et les temples voisins.**
À gauche **Le Sphinx, qui se dresse devant la pyramide de Khéphren, combine la tête de ce pharaon avec un corps de lion. Au premier plan, on aperçoit les vestiges du temple du Sphinx.**

En fait, le Sphinx n'est pas très bien proportionné : le corps est trop long, et la tête, trop petite. Les sculpteurs de cette époque reculée ont dû être gênés par le matériau. La taille de la tête aurait été limitée par celle du nodule rocheux dans lequel elle fut sculptée, et le corps aurait été rallongé après la découverte d'une faille verticale qui passe aujourd'hui juste devant les pattes arrière. Cependant, ces proportions étranges témoignent également de l'inexpérience des sculpteurs. À notre connaissance, c'est la première statue de taille colossale réalisée en Égypte, et les artistes étaient peut-être mal à l'aise pour traiter un tel volume. Des proportions curieuses sont aussi relevées sur quelques statues grandeur nature de la même période, ce qui montre que les Égyptiens n'avaient pas encore développé le système du « carroyage » (quadrillage d'un modèle pour en reproduire les proportions), utilisé avec tant de bonheur dans la sculpture plus tardive. En outre, les ouvriers ont peut-être eu des difficultés pour travailler un bloc irrégulier ; les sculpteurs préféraient en effet partir d'un bloc rectangulaire sur lequel ils pouvaient dessiner leur sujet et positionner correctement les divers éléments, en deux dimensions.

La pierre tendre du corps est maintenant très endommagée, mais la tête de cette sculpture, vieille de 4 500 ans, est relativement bien conservée. Cette différence s'explique par la variété des strates géologiques dans lesquelles la statue est taillée. Mark Lehner a identifié trois types différents de calcaire : la pierre dure, de bonne qualité, de la tête ; les couches tendres et rubanées du haut du corps ; et la couche friable et fossilifère de la base. Les vents de sable ont érodé les parties tendres de la pierre, faisant saillir des arêtes

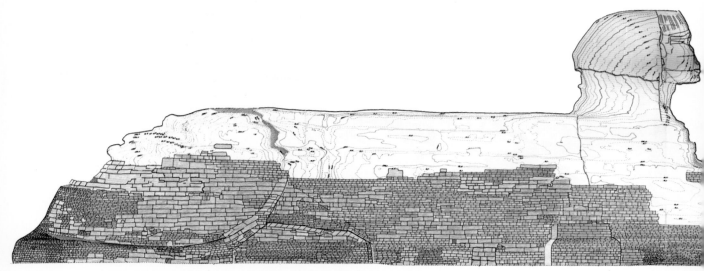

Ci-dessus **Le Sphinx vu du sud-est. On distingue nettement l'usure du haut du corps et les apports des diverses campagnes de restauration.** *Ci-dessous* **Élévation du Sphinx vu du sud, montrant, sur le bas du corps, les diverses phases de restauration.**

Phase I : env. 1400 av. J.-C.

Phase II : env. 664-525 av. J.-C.

Phase I, recoupée pour la Phase II, tombée plus loin

Phase III : env. 332 av. -642 ap. J.-C.

E. Baraize 1925–1926

Service des antiquités égyptien, 1940

Service des antiquités égyptien, 1960-1970

pierre manquante

rocher vierge

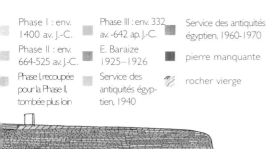

dures qui s'élargissent vers la base. Les intempéries ne sont pas les seules responsables des dommages causés au Sphinx. Le nez a été brisé aux alentours du VIIIe siècle, victime de la colère d'un soufi qui considérait la statue comme une idole blasphématoire. La tête de cobra qui ornait le front et des fragments de barbe ont été retrouvés dans le sable, au pied du Sphinx ; ces dommages aussi ont peut-être été intentionnels.

Restauration et dégagement
La conservation et la restauration de la statue fut une préoccupation constante, probablement depuis la renaissance du culte du Sphinx, vers le milieu du IIe millénaire av. J.-C. De nouveaux temples furent construits au nord-est, et on ouvrit une chapelle entre ses pattes. Sa principale richesse était une stèle montrant le pharaon Thoutmosis IV (v. 1401-1391) présentant une

Ci-dessus **Statue de Khéphren provenant du temple de la vallée de la pyramide de ce pharaon, à Gizeh. La coiffe (*nemes*), le cobra et la barbe sont semblables à ceux du Sphinx.** *À gauche* **La tête et le haut du corps du Sphinx. La différence d'érosion entre la tête et le corps est due à la qualité des calcaires. Au premier plan, la stèle de Thoutmosis IV (v. 1401-1391) montre ce roi présentant une offrande au Sphinx.**

Les descriptions et dessins laissés par les nombreux voyageurs qui rendirent visite au Sphinx au cours des deux derniers millénaires montrent qu'il fut la plupart du temps ensablé et que seule sa tête était visible. À partir du milieu du XIXe siècle, on tenta de le dégager, mais, ce faisant, on détruisit d'irremplaçables documents archéologiques. Selim Hassan charria les dernières pelletées de sable dans les années 1930, et entreprit une étude précise et complète des renseignements livrés par les fouilles. Si le pourtour du Sphinx est maintenant dégagé jusqu'au soubassement, la construction et la signification de ce monument font encore l'objet d'études. Comme le disait déjà Gaston Maspero, directeur général du Service des antiquités égyptiennes dans les années 1880: « le Sphinx n'a pas encore livré tous ses secrets. »

offrande au Sphinx. Une inscription nous apprend qu'il était apparu en songe au jeune prince et lui avait offert le trône pour l'avoir désensablé et avoir réparé son corps. La moitié inférieure du Sphinx est maintenant presque entièrement recouverte de blocs de maçonnerie de tailles et d'époques variées. Au moins trois grandes campagnes ont été identifiées durant l'Antiquité (les phases I à III de Lehner) et quatre à l'époque moderne, la plus récente s'étant achevée en 1998.

Les obélisques égyptiens

Datation : v. 2300 av. J.-C.-100 ap. J.-C.
Localisation : Égypte

« Pour le monument en l'honneur de son père Amon, [Hatshepsout fit] deux grands obélisques en granite résistant provenant du sud, aux sommets d'électrum [...]. Leurs rayons inondent les deux pays lorsque le disque solaire s'élève entre eux à son apparition sur l'horizon du ciel. »

Inscription sur l'obélisque d'Hatshepsout, Karnak, vers 1458 av. J.-C.

LES OBÉLISQUES représentent une des formes les plus caractéristiques de l'art égyptien. Ce sont de grands monolithes de section carrée, au fût légèrement effilé, terminé par un pyramidion souvent plaqué d'or afin de refléter les rayons du soleil. Des temples solaires nantis de massives constructions maçonnées en forme d'obélisques trapus sont connus dès la Vᵉ dynastie (v. 2465-2323). Les premiers obélisques monolithiques aux proportions classiques ont sans doute été taillés peu après. Le premier spécimen royal complet remonte à la XIIᵉ dynastie (v. 1950), mais les plus grands et les plus somptueux datent du milieu de la XVIIIᵉ dynastie

(v. 1504-1425). Ces pierres, consacrées au dieu du Soleil, Rê, ont été trouvées sur des sites associés au culte des dieux solaires. Le plus souvent, elles ont été érigées par paires, devant les pylônes servant de portes d'entrée monumentale aux temples égyptiens, mais on connaît également des obélisques isolés.

Les obélisques de Thoutmosis Iᵉʳ et d'Hatshepsout, à Karnak, présentent des surfaces polies et des inscriptions hiéroglyphiques finement gravées. À l'origine, les pyramidions étaient recouverts d'électrum.

FICHE SIGNALÉTIQUE

Plus grand obélisque : l'obélisque inachevé

Date	v. 1430 av. J.-C.
Longueur prévue	41,75 m
Poids prévu	1150 t

Plus grand obélisque debout en Égypte : obélisque d'Hatshepsout à Karnak

Date	v. 1458 av. J.-C.	
Distance du transport	220 km	
Hauteur	29,56 m	
Poids	320 t	
Temps mis pour extraire, transporter et ériger 2 obélisques	7 mois	
Nombre de carriers	env. 500	
Nombre d'hommes pour déplacer chaque obélisque sur terre	env. 1000	

Plus grand obélisque debout : obélisque de Thoutmosis III

Date	v. 1430 av. J.-C.
Emplacement actuel	Piazza S. Giovanni in Laterano, Rome
Lieu d'origine	Karnak
Hauteur	32,18 m
Poids	450 t

Apporté par Constance et Constantin au Circus Maximus à Rome, inauguré en 357 ; installé à son emplacement actuel par le pape Sixte V, en 1588.

L'extraction

Les obélisques étaient taillés dans des pierres très dures qui supportaient d'être découpées en fûts allongés et d'être transportées sans se rompre. On choisissait le plus souvent le granite d'Assouan, dont on préférait les variétés rose et rouge, sans doute à cause du lien de ces couleurs avec le culte solaire. Les carrières d'Assouan ont conservé un obélisque inachevé qui constitue une source d'informations particulièrement riche sur la méthode d'extraction de ces monolithes. Ce dernier, que l'on date du règne de Thoutmosis III (1479-1425), aurait pu être, s'il avait été érigé, le plus grand obélisque d'Égypte, avec ses 41,75 m de hauteur et ses 1 150 tonnes. Malheureusement, il se rompit en cours d'opération et fut abandonné, laissant en évidence les moyens employés pour l'extraire.

Vu sa dureté, le granite ne pouvait être taillé avec les outils métalliques, peu résistants, dont disposaient les Égyptiens. Ceux-ci ont donc employé des outils en pierre. Des pilons à tête ronde, en dolérite, réduisaient les grains de quartz en poudre que l'on balayait. On traçait le contour de l'obélisque sur la surface de la roche puis l'on pilonnait la roche environnante. On creusait ainsi une tranchée d'une largeur suffisante pour y travailler et d'une profondeur permettant de découper l'obélisque par en dessous ; cent cinquante hommes environ pouvaient travailler en même temps dans cette tranchée. L'obélisque était séparé de sa base à l'aide de leviers, et soulevé au-dessus du niveau de la pierre environnante au moyen de cales en bois. Ensuite, on le faisait glisser sur un traîneau en bois pour le transporter.

Le transport

Des distances importantes séparaient les obélisques extraits à Assouan de leurs destinations finales. Ainsi, Karnak, où se dressent les deux obélisques d'Hatshepsout, est à 220 km au nord d'Assouan. On construisait un talus entre la carrière et la rivière de manière à tirer les traîneaux portant l'obélisque sur une surface plane. Si l'on considère qu'un homme pouvait tirer environ un tiers de tonne sur terrain plat, 1 000 hommes ont été nécessaires pour déplacer chacun des obélisques d'Hatshepsout, qui pèsent 320 tonnes. Quant à l'obélisque inachevé, son halage aurait dû mobilisé 3 500 hommes.

Parvenu sur la rive, il fallait charger la pierre sur un bateau, opération qui était très délicate. Pline, au Ier siècle de notre ère, décrit une méthode de chargement qui fut peut-être employée depuis les époques les plus reculées. La barge était amenée dans un canal proche de la carrière où elle était chargée d'un poids plus lourd que l'obélisque. Celui-ci était tiré en travers du canal et la barge arrimée en dessous. L'embarcation était alors déchargée jusqu'à ce qu'elle vienne à porter l'obélisque en son centre. On faisait ensuite pivoter le monolithe pour le placer dans l'axe du bateau.

Un bas-relief du temple d'Hatshepsout, à Deir el-Bahari, décrit le transport d'une paire d'obélisques à Karnak. Tous deux sont chargés sur une seule barge et placés dans l'alignement l'un de l'autre, base contre base, ce qui assurait une bonne répartition du poids sur le bateau, avec le maximum de charge au centre. En admettant que le dessin soit exact, l'embarcation devait dépasser les 100 m de longueur et être d'une largeur suffisante pour ne pas chavirer, ce qui la rendait difficile à manier. Elle était munie à l'arrière de quatre gouvernails, tenus par des hommes de barre, et était remorquée par toute une flottille de canots à rames. Sa vitesse était sans doute dictée par le courant, les canots servant probablement plus à contrôler sa direction qu'à la tirer. Parvenue à destination, la barge était amarrée et l'obélisque était halé jusqu'à son emplacement définitif.

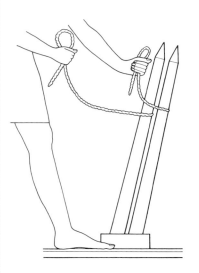

Ci-dessus **Représentation symbolique d'un roi égyptien érigeant deux obélisques avec une corde.** *À gauche* **Lithographie du XIXᵉ siècle montrant les obélisques de Ramsès II devant le temple de Louxor. Celui de droite se trouve maintenant à Paris.** *Ci-dessous* **Le seul obélisque de Ramsès II subsistant à Louxor.**

La finition

En général, les Égyptiens mettaient la dernière touche à leurs monuments une fois ceux-ci en place. Mais ce n'était pas toujours le cas, puisque l'on a retrouvé, à Karnak, un obélisque de Thoutmosis III décoré qui n'a jamais été érigé. La pierre était polie très finement avec des polissoirs en pierre et une poudre de quartz. La décoration était tracée par un dessinateur puis taillée avec des outils en pierre par un habile sculpteur. Enfin, une feuille de métal était plaquée sur le pyramidion et martelée dans les creux de la décoration. L'éclat de cet alliage d'or et d'argent, scintillant sous le soleil, était visible de loin.

L'érection

Nous ne possédons aucune représentation qui montre la manière dont les Égyptiens s'y prenaient pour dresser leurs obélisques, hormis une petite scène symbolique où un roi érige un minuscule obélisque en tirant sur une corde. Deux solutions ont été proposées. Selon la première hypothèse, l'obélisque était tiré par la base sur un plan incliné, puis basculé en prenant appui sur le rebord de la rampe jusqu'à amener une

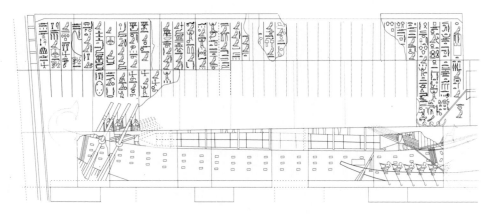

Dessin d'un relief du temple d'Hatshepsout, à Deir el-Bahari, montrant un chaland transportant deux obélisques jusqu'à Karnak. Ils sont placés bout à bout et encore attachés aux traîneaux qui ont servi à les transporter sur terre. On aperçoit, près de l'avant, un des nombreux canots de remorquage à rames.

arête de sa base en contact avec le socle. Ensuite, on achevait de le dresser avec des cordes. Au besoin, la descente de la base pouvait être contrôlée avec un remblai de sable. Selon la seconde supposition, l'obélisque était déplacé au niveau du sol afin de caler sa base dans une rainure gravée dans le socle. Ensuite, le fût était soulevé à l'aide de leviers et de cales en bois jusqu'à ce que son inclinaison soit suffisante pour le tirer avec des cordes. Cette dernière méthode, bien que malaisée et périlleuse, semble pourtant être celle qui a été employée, car des rainures ont été retrouvées sur les socles et quelques obélisques sont légèrement décentrés.

L'histoire récente

Les problèmes de transport et d'érection des obélisques n'ont pas pris fin avec l'époque des pharaons. Leur forme et leurs associations symboliques ont séduit les empereurs romains. Auguste, le premier à faire apporter des obélisques à Rome, vers 10 av. J.-C., fut imité par bien des souverains ultérieurs. Entre le XVIe et le XVIIIe siècle, plusieurs monuments furent extraits des ruines de la Rome antique pour être intégrés aux projets urbanistiques des papes. Au XIXe siècle, trois autres obélisques furent acheminés d'Égypte à Paris, Londres et New York. Aujourd'hui, on compte treize obélisques à Rome, alors qu'il n'en reste plus que quatre en Égypte !

Différents procédés, employant échafaudages, poulies et pivots, ont alors été mis au point pour résoudre les problèmes de transport et d'érection. Leur complexité ne fait que souligner l'exploit réalisé par les Égyptiens lorsqu'ils créèrent ces monuments incroyablement raffinés, avec rien d'autre que des outils en pierre et sans le secours de la machinerie moderne.

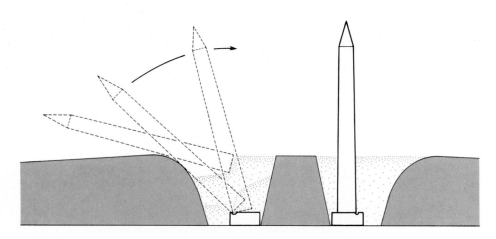

Diagramme montrant l'une des méthodes possibles pour ériger un obélisque. Celui-ci est abaissé à partir d'une rampe, en contrôlant ses mouvements à l'aide de cordes et d'un remblai de sable.

Les colosses de Thèbes

Datation : v. 1360 et 1260 av. J.-C.
Localisation : Louxor, Égypte

« J'ai rencontré un voyageur venu d'un vieux pays
Qui disait : Deux grandes jambes de pierre, sans tronc
Se dressent dans le désert. Près d'elles, sur le sable,
À moitié enterré, gît un visage brisé… »
Ozymandias, P. B. SHELLEY, 1817.

DANS CES VERS célèbres, Shelley s'inspire des descriptions et gravures du colosse renversé, en granite rouge, qui se trouve dans le temple funéraire de Ramsès II (v. 1290-1224), sur la rive ouest de Thèbes. Bien qu'il soit brisé et que la partie supérieure de la statue soit étendue sur le côté, ses dimensions et la qualité de son exécution n'ont jamais manqué d'impressionner les visiteurs. Ramsès y était représenté en dieu, de 19 m de haut, et pesant environ 1 000 tonnes. C'était le plus grand colosse de Thèbes.

Cependant l'aura particulière de ce type de statues gigantesques est plus perceptible face aux colosses de Memnon, moins grands que le colosse du Ramesseum, mais en bien meilleur état. Ils représentent Amé-nophis III (v. 1391-1353) et flanquaient originellement l'entrée de son temple funéraire, dont il ne reste plus que les fondations, à Thèbes-Malkata. Aujourd'hui, les statues se dressent au milieu des champs. Chaque colosse a été taillé dans un unique bloc de quartzite jaune, choisi pour sa teinte dorée qui évoquait le soleil. Les colosses s'élèvent à 15,6 m sans leurs couronnes, qu'ils ont perdues et qui devaient porter leur hauteur à 18 m. Chacun repose sur un piédestal de 2,3 m, découpé dans un bloc de pierre séparé.

Les colosses de Memnon, qui représentent le pharaon Aménophis III, flanquaient à l'origine l'entrée du temple funéraire de ce pharaon, dont il ne reste plus que les fondations.

FICHE SIGNALÉTIQUE

Colosses de Memnon

Date	v. 1360 av. J.-C.
Hauteur actuelle	15,6 m
Hauteur originale (avec couronne)	env. 18 m
Hauteur du piédestal	2,3 m
Poids	env. 700 t
Distance de transport	env. 700 km
Main-d'œuvre estimée	12 000 hommes

Colosse du Ramesseum

Date	v. 1260 av. J.-C.
Hauteur	env. 19 m
Poids	env. 1000 t
Distance de transport	env. 220 km
Main-d'œuvre estimée	9 000 hommes

Énormes, ces colosses ne sont pourtant pas les plus grandes sculptures. Le Grand Sphinx de Gizeh (p. 258) et les colosses de la façade du temple d'Abu Simbel (p. 105) les dépassent. Mais ces derniers furent taillés sur place et n'ont donc pas dû être déplacés. Or, l'un des traits les plus stupéfiants des colosses de Memnon et du Ramesseum est qu'ils furent taillés dans des blocs uniques et acheminés depuis des carrières éloignées. Même eux, cependant, ne sont pas les plus grands colosses monolithiques transportés par les Égyptiens. À Tanis, en Basse-Égypte, on a retrouvé des fragments de quatre colosses en granite de Ramsès II qui, pense-t-on, auraient mesuré 21 à 28 m de hauteur.

L'extraction et le transport des pierres

Les blocs de quartzite utilisés pour les colosses de Memnon proviennent de Gebel el-Ahmar, à 700 km au nord de Thèbes. Le quartzite est une pierre dure, impossible à travailler avec les outils en métal de l'époque. Cependant, les marques laissées sur les parois de la carrière sont très différentes de celles produites par pilonnage à Assouan, et suggèrent l'existence d'une forme quelconque d'outil à ciseler, peut-être un lourd pic en pierre. Comme pour les obélisques (p. 263), les blocs ont été extraits en taillant des tranchées de séparation autour et en dessous des blocs. Ceux-ci furent sans doute découpés dans une paroi verticale pour simplifier leur dégagement.

Les sculpteurs égyptiens travaillaient à partir de blocs rectangulaires dont chaque face était quadrillée afin d'assurer l'exactitude des proportions de la statue. Ensuite, le bloc était dégrossi jusqu'à l'obtention d'une forme approximative. Les maîtres sculpteurs intervenaient en dernier lieu, pour achever la statue et graver les textes ou les bas-reliefs complémentaires. Selon le matériau utilisé, les statues étaient polies ou peintes. La statuaire et les décors architecturaux étaient travaillés après avoir été installés, de manière à ce que la pierre excédentaire les protège contre tout dommage pouvant survenir durant leur transport ou leur mise en place. Cependant, dans le cas d'une pierre de grande dimension telle qu'un colosse, le bloc était probablement dégrossi en carrière afin de réduire autant que possible son poids avant le transport.

Les blocs employés pour les colosses d'Aménophis III et de Ramsès II sont les plus grands jamais déplacés

Ci-contre **Le colosse renversé de Ramsès II, au Ramesseum.**
Ci-dessous **Le « Jeune Memnon », emporté du site du Ramesseum par Belzoni, en 1816.**

par les Égyptiens. Les colosses de Memnon pesaient 700 tonnes chacun, et celui de Ramsès II, environ 1 000 tonnes. On pense qu'ils ont été acheminés par voie de terre. Bien qu'aucun document ne décrive le transport de ces blocs précis, on possède une représentation du transport d'un colosse plus petit, qui figure un certain Djehutyhotep et date du Moyen Empire (v. 1850 av. J.C.). La statue, qui devait peser environ 58 tonnes, est posée sur un traîneau en bois tiré par quatre équipes de 43 hommes, tenant chacune une corde. Un homme, debout à l'avant du traîneau, verse de l'eau sur le sol pour lubrifier le passage.

Des expériences réalisées avec un traîneau chargé ont montré qu'il fallait à peu près trois hommes par tonne de chargement en terrain plat. Il en résulte qu'il a fallu réunir 2 100 hommes pour tirer chacun des colosses de Memnon, et 3 000 pour celui de Ramsès II. Ces chiffres augmentaient considérablement en terrain accidenté : des équipes trois fois plus importantes étaient requises pour gravir une pente de 10 %. D'autres ouvriers devaient construire un chemin de halage, dur et uni, sur le passage de la statue, car elle se serait enlisée en terrain meuble. Certains spécialistes ont suggéré que des rouleaux en bois avaient pu être glissés sous le traîneau afin de réduire la friction, mais un tel système aurait rendu le contrôle de la statue difficile, même en terrain plat, et extrêmement dangereux sur un terrain en pente. Comme le montre le transport de la statue de Djehutyhotep, il est presque certain que la friction était réduite en répandant de l'eau.

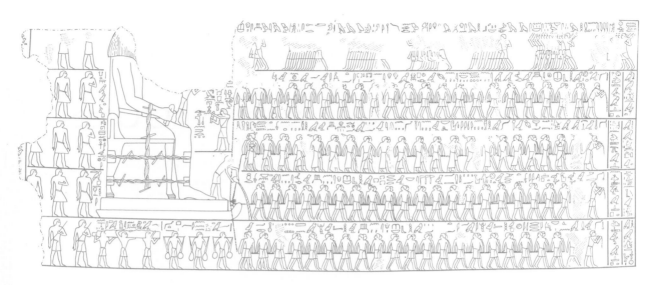

Dessin d'un bas-relief montrant le transport de la statue colossale de Djehutyhotep. La statue est debout sur un traîneau tiré par 172 hommes. Devant la statue, un homme verse de l'eau pour lubrifier le passage du traîneau.

Aux hommes requis pour tirer le traîneau, s'ajoutaient les carriers, les gardes et un personnel qualifié qui, en cas de difficultés de transport, pouvaient fournir des bras supplémentaires. Au total, le convoi du colosse de Ramsès II a peut-être mobilisé 9 000 hommes, et celui des colosses de Memnon, deux fois 6 000.

Ces statues ont été transportées sur des distances considérables : celles de Memnon venaient de carrières distantes de 700 km en aval de Thèbes. On admet généralement qu'elles étaient trop lourdes pour être remontées sur le Nil à contre-courant. Cependant, il a bien fallu leur faire traverser le fleuve pour les porter sur la rive ouest. Il est donc possible qu'elles aient été remorquées, au moins pour une partie du trajet, sur des canaux où le courant est plus faible.

Une fois parvenues à leur destination, après des mois voire des années de voyage, il fallait les hisser sur leurs piédestaux. Bien que la statue de Djehutyhotep ait été transportée debout, les colosses de très grande taille ont certainement voyagé couchés, afin de répartir la charge sur une plus grande surface et de réduire les risques de basculement. La méthode employée pour ériger un colosse devait ressembler à celle utilisée pour les obélisques. Une fois la statue mise en place, on dressait des échafaudages pour permettre aux sculpteurs d'achever les traits du visage et de tailler les scènes en bas-relief sur les côtés du trône.

Les colosses de Memnon sont toujours debout, alors que les temples dont ils marquaient l'entrée ont depuis longtemps disparu. Ils étaient déjà très célèbres du temps des Grecs et des Romains qui venaient de loin pour les admirer. Ils le furent davantage encore après le tremblement de terre qui les endommagea en 27 av. J.C. Après cette catastrophe, le colosse nord, gravement touché, aurait émis un son étrange au lever du soleil. On pense qu'il s'agissait du bruit produit par l'évaporation de l'humidité nocturne accumulée dans les fissures. Les auteurs classiques parlaient du « chant de Memnon », par allusion au héros de l'*Iliade*, qui chantait pour sa mère Éôs, la déesse de l'Aurore. Ce nom lui est resté, mais le « chant » cessa après la restauration décidée par l'empereur romain Septime Sévère (146-211 ap J.-C.), en témoignage de piété.

Les têtes colossales des Olmèques

Datation : 1200-600 av. J.-C.
Localisation : côte du golfe de Campêche, Mexique

« Si quelque chose des Olmèques a duré suffisamment longtemps pour que l'on puisse parler de civilisation, c'est leur sculpture extraordinaire qui, par bien des aspects, n'a été surpassée par aucun autre peuple méso-américain »
IGNACIO BERNAL, 1969.

LES PLUS GRANDS sculpteurs monumentaux de l'Antiquité méso-américaine furent les Olmèques dont la culture originale domina la zone côtière du golfe de Campêche, au Mexique, approximativement entre 1200 et 400 av. J.-C. Tailleurs de pierre émérites, les Olmèques ont laissé des objets allant de minuscules figurines en jade à d'immenses têtes, stèles et trônes en basalte. Un des traits les plus caractéristiques de l'art olmèque est sa capacité, même dans les plus petits objets, à donner une impression de monumentalité. Des sculptures olmèques en pierre et en céramique ont été retrouvées dans toute l'Amérique Centrale, et le style olmèque s'est transmis à d'autres régions. L'omniprésence de ces formes sculpturales et de leur symbolisme sont un des signes distinctifs de la première culture méso-américaine. Certains archéologues pensent que les Olmèques de la côte du golfe ont constitué la « culture mère » de l'Amérique Centrale

Matthew Stirling, un des grands découvreurs de la civilisation olmèque, devant une tête colossale récemment mise au jour à La Venta, dans le Tabasco, au Mexique.

FICHE SIGNALÉTIQUE			
Petites têtes en pierre		**Grandes têtes en pierre**	
Hauteur	1.47 m	Hauteur	3.4 m
Poids approx.	4.8 tonnes	Poids approx.	50 tonnes

préclassique, tandis que d'autres les considèrent seulement comme une des nombreuses cultures régionales, précoces et indépendantes, qui sont apparues à la même époque. Néanmoins, tous s'accordent pour reconnaître que les Olmèques ont construit des bâtiments en terre et des monuments en pierre d'une dimension sans précédent.

Les têtes colossales

On a recensé environ trois cents sculptures monumentales. Les plus étonnantes sont les têtes colossales en ronde bosse, qui n'appartiennent qu'à cette culture. La première fut repérée près du site de Tres Zapotes, en 1862. Seize autres ont été découvertes par la suite, toujours à proximité ou sur de grands sites côtiers : on en compte quatre à La Venta, dix à San Lorenzo et trois à Tres Zapotes. Chacune représente un visage de type invariable : celui d'un homme jeune ou dans la force de l'âge, replet, à la mine sévère, pourvu d'un large nez aplati, de lèvres charnues, et de yeux affectés d'un léger strabisme. Toutes ces têtes sont coiffées d'une sorte de bonnet ajusté, ressemblant à un casque, qui est noué

sous le menton. Plusieurs d'entre elles portent des tampons d'oreilles, apanage des élites de l'Amérique Centrale. Aucune ne semble avoir été peinte. Au-delà de leur aspect conventionnel général, on découvre cependant des variations dans les traits du visage et les détails de la coiffure de chacune. Si ces différences sont parfois imputables à la nature du matériau, aux conventions iconographiques locales et à l'habileté propre de chaque artisan, beaucoup d'archéologues sont enclins à considérer ces têtes comme de vrais portraits.

Vues de face, elles paraissent sphériques. En fait, elles sont généralement aplaties de l'avant vers l'arrière, lequel est souvent laissé inachevé. Leur hauteur est comprise entre 1,47 m et 2,85 m, à l'exception d'un seul spécimen qui atteint 3,4 m. La plupart pèsent entre 8 et 13 tonnes, mais les Olmèques ont déplacé des pierres beaucoup plus lourdes, de 25 à 50 tonnes ; le poids de la plus grosse tête avoisine d'ailleurs ce maximum. Le basalte, le matériau le plus couramment utilisé, est absent des environs immédiats des centres où les têtes furent dressées. La source la plus proche est située dans les monts Tuxtla, une petite chaîne volcanique à la lisière nord du pays olmèque. C'est là, particulièrement autour de Cerro Cintepec, dans les monts Tuxtla méridionaux, que les Olmèques trouvèrent des rochers de basalte, dans le bas des coteaux.

L'autel 4 de La Venta. En réalité, de tels « autels » servaient probablement de trônes en plein air. Ces objets furent les plus grandes sculptures réalisées par les Olmèques qui, parfois, les retaillèrent en têtes colossales.

Ci-dessus **Tête colossale de San Lorenzo, à la mine sévère typique.** *À droite* **Haut de 2,85 m, le monument I de San Lorenzo est l'une des têtes les plus grandes et les mieux préservées.**

Le transport et la construction

Ne connaissant ni les véhicules à roues, ni les animaux de trait, ni le système du palan, les Olmèques ont déplacé ces lourds objets avec la seule force de leurs bras. Cerro Cintepec se trouve à 60 km de San Lorenzo et à 100 km de La Venta. Selon toute probabilité, les pierres furent apportées au bord d'une rivière proche, chargées sur des radeaux qui descendirent le cours d'eau et longèrent la côte jusqu'à une courte distance de leurs destinations finales. Par ce moyen de transport, on a pu ainsi arriver à 2,5 km de la crête de San Lorenzo. De ce point, elles ont dû être traînées, peut-être sur un chemin préparé à cet effet, et finalement ont été hissées jusqu'au sommet, par le versant sud qui présente une dénivellation de 50 m.

Les archéologues ont pu, avec le concours de vingt-cinq à cinquante personnes, déplacer des pierres comparables aux monuments olmèques, mais les longs trajets de jadis devaient mobiliser plusieurs centaines d'ouvriers. Bien que la main-d'œuvre fût sans doute plus disponible pendant la saison sèche, il devait être plus judicieux d'acheminer les pierres pendant les mois pluvieux, lorsque les rivières étaient hautes et le sol humide plus glissant. On ignore si les têtes étaient sculptées avant ou

273

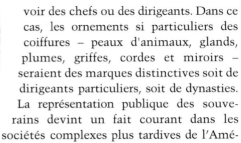

après le transport. La seconde solution paraît plus probable compte tenu des risques encourus en cours de transport, et comme semblent le confirmer les grandes pierres vierges retrouvées à San Lorenzo. Des pierres gravées de petite taille représentent ce qui ressemble à des blocs de pierre brute, rectangulaires, soigneusement ficelés avec des cordes épaisses, sur lesquels des personnages sont assis. Ces scènes, comme celles retrouvées récemment dans d'autres civilisations du monde, pourraient fort bien décrire des transports de pierres.

La taille du basalte (ou plus rarement de l'andésite) fut une opération longue et extrêmement laborieuse en l'absence d'outils en métal, et avec des outils en pierre qui n'étaient guère plus durs que le basalte lui-même. Le travail fut donc exécuté par percussion et abrasion. Des ateliers de taille du basalte ont été retrouvés au sommet du plateau de San Lorenzo, près de ce qui semble être des résidences aristocratiques. Il est clair que les Olmèques recyclaient les grands objets en pierre pour en faire des plus petits tels que des meules servant à préparer la nourriture. Quelques-unes des têtes proviennent de trônes recyclés. Ces derniers, qui figurent parmi les plus grands et les plus anciens objets monumentaux façonnés par les Olmèques, ont précédé nombre de têtes. Un des trônes les plus impressionnants, le monument 14 de San Lorenzo, mesure 1,8 m de hauteur, 3,98 m de longueur et 1,52 m de largeur ; il aurait facilement pu être réduit à un format de tête.

Le rôle et la signification des têtes colossales

Quelques stèles portent des signes gravés qui n'ont pas pu être déchiffrés. De notre point de vue, les Olmèques appartiennent donc encore à la préhistoire. On peut néanmoins émettre quelques hypothèses sur le rôle et la signification des têtes colossales en étudiant ces monuments et leur contexte, ainsi que les traditions ultérieures transmises par des peuples méso-américains mieux connus. Matthew Stirling, qui fut l'un des pionniers de l'archéologie olmèque, considérait les têtes comme des portraits d'éminents personnages. Certains pensent qu'elles représentent des guerriers ou des joueurs de balle, mais la tendance actuelle serait plutôt d'y

voir des chefs ou des dirigeants. Dans ce cas, les ornements si particuliers des coiffures – peaux d'animaux, glands, plumes, griffes, cordes et miroirs – seraient des marques distinctives soit de dirigeants particuliers, soit de dynasties. La représentation publique des souverains devint un fait courant dans les sociétés complexes plus tardives de l'Amérique Centrale, surtout chez les Mayas de la période classique dont les racines culturelles plongeaient dans le passé olmèque. Cependant, la tradition des têtes colossales ne s'est pas répandue au-delà de la zone côtière olmèque, sur le golfe de Campêche.

Certains des monuments retrouvés avaient apparemment conservé leur position originale : à La Venta, têtes colossales, trônes et stèles ont été dressés sur des espaces publics, à proximité ou dans des édifices rituels ou des palais. D'autres ont manifestement été déplacés, peut-être à des fins de recyclage, ou bien ont basculé par suite d'érosion ou de glissement. Les Olmèques semblent avoir disposé leurs sculptures monumentales en groupe, comme s'ils avaient voulu représenter ou commémorer des événements historiques ou mythiques. La plupart des têtes faisaient partie de ces mises en scènes.

Outre le message politique inhérent à de tels portraits de chefs ou de rois, nombre d'archéologues et d'épigraphistes sont d'accord pour reconnaître que les têtes colossales se rattachaient à une tradition plus large qui incorporait, codifiait et transmettait des thèmes de chamanisme. Les statues en pierre étaient notamment les véhicules des énergies animistes. Comme d'autres peuples méso-américains, les Olmèques identifiaient les parties du corps avec les éléments du cosmos. Un soin particulier était accordé aux détails et à la finition des têtes des sculptures qui, dans la symbolique corporelle, auraient pu représenter l'espace central et être identifiées au ciel ou aux domaines célestes. Quelle qu'aient pu être leur fonction ou leur sens, les têtes olmèques figurent parmi les créations mégalithiques les plus étonnantes du monde.

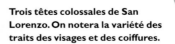

Trois têtes colossales de San Lorenzo. On notera la variété des traits des visages et des coiffures.

Les lignes Nazca, des dessins sur le désert

Datation : v. 100 av. J.-C.-700 ap. J.-C.
Localisation : côte sud du Pérou

« La diversité des tracés [Nazca] défie l'imagination. Cela signifie qu'il y aura toujours place pour de nouvelles théories. Il est peu probable que le mystère soit un jour totalement éclairci, et ce serait sûrement dommage qu'il le soit. »

EVAN HARDINGHAM, 1987.

LES LIGNES NAZCA, qui forment des dessins à grande échelle, gravés sur le sol du désert du Pérou méridional, sont un des ouvrages antiques les plus célèbres. Leur renommée tient en partie à l'énigme qui entoure leur signification. Ont-elles été faites par d'anciens observateurs du ciel pour marquer des événements astronomiques ? Faisaient-elles partie de plans d'irrigation, d'ateliers textiles gigantesques, de champs de course, ou servaient-elles de piste d'atterrissage à des visiteurs extraterrestres ? Étaient-elles destinées à être vues du ciel par des dieux ou des chamans en transe ? Indiquaient-elles des sources dans une contrée desséchée, ou étaient-elles des chemins cérémoniels en relation avec d'anciens rites destinés à faire surgir de l'eau ?

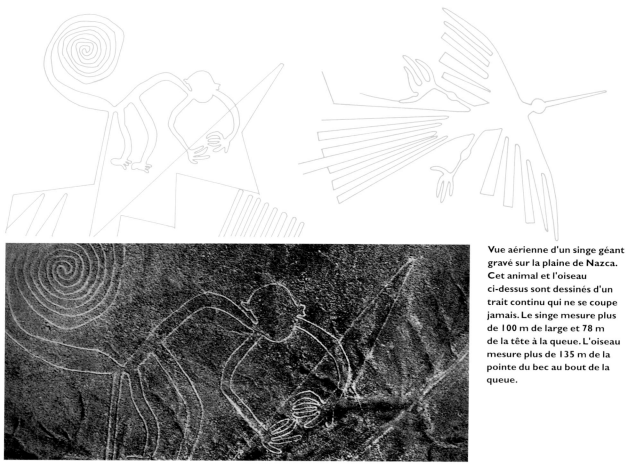

Vue aérienne d'un singe géant gravé sur la plaine de Nazca. Cet animal et l'oiseau ci-dessus sont dessinés d'un trait continu qui ne se coupe jamais. Le singe mesure plus de 100 m de large et 78 m de la tête à la queue. L'oiseau mesure plus de 135 m de la pointe du bec au bout de la queue.

FICHE SIGNALÉTIQUE

Nombre de centres de lignes	62
Longueur de l'araignée	50 m
Largeur du singe	plus de 100 m

Les tracés au sol, ou « géoglyphes », sont concentrés sur la plaine de Nazca, un cône d'alluvions de 220 km², coincé entre trois grandes rivières et adossé, à l'est, sur les contreforts des Andes. Les tracés comprennent des formes géométriques telles que trapèzes, rectangles, lignes droites, spirales, zigzags et systèmes de rayons concentriques. Les plus grands trapèzes font plus d'un kilomètre de longueur et les lignes droites filent souvent sur plusieurs kilomètres. On trouve également des formes humaines, animales et végétales : des oiseaux, des épaulards, un singe, une araignée, une fleur. Elles sont beaucoup plus petites que les formes géométriques et rassemblées sur une bande de 10 km², à la lisière septentrionale de la plaine. L'araignée fait plus de 50 m de longueur et le singe dépasse les 100 m d'envergure. Tous deux sont dessinés d'une seule ligne ininterrompue, qui ne se recoupe à aucun endroit.

La création des tracés

Comment ces tracés ont-ils été créés et par qui ? Leurs similitudes avec les motifs de la céramique et des textiles Nazca sont la preuve que cet ancien peuple, dont la civilisation s'épanouit entre environ 100 av. J.-C. et 700 ap. J.-C., est à l'origine de la plupart des dessins d'animaux et de plantes de la plaine. De plus, les chercheurs ont retrouvé, éparpillés dans la plaine, des tessons de poterie qui sont probablement des vestiges d'offrandes. Les autres tracés, lignes droites et trapèzes (quelques-uns traversent les dessins d'animaux ou même les raturent complètement), sont sans doute également dus aux Nazcas, mais certains sont postérieurs à 700.

La technique employée pour créer ces lignes est très simple : on a gratté la couche superficielle sombre pour faire apparaître le sol sous-jacent, plus clair. (Au fil des siècles, les oxydes de manganèse et de fer déposés par des micro-organismes aérobies ont recouvert le sol d'une mince patine appelée « vernis du désert ».) Les contours du tracé étaient soulignés en déposant les pierres dégagées sur le bord. Mais comment obtenait-on des lignes droites ? Là encore, la technique était sans doute très simple. Au cours d'une expérience réalisée à Nazca, il a fallu tout juste un peu plus d'une heure à douze personnes pour dégager un espace et tracer une

**La route panaméricaine
traverse la plaine à la lisière
de la vallée de Nazca,
coupant un grand trapèze.**

ligne de 12 m de longueur, terminée par une spirale de 25 m : elles n'utilisèrent que des piquets et un cordeau pour délimiter le bord de la ligne ; la corde, utilisée comme la branche d'un compas, suffit pour réaliser la spirale.

Malgré leur âge – certains ont plus de 2 000 ans –, les tracés ont survécu du fait de l'extrême rareté des pluies. La plupart des dommages causés aux dessins datent de la construction de la route panaméricaine ; la circulation, à pied et en voiture, sur le sol fragile de la plaine, a non seulement laissé des marques, mais elle a également effacé des lignes Nazca.

Du fait que cette région est souvent frappée par la sécheresse, le souci d'obtenir de l'eau est sans doute à l'origine de certains géoglyphes. Des études géologiques et hydrologiques récentes ont découvert des lignes de faille aquifères qui inciteraient à penser que les tracés géométriques forment une immense carte des eaux souterraines de la région. Les chercheurs ont également identifiés soixante-deux « centres de rayons », des lignes qui convergent sur une zone particulière. Ces « centres de rayons », qui se rencontrent sur des hauteurs qui dominent des lits de torrents et le long de la base des montagnes, décrivent peut-être l'écoulement de l'eau vers la plaine. Ils pourraient aussi être en rapport avec un rituel pour demander la pluie, ce qui ne serait pas surprenant dans une région où les rivières sont alimentées par les pluies qui arrosent les Andes, à l'est. Puisque les nuages se rassemblent autour des sommets, les peuples anciens croyaient que le temps était contrôlé par les montagnes et ils adoraient ces dernières en tant que demeures de dieux. Certains tracés, comme l'araignée, le singe, les oiseaux et les spirales, trouvent également des échos dans des symboles andins de fertilité liés à l'eau depuis un âge immémorial.

L'interprétation la plus couramment retenue est que les tracés faisaient partie d'un immense calendrier astronomique qui signalait le début de la saison des pluies sur les hauts plateaux et marquait des événements survenant dans les cieux Nazca. Toutefois, les tentatives visant à mettre en rapport certains tracés avec des constellations ou des solstices sont restés vaines.

Si la plupart des chercheurs sont d'avis qu'il n'existe pas de solution unique au mystère des lignes Nazca, ils pensent néanmoins que les explications les plus plausibles s'appuient sur des rituels liés à l'eau, à la fertilité et au culte des montagnes.

Le trophée des Alpes
à La Turbie

Datation : 7-6 av. J.-C.
Localisation : Alpes-Maritimes, France

« L'inscription figurant sur le trophée des Alpes [...] est la suivante : À l'empereur Auguste, fils de Jules César déifié, grand prêtre, commandant suprême pour la treizième fois, investi de la puissance tribunitienne pour la dix-septième fois, le Sénat et le Peuple de Rome [ont dédié ceci] parce que, sous son commandement et sous ses auspices tous les peuples des Alpes, de l'Adriatique à la Méditerranée, ont été placés sous le pouvoir du peuple romain... »

Histoires naturelles (3, 20), PLINE L'ANCIEN.

D U HAUT DE SON PERCHOIR dominant la Méditerranée, le spectaculaire monument de La Turbie témoigne avec éloquence de la puissance de l'Empire romain. Après la conquête de la Gaule par Jules César, Rome restait coupée de la partie occidentale de son empire par les Alpes. Au cours d'une série de campagnes, entre 25 et 14 av. J.-C., l'empereur Auguste et ses généraux soumirent quarante-quatre tribus montagnardes et firent de plusieurs autres des alliés. La conquête permit d'ouvrir une route stratégique de première importance sur la lisière méridionale des Alpes : la Via Julia Augusta, aujourd'hui plus connue sous le nom de Grande Corniche. Achevé en 7-6 av. J.-C., le trophée des Alpes fut érigé au point le plus élevé de la route – à 6 km de la ville actuelle de Monte Carlo –, sur la frontière naturelle entre l'Italie et la Gaule, afin de commémorer la victoire d'Auguste.

Le monument

Le trophée des Alpes était un monument tripartite comprenant une base carrée, un tambour circulaire entouré d'un portique de vingt-quatre colonnes toscanes, et un cône pyramidal à degrés surmonté par une statue en bronze d'Auguste qui s'élevait à 45 m au-dessus du sol. Ce parti architectural s'inspire de celui du fameux mausolée d'Halicarnasse, repris dans de nombreux monuments funéraires ultérieurs, notamment celui d'Auguste, com-

FICHE SIGNALÉTIQUE

Base
Côté du carré 32,5 m
Hauteur 12,9 m
(110 sur 44 pieds romains)

Socle circulaire
Diamètre 27,1 m
Hauteur 3,6 m
(92 sur 12 pieds romains)

Pyramide conique à degrés
Diamètre à la base 16,6 m
Diamètre au sommet (estimé) 7,2 m
Hauteur (estimée) 7,2 m
(56 sur 11 et 24 pieds romains)
Hauteur totale jusqu'à la base de la statue env. 45 m (150 pieds rom.)
Hauteur estimée de la statue 6 m (20 pieds rom.)

Tambour circulaire (colonnade comprise)
Diamètre 10,4 m
Hauteur 20,7 m
(35 sur 70 pieds romains)

Colonnes
Hauteur 8,8 m (30 pieds rom.)
Diamètre à la base 1,1 m (3,75 pieds rom.)
Nombre 24

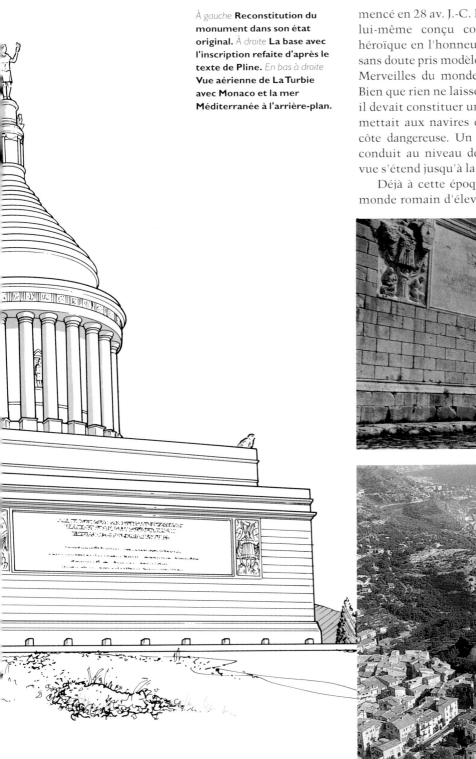

À *gauche* **Reconstitution du monument dans son état original.** À *droite* **La base avec l'inscription refaite d'après le texte de Pline.** *En bas à droite* **Vue aérienne de La Turbie avec Monaco et la mer Méditerranée à l'arrière-plan.**

mencé en 28 av. J.-C. Le trophée des Alpes fut peut-être lui-même conçu comme une sorte de sanctuaire héroïque en l'honneur de l'empereur. Le monument a sans doute pris modèle également sur une autre des Sept Merveilles du monde antique : le phare d'Alexandrie. Bien que rien ne laisse supposer qu'il ait servi de phare, il devait constituer un très bon point de repère qui permettait aux navires de s'orienter aux abords de cette côte dangereuse. Un escalier, à l'intérieur de la base, conduit au niveau de la colonnade circulaire d'où la vue s'étend jusqu'à la côte italienne.

Déjà à cette époque, l'habitude était prise dans le monde romain d'élever des trophées permanents pour

Bien que l'on ait arrêté la reconstruction à la base de la pyramide qui couronnait l'édifice, le Trophée domine encore le village médiéval et moderne.

perpétuer le souvenir des victoires décisives. À l'origine, un trophée était un amoncellement d'armes prises à l'ennemi et dédiées dans un temple à l'une des grandes divinités romaines, après avoir été exhibées lors de la procession triomphale du général victorieux. Avec le temps, ces amoncellements finirent par symboliser la victoire elle-même. On les représentait souvent sur les arcs de triomphe ou en sculptures indépendantes. Le lien religieux, cependant, ne s'est jamais perdu, comme en témoignent les fragments d'un autel trouvé à La Turbie.

La construction

Ce monument n'aurait pas déparé la ville de Rome, et l'érection d'une structure aussi élaborée au point le plus élevé d'une nouvelle route traversant un territoire récemment conquis était une entreprise qui ne manquait pas d'ambition. Au préalable, il fallut niveler le promontoire rocheux, même si les travaux de fondation pouvaient être réduits au minimum sur un soubassement aussi solide. La majeure partie du monument est faite de calcaire local, aussi bien pour les pierres de taille du parement (certaines pesant jusqu'à 5 tonnes) que pour les pierres du blocage, prises dans un mortier à la chaux. Des tambours de colonnes inemployés et des marques de pierres de taille sont encore visibles dans les carrières du mont des Justices, à 700 m à l'est du site ; une seconde carrière, 750 m au nord, a conservé les excavations en gradins pratiquées pour extraire les blocs. L'ouverture de nouvelles carrières a grandement facilité la logistique d'une telle entreprise.

Si les carrières locales ont livré quelque 20 000 m³ de pierre, les blocs portant l'inscription, les bas-reliefs et l'essentiel du décor architectural sont en marbre de Carrare, acheminé d'Italie par bateau puis hissé par la route depuis le cap Martin, 500 m en contrebas. Le remplacement d'un chapiteau en marbre par un chapiteau en calcaire laisse supposer la survenue d'un problème au cours du transport ou pendant la construction. Victime d'actes de vandalisme au Moyen ge, démantelé au XVIIIᵉ siècle, le trophée des Alpes a été restauré entre 1929 et 1933, de manière à donner une idée de son antique splendeur.

Les stèles géantes d'Aksoum

Datation : v. 200-400
Localisation : nord de l'Éthiopie

« La manie du gigantesque reflétait les goûts de la monarchie aksoumite. Les monuments étaient la manifestation concrète de son but idéologique, à savoir susciter une admiration mêlée de crainte pour la grandeur et la puissance du potentat. »

YOURI KOBISCHCHANOV, 1979.

L ES STÈLES GÉANTES d'Aksoum figurent parmi les plus grands monolithes jamais érigés et rivalisent en taille avec les obélisques égyptiens. Aksoum, dans les monts du Tigré, au nord de l'Éthiopie, fut la capitale d'un grand royaume qui s'épanouit durant les sept premiers siècles de notre ère. Il entretenait des liens commerciaux avec la Méditerranée orientale, l'Arabie et l'Inde. De nos jours, c'est un centre commercial et administratif provincial, mais aussi un lieu très important pour l'Église orthodoxe éthiopienne, car le christianisme fut adopté par les princes de ce royaume, dès le IVᵉ siècle. Cependant, Aksoum est surtout célèbre pour ses immenses stèles monolithiques, savamment sculptées. Elles occupent une place notable dans un épisode légendaire de l'histoire aksoumite, lié notamment à Ménélik Iᵉʳ (Xᵉ-IXᵉ siècle av. J.-C.), qui aurait été le fils de Salomon et de la reine de Saba. En fait, les fouilles archéologiques ont montré qu'il s'agissait de marqueurs de sépultures datant principalement des

La stèle 3, de 20,6 m de hauteur, se dresse toujours à Aksoum. Le décor gravé représente un édifice de dix étages.

FICHE SIGNALÉTIQUE

N° de la stèle	Étages	Faces sculptées	Hauteur totale	Section au sol	Poids estimé
1	13	4	env. 33 m	3,84 sur 2,35 m	520 t
2	11	4	24,6 m	2,32 sur 1,26 m	170 t
3	10	3	20,6 m plus env. 3 m	2,65 sur 1,18 m	160 t
4	6	4	18,2 m	1,56 sur 0,76 m	56 t
5	6	4	15,8 m	2,35 sur 1,00 m	75 t
6	4	3	15,3 m	1,47 sur 0,78 m	43 t

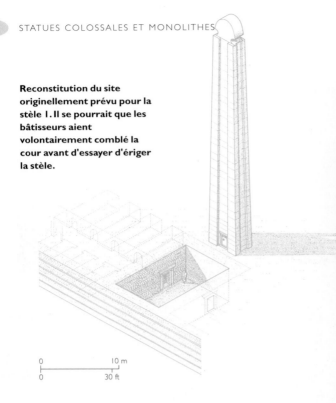

Reconstitution du site originellement prévu pour la stèle 1. Il se pourrait que les bâtisseurs aient volontairement comblé la cour avant d'essayer d'ériger la stèle.

0   10 m
0   30 ft

Ci-dessus **La plus grande des stèles d'Aksoum (la stèle 1) gît à terre, brisée. Elle faisait 33 m de longueur et pesait dans les 520 tonnes, mais elle ne fut sans doute jamais érigée avec succès.**
À droite **La stèle 4 : on distingue l'embase et des détails de fabrication du monument.**

IIIᵉ et IVᵉ siècles ap. J.-C., mais qui s'inscrivent dans une tradition dont on repère les traces dans toute l'Afrique du Nord-Est depuis 5000 ans. Après l'adoption du christianisme, la production de stèles monumentales semble avoir été abandonnée au profit de tombes d'un type différent, quoique apparenté.

La taille et le décor

Les stèles d'Aksoum sont très variées. Elles vont de la simple plaque sans décor de 1 m de longueur, à la fameuse stèle 1, une pièce immense et très travaillée, aujourd'hui renversée et brisée. À l'origine, celle-ci devait peser 520 tonnes et, si elle a jamais été dressée, elle devait s'élever à environ 30 m de hauteur. Les différences entre les stèles tiennent apparemment à la richesse et au statut des individus dont elles signalent les tombeaux. Les plus grandes et les plus élaborées sont groupées dans une zone centrale formant une immense terrasse qui domine la ville.

La stèle 1, taillée à l'image d'un édifice de treize étages, dépasse en volume sinon en hauteur les plus grands obélisques égyptiens, et pourrait bien être le plus grand monolithe que des hommes aient jamais tenté de dresser. C'est la seule des grandes stèles aksoumites dont l'emplacement original ait été entièrement fouillé. Elle aurait dû se dresser à l'arrière d'une cour entourée de murs qui se trouve juste derrière le mur de façade de la terrasse. De chaque côté de la cour, des entrées donnaient accès à une tombe monumentale complexe. Le plan original prévoyait peut-être d'ériger la stèle sur un niveau supérieur, après avoir comblé la zone funéraire. Mais il est fort probable qu'elle ne fut jamais érigée, et qu'elle se renversa au cours de la manœuvre.

Six stèles d'Aksoum sont taillées en forme d'édifices à plusieurs étages. Plutôt que des imitations de pagodes indiennes, comme on l'a imaginé au XIXᵉ siècle, on y voit aujourd'hui une représentation stylisée et exagérée de l'architecture aksoumite de l'époque. Des points communs existent avec des

bâtiments ultérieurs, encore existants, telle l'église du monastère de Debra Damo, à 80 km à l'est. Si les stèles représentent des bâtiments pouvant compter jusqu'à treize étages, rien ne prouve que ceux d'Aksoum en comptaient plus de deux ou trois. Cependant, des édifices plus élevés et d'un style voisin ont été construits en Arabie du Sud.

En section transversale, les stèles sont soit de simples rectangles, soit dotées de renfoncements dans un, deux ou quatre côtés. Les bandes horizontales en retrait représentent des poutres en bois ; au-dessus, des rangées de bosses rondes imitent clairement les extrémités saillantes (familièrement appelées « têtes de singe ») de poutres posées à angle droit du mur pour le consolider et, dans certains cas, supporter les planchers internes. Au pied des stèles, une fausse porte est taillée sur la face avant, et quelque fois aussi sur la face arrière. Elle reprend la forme des portes en bois, avec quatre ressauts aux angles imitant les extrémités de poutres. Dans certains cas, la fausse porte s'orne même d'une serrure ou d'un heurtoir. Au-dessus de certaines fausses portes, une bande horizontale de denticules verticaux figure de façon schématique les planches verticales parfois insérées à cet endroit.

Les étages supérieurs sont rythmés par des rangées de fenêtres. Sur les plus grandes stèles, les fenêtres des trois derniers étages présentent un remplage complexe, presque identique aux spécimens en bois existant à Debra Damo. Au sommet arrondi de chaque stèle, on trouve des concavités simples ou doubles, avec une ou deux zones en retrait sur le devant, qui semblent avoir servi de logement à des plaques en métal, fixées avec des chevilles. La plupart des stèles sont pourvues d'embases horizontales, parfois taillées avec grand soin, peut-être destinées à recevoir des offrandes.

La production et l'érection

La pierre utilisée pour les stèles et les grandes plaques est de la néphéline syénite, comparable au granite, qui a été extraite de grandes carrières dont les principaux vestiges sont encore visibles sur le mont Gobedra. Les tailles étaient marquées par des lignes pointillées le long desquelles on creusait des séries de trous rectangulaires. Leurs traces sont

encore apparentes aux endroits où l'extraction a été abandonnée. On les observe également sur les stèles érigées d'Aksoum où elles n'ont pas été entièrement effacées. Les outils employés n'ont pas encore été identifiés : sans doute enfonçait-on des coins en bois dans les trous, qui étaient élargis soit en martelant ces coins, soit en versant de l'eau pour les faire gonfler, soit en insérant des coins de métal, jusqu'à provoquer l'éclatement de la roche.

Une des carrières a conservé les vestiges d'un plan incliné qui aurait servi à acheminer les pierres jusqu'au bas de la colline d'où une route à peu près unie conduisait à Aksoum. Il est possible que l'on ait utilisé des éléphants mais, même ainsi, le transport d'objets aussi lourds a nécessité une main-

d'œuvre abondante et bien encadrée.

Une partie du travail en carrière ainsi que la phase initiale du dressage des pierres, c'est-à-dire l'aplanissement des surfaces, semblent avoir été accomplis à l'aide d'une série de poinçons en fer, de section carrée et contondante. La finition était exécutée à l'aide d'outils à pointes. La présence de plusieurs stèles inachevées à Aksoum même implique que le façonnage final était exécuté sur place plutôt que dans les carrières. Les opérations successives du tracé et de la taille du décor s'observent sur les monuments inachevés et sur la stèle 5 qui se brisa en cours de taille et fut refaçonnée à plus petite échelle.

Les grandes stèles étaient installées sur un terrain légèrement en pente, face au sud et donc au centre urbain principal. Il est important de noter que, dans tous les cas, la zone immédiatement en amont de du monolithe est dégagée de tout obstacle, ce qui permettait sans doute de construire des rampes pour l'érection.

La deuxième pierre par la taille, la stèle 2, renversée et brisée, fut emportée à Rome en 1937-1938. Son soubassement mesurait 6 m de largeur et consistait en une assise de gros blocs reposant sur de la blocaille. Au nord, s'élevant sur une hauteur de 4 m, se trouvait un podium maçonné sur lequel était posé des dalles de pierre qui marquaient le fond et le côté sud du trou où le monolithe était enfoncé. Les tessons de poterie associés à ces éléments suggèrent une datation du IIIe ou du IVe siècle.

La stèle 4, bien que renversée et brisée, est très instructive. Il semblerait que des dalles de pierre verticales étaient fichées en terre afin de tapisser un trou. Le monolithe était dressé presque à la verticale au moyen d'une rampe, puis l'on faisait glisser sa base dans le trou. Tout ajustement ultérieur devait être difficile et périlleux, ce qui explique sans doute pourquoi la seule stèle à étages encore debout à Aksoum n'est pas parfaitement verticale. Afin de maintenir le monolithe, on comblait l'espace entre sa base et les parois du trou avec des pierres. Finalement, on posait les embases au niveau du sol, en suivant fidèlement les renfoncements de la stèle, de manière à recouvrir et cacher les dalles et le remblai qui maintenaient le monument.

On pense, d'après certains indices, que les stèles furent intentionnellement déstabilisées il y a de nombreux siècles, ce qui confirmerait les traditions selon lesquelles des stèles auraient été renversées vers le Xe siècle par des envahisseurs.

Le Bouddha colossal de Bamian

Datation : VIIe siècle
Localisation : Bamian, Afghanistan

« Au nord-est de la cité royale s'élève une montagne sur laquelle [...] se trouve une statue en pierre du Bouddha, debout, de 140 à 150 pieds de hauteur. Ses teintes dorées brillent de tous côtés et ses précieux ornements jettent un éclat éblouissant. »

Mémoire sur les pays occidentaux à l'époque des grands Tang, XUANZANG, 646.

LA PLUS GRANDE statue bouddhique antique se dresse dans la vallée de Bamian, à 330 km au nord-ouest de Kaboul, dans le massif de l'Hindu Kush. Dominant la partie la plus large de la vallée du haut de ses 55 m, le grand Bouddha est flanqué d'un autre plus petit, de 38 m, et d'un millier de chapelles creusées dans l'immense falaise. Sculpté au VIIe siècle, le grand Bouddha repose sur un piédestal, à l'intérieur d'une niche trilobée. Le torse, recouvert d'une tunique plissée, est bien préservé. Par contre, il manque les avant-bras, les jambes et la moitié de la cuisse gauche ; l'on remarque surtout l'absence de la partie supérieure du visage.

Autour de la statue, deux déambulatoires ont été taillés dans la roche : l'un, au niveau du sol, comprend onze chapelles ; l'autre, au niveau de la tête, est éclairé par des ouvertures percées dans la niche. Celle-ci et quelques chapelles du déambulatoire inférieur étaient à l'origine décorées par des peintures représentant des bodhisattvas (sages ayant atteint l'illumination, mais qui restent sur terre pour aider les hommes), des demi-dieux et des rois. Des études anciennes ont montré que le style des peintures et de l'architecture troglodytique mêle diverses influences venues d'Asie occidentale, méridionale, centrale et orientale.

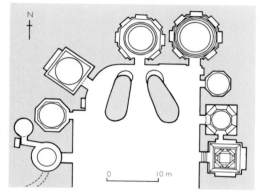

Plan du déambulatoire inférieur avec chapelles qui entoure les pieds du Bouddha.

Situé à un carrefour clé de la route de la soie, Bamian fut la capitale d'un petit royaume qui faisait partie d'une confédération de principautés turques et hephthalites. Entre 557 et le IXe siècle cette confédération était dirigée par les Yabghou appartenant à la branche des Turcs occidentaux. S'étendant des frontières de l'Empire sassanide au Pendjab, le « khanat » atteignit son apogée sous le règne expansionniste de T'oung Shih-hou (618-630), ardent défenseur du bouddhisme, avant d'être nominalement incorporé à l'Empire chinois des Tang, au siècle suivant. C'est à l'époque de T'oung Shih-hou, semble-t-il, que le grand Bouddha fut réalisé à la demande de son vassal qui régnait à Bamian.

La réalisation du Bouddha

Le Bouddha de Bamian fut créé en découpant une figure en ronde bosse dans la paroi de la falaise, constituée d'un tendre conglomérat. Il est probable que la niche fut taillée, à partir d'échafaudages arrimés dans des trous pratiqués dans la falaise, avant que les galeries des déambulatoires soient creusées. L'échafaudage fut

FICHE SIGNALÉTIQUE	
Bouddha debout	
Hauteur	55 m
Piédestal	
Hauteur	2 m
Niche	
Hauteur	58 m
Largeur à la base	24 m
Largeur au sommet	16 m

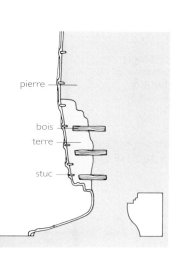

pierre

bois

terre

stuc

Ci-dessus **Diagramme** montrant la construction de la jambe droite du **Bouddha**. L'armature en bois fut garnie de terre et revêtue de cordes chevillées et enrobées de stuc pour représenter les plis du vêtement. *À droite* **Le Bouddha**, de 53 m de hauteur, dans sa niche trilobée.

ensuite remplacé par des échelles permanentes en bois, des paliers et des façades. Le torse fut grossièrement dégagé, puis on ajouta le plissé de la tunique : après avoir percé des lignes de petits trous, on y inséra des chevilles en bois sur lesquelles on tendit des cordes enduites d'une épaisse couche de stuc. La jambe droite a été élaborée d'une manière similaire. Les bras et le visage étaient constitués de superstructures et d'armatures en bois, recouvertes de feuilles de cuivre ou de métal doré. De lourdes boucles d'oreilles étaient peut-être attachées dans les profondes rainures situées sous les oreilles en stuc. Les groupes de trous visibles sur les épaules ont pu supporter une galerie extérieure qui servait à suspendre d'immenses habits sur la statue, lors des cérémonies. Lors de la dernière phase, les surfaces grossières de la niche, des galeries et des chapelles furent recouvertes par un épais mélange d'argile et de fibres végétales sur lequel on étendit une fine couche d'un fond blanc de plâtre cuit. Enfin, on appliqua les pigments colorés liés à la colle animale. La plupart des pigments semblent avoir été disponibles sur place, à l'exception du silicate de cuivre pour le vert et de la poudre de lapis-lazuli pour le bleu.

Finalité et symbolisme

La façade troglodytique de Bamian a souvent été interprétée comme le symbole du voyage spirituel de Sidharta Gautama Bouddha, selon la doctrine Lokottaravâdin-Mahâsânghika qui professe un Bouddha « Seigneur du Monde ». Un célèbre pèlerin chinois, Xuanzang (Hiuan-Tsang), visita la vallée en 632. Il rapporte que, chaque année, le roi de Bamian, entouré de son peuple, présidait une cérémonie au cours de laquelle il offrait, en signe de dévotion, toute sa richesse et son pouvoir au Bouddha. Les moines la lui restituaient ensuite, confirmant ainsi sa position de chef légitime et digne protecteur des communautés laïque et bouddhiste.

La statue du grand Bouddha fut peut-être réalisée sur les ordres du monarque. Cependant, les chapelles environnantes furent créées par la multitude des dévots, pèlerins et marchands qui souhaitaient la protection de Bouddha. Le colosse de Bamian a frappé tous ceux qui ont défilé à ses pieds pendant plus d'un millénaire. Ayant résisté aux assauts de Gengis Khan, d'Aurangzeb et des Talibans, il continue de transmettre impassiblement son message spirituel.

Vue panoramique de la vallée montrant le Bouddha colossal entouré de grottes creusées dans la falaise.

Les statues de l'île de Pâques

Datation : 1000-1500
Localisation : Polynésie

« Nous avions de la peine à imaginer comment les habitants de l'île, totalement ignorant de tout procédé mécanique purent élever des statues aussi extraordinaires et ensuite placer de grandes pierres cylindriques sur leurs têtes. »

CAPITAINE JAMES COOK, 1774.

D ISSÉMINÉES sur le pourtour de l'île de Pâques, juchées sur des plates-formes de pierre, se détachant sur l'horizon bleu du Pacifique, des rangées de hauts personnages décharnés dressaient autrefois leurs rudes visages taillés dans le tuf volcanique, aux grands yeux incrustés de blanc et de rouge. Telles sont les énigmatiques statues de l'île de Pâques, ou plutôt telles elles étaient, avant d'être renversées par la rage destructrice des hommes. Depuis le XVIIIᵉ siècle, ces monolithes défient la sagacité des archéologues occidentaux et enflamment leur imagination.

L'île de Pâques, ou Rapa Nui en langue indigène, est le lieu habité le plus isolé qui se puisse trouver sur la planète. De forme triangulaire, son côté le plus long ne fait pas plus de 22 km, et sa largeur ne dépasse pas 16 km. Elle se situe à 2 250 km de la terre habitée la plus proche, la petite île de Pitcairn, et à 3 747 km de la côte du Chili – auquel elle est officiellement rattachée. Elle est si loin de tout que l'on s'étonne même qu'elle ait été découverte avant l'ère de la navigation moderne. Ce sont les intrépides marins polynésiens qui colonisèrent cette île ainsi que d'autres du Pacifique :

Statues géantes sur les pentes externes de la carrière de Ranu Raraku. L'importance de la face est confirmée par le contraste entre les traits vigoureux du visage et l'arrière de la tête, qui est peu travaillée, tronquée et aplatie.

FICHE SIGNALÉTIQUE

Estimation du nombre de statues	env. 1000
Statues abandonnées dans la carrière de Rano Raraku	394
Plus grande statue : El Gigante	
Longueur	20 m
Poids	env. 270 t
Nombre de plates-formes cérémonielles	250-300
Plates-formes avec statues	env. 125

ils débarquèrent à Rapa Nui entre 450 et 690, et y fixèrent une population qui s'est développée dans l'isolement complet pendant plus de mille ans.

Les statues

Les statues de l'île de Pâques, ou *moai*, sont immédiatement reconnaissables par leur forme et leur style. Elles représentent la partie supérieure de corps humains, de la tête à la taille, avec les épaules et les bras. Les jambes n'apparaissent pas. Les avant-bras sont réduits à deux petits membres de faible relief, qui encadrent l'estomac. Les longs doigts se rejoignent sous le nombril, autour d'un élément ovale ou rectangulaire que l'on interprète comme le pli d'un pagne. Le dos de la statue porte parfois des lignes droites, courbes et spiralées, taillées en bas relief, qui pourraient être des tatouages indiquant le rang social. Ce trait caractéristique, ajouté au fait qu'aucune statue n'est identique à une autre, incite certains à penser qu'elles pourraient représenter des individus réels, peut-être des anciens de tribus.

La puissance expressive se concentre sur le visage, au nez, aux lèvres et au menton saillants, aux arêtes du front très marquées. L'arrière de la tête est généralement plate, mais les oreilles, allongées, se détachent en relief de part et d'autre du visage.

Certaines statues de l'île de Pâques, dont la hauteur varie entre 2 m et presque 10 m, comptent parmi les plus grandes figures humaines jamais taillées. Elles furent posées à l'origine sur des plates-formes cérémonielles, ou *ahu*, qui bordaient la côte. La plus grande statue érigée avec succès est baptisée « Paro » et pèse 82 tonnes. La plus grande de toutes, surnommée « El Gigante », mesurait 20 m de hauteur et aurait pesé 270 tonnes, mais elle fut laissée à l'abandon dans la carrière de Rano Raraku.

La carrière

Il existe sur l'île des centaines de statues anciennes. La plupart ont été taillées dans le tuf volcanique poreux de la carrière de Rano Raraku, un cratère de volcan éteint. Cette pierre s'avéra la mieux adaptée à la statuaire, mais quelques pièces sont faites en basalte ou scorie rouge. La carrière de Rano Raraku est encore jonchée de statues abandonnées avant leur achèvement, et de milliers de pics en basalte, les outils employés pour découper les blocs et les sculpter. Sous sa surface dure, la roche se taille sans trop d'effort et elle durcit à nouveau une fois exposée aux intempéries. Les pics de basalte étaient des outils efficaces, et il était possible d'attendrir la roche poreuse en versant de l'eau dessus.

Néanmoins, sans outils en métal, la tâche était épuisante. Selon de prudentes estimations, les plus grandes statues de l'île, tel le célèbre Paro, ont occupé dix à vingt hommes pendant douze mois.

Le processus de fabrication est illustré par les 394 statues retrouvées dans la carrière à divers stades d'avancement. On taillait la face tournée vers le ciel et l'on dégageait la statue en ne laissant qu'une quille de roche pour la soutenir. Les traits du visage étaient achevés sur place, à l'exception des yeux.

Le transport

Une fois terminées, les statues étaient détachées de leur soubassement et descendues à l'aide de cordes sur la face en pente de la carrière. La quille, dans le dos de la statue, glissait dans un sillon qui permettait de contrôler la descente. Les cordes attachées à la statue étaient enroulées autour de plusieurs gros troncs qui étaient emboîtés dans des alvéoles, près du bord de la

Les statues de la carrière de Ranu Raraku (à gauche) **sont dépourvues des finitions qui étaient exécutées après l'installation sur les plates-formes cérémonielles** (ci-dessus) : **les yeux et le chignon sont en corail blanc et scorie rouge.**

carrière. Si aucun arbre de grande taille n'a poussé sur Rapa Nui au cours de ces derniers siècles, on a retrouvé des noyaux fossilisés et des canaux de racines qui prouvent que des palmiers – notamment l'immense palmier à vin du Chili – couvraient des parties de l'île avant que la population ne les abatte.

Le bois était essentiel pour transporter les statues de la carrière aux plates-formes cérémonielles. Du reste, toutes n'arrivaient pas à bon port, comme en témoignent les débris de statues achevées abandonnés en route, la plupart n'ayant parcouru que de courtes distances. Une grande statue telle que Paro devait être acheminée sur 6 km avant d'arriver à destination. Une expérience réalisée aux États-Unis, avec une réplique de statue en béton, de 4 tonnes, a montré que vingt-cinq hommes suffisaient pour la déplacer si elle était attachée, en position debout, sur un traîneau en bois, et tirée sur un lit de petits rondins. La théorie est corroborée par le fait que certaines des statues abandon-nées en chemin se sont renversées et brisées à partir d'une position verticale. On a pu aussi les transporter couchées sur le dos, ou même sur le ventre, sur un berceau de bois. On a certainement dû recourir à un tel procédé pour franchir des pentes escarpées. Il est possible également qu'elles aient été tirées de la carrière jusqu'à la mer, puis chargées sur des radeaux.

Le stade final

La plupart des statues étaient destinées à être érigées sur les plates-formes cérémonielles en pierre qui bordent la côte. Mesurant jusqu'à 150 m de longueur sur 3 m de hauteur, ces structures en pierres sèches ont été construites aussi près que possible de la mer, mais les statues regardaient plutôt en direction de la terre. Les plates-formes elles-mêmes sont souvent des merveilles de construction, avec un cœur de blocaille recouvert d'un parement de grands blocs, pouvant atteindre 3 m de large et soigneusement ajustés. Des

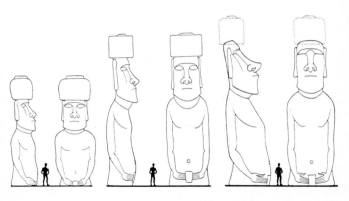

Ci-dessus **Les statues de l'île de Pâques sont de tailles et de formes variées.** *À droite* **El Gigante, la plus grande de toutes, est restée inachevée dans la carrière de Ranu Raraku.**

cordes, des rampes et des leviers en bois ont probablement été utilisés pour hisser et installer les statues. C'est alors seulement que l'on ajoutait les yeux. Des fouilles pratiquées en 1978 sous une statue renversée ont mis au jour des traces de corail blanc et de scorie rouge qui formaient le blanc de l'œil et la pupille. Ce sont les yeux qui donnaient aux statues leur puissance spirituelle. Ce n'est pas par hasard que les statues furent renversées face contre terre. Sur celles qui tombèrent vers l'arrière, on fit disparaître les yeux à grands coups de marteau.

Enfin, sur les statues les plus récentes, était posée une sorte de chignon en forme de tambour, ou *pukoa*, en scorie rouge venant d'une carrière située à Puna Pau. Les plus grands dépassent les 2 m de diamètre et pèsent plus de 10 tonnes. Ils furent certainement ajoutés en dernier lieu, après l'érection de la statue, à l'aide de cordes et de solides poutres en bois.

On ignore toujours ce que représentaient ces statues. Certains ont cru y reconnaître des dieux, mais l'explication aujourd'hui la plus couramment acceptée est qu'elles étaient des ancêtres vénérés par la communauté. Certaines ont pu être sculptées du vivant du modèle, mais achevées et élevées seulement après sa mort. La quantité de bois exigée par l'érection d'un si grand nombre de statues fut sans aucun doute une des raisons de l'effondrement de l'écosystème. La déforestation, l'épuisement des terres et la surpopulation ont engendré famines et guerres, au cours desquelles les groupes ennemis s'acharnèrent sur les statues des ancêtres. Elles étaient encore debout lorsque les premiers Européens visitèrent l'île en 1722. Cinquante ans plus tard, elles avaient été renversées. Aujourd'hui, plusieurs ont été restaurées, réinstallées sur leurs plates-formes *ahu* et pourvues de yeux et de chignons. Alignées et tournées vers la terre, le regard légèrement levé vers le ciel pour ne pas perturber les vivants, elles sont la puissante illustration de ce qu'a pu réaliser une population limitée, avec une technologie rudimentaire, mais mue par des croyances vivaces et des rivalités farouches.

Renversées au XVIIIᵉ siècle, certaines statues de l'île de Pâques ont été replacées sur leurs plates-formes, dos à la mer et les yeux levés vers le ciel.

Orientations bibliographiques

Les Sept Merveilles

1 Les pyramides de Gizeh
Arnold, D., *Building in Egypt : Pharaonic Stone Masonry* (New York et Oxford, 1991)
Edwards, I. E. S., *The Pyramids of Egypt* (Harmondsworth, 1993)
Lehner, M., *The Complete Pyramids* (Londres et New York, 1997)

2 Les jardins suspendus de Babylone
Dalley, S., « Nineveh, Babylon and the Hanging Gardens : cuneiform and classical sources reconciled », *Iraq* 56 (1994), 45-58
Koldewey, R., *The Excavations at Babylon* (Londres, 1914)
Koldewey, R., *Die Königsburgen von Babylon, II : die Hauptburg und die Sommerpalast Nebukadnezars im Hügel Babil*, édité par F. Wetzel (Osnabrück, 1932)
Reade, J. E., « Alexander the Great and the Hanging Gardens of Babylon », Iraq, à paraître
Stevenson, D. W. W., «A proposal for the irrigation of the Hanging Gardens of Babylon», Iraq 54 (1992), 35-55
Wiseman, D. J., *Nebuchadrezzar and Babylon : The Schweich Lectures of the British Academy 1983* (Oxford, 1985)

3 Le temple d'Artémis à Éphèse
Coulton, J., *Ancient Greek Architects at Work. Problems of Structure and Design* (New York, 1977)
Trell, B., «The Temple of Artemis at Ephesos» in The Seven Wonders of the Ancient World, Clayton, P. et Price, M. (eds) (Londres, 1988), 78-99

4 La statue de Zeus à Olympie
Lapatin, K., «Pheidias "elejantourgos"», *American Journal of Archaeology* 101 (1997), 663-682
Price, M., «The Statue of Zeus at Olympia» in *The Seven Wonders of the Ancient World*, Clayton, P. et Price, M. (eds) (Londres, 1988), 59-77

5 Le mausolée d'Halicarnasse
Jeppesen, K., «Explorations at Halicarnassus», *Acta Archaeologica* 38 (1976), 29-58
Jeppesen, K. et Zahle, J., «Investigations on the Site of the Mausoleum 1970/1973», *American Journal of Archaeology* 79 (1975), 67-79
Romer, J. et Romer, E., *The Seven Wonders of the World* (Londres, 1995), 77-106
Waywell, G. B., «The Mausoleum at Halicarnassus» in The Seven Wonders of the Ancient World, Clayton, P. et Price, M. (eds) (Londres, 1988), 100-123

6 Le colosse de Rhodes
Higgins, R., «The Colossus of Rhodes» in *The Seven Wonders of the Ancient World*, P. Clayton et M. Price (eds) (Londres, 1988), 124-137
Romer, J. et Romer, E., *The Seven Wonders of the World* (Londres, 1995), 25-47

7 Le phare d'Alexandrie
Empereur, J. -Y., *Le Phare d'Alexandrie : La Merveille retrouvée* (Évreux, 1998)
Empereur, J. -Y., *Alexandria Rediscovered* (Londres, 1998)
Clayton, P., «The Pharos at Alexandria» in *The Seven Wonders of the Ancient World*, Clayton, P. et Price, M. (eds) (Londres, 1988), 138-157
Romer, J. et Romer, E., *The Seven Wonders of the World* (Londres, 1995), 48-76

Tombes et nécropoles

8 La tombe mégalithique de Newgrange
O'Kelly, M. *Newgrange. Archaeology, Art and Legend* (Londres et New York, 1982)
Powell, A. B., «Newgrange – science or symbolism ?» *Proceedings of the Prehistoric Society* 60 (1994), 85-96

9 Le trésor d'Atrée à Mycènes
Cavanagh, W. G. et Laxton, R. R., «Problem Solving and the Architecture of Tholos Tombs» in *Problems in Greek Prehistory*, French, E. B. et Wardle, K. A. (eds) (Bristol, 1988)
Taylour, W. D., *The Mycenaeans* (Londres et New York, 1983, éd. rev.)
Wace, A. J. B., *Mycenae. An Archaeological History and Guide* (Princeton, 1949)

10 La vallée des Rois : la tombe de Sethi Ier
Bierbrier, M., *The Tomb-builders of the Pharaohs* (Londres, 1982)
Hornung, E., *The Valley of the Kings : Horizon of Eternity* (New York, 1990)
Hornung, E., *the Tomb of Pharaoh Seti I* (Zurich et Munich, 1991)
Reeves, N. et Wilkinson, R., *The Complete Valley of the Kings* (Londres et New York, 1996)

11 La nécropole étrusque de Cerveteri
Blanck, H. et Proietti, G., *La Tomba dei Rilievi di Cerveteri* (Rome, 1986)
Cristofani, M., Nardi, G. et Rizzo, M. A., *Caere I : Il parco archeologico* (Rome, 1988)
Proietti, G., *Cerveteri* (Rome, 1986)
Spivey, N. J., *Etruscan Art* (Londres et New York, 1997)

12 La tombe du premier empereur de Chine
Cotterell, A., *The First Emperor of China* (New York, 1981)
Guisso, R. et al., *The First Emperor of China* (Londres, 1989)
Ledderose, L., *Der Erste Kaiser von China und seine Terrakotta-Armee* (Munich, 1990)
Wen Fong (ed.), T*he Great Bronze Age of China* (New York, 1980)

13 Les tombes nabatéennes de Pétra
Browning, I., *Petra* (Londres, 1974)
Glueck, N., *Deities and Dolphins : the Story of the Nabataeans* (Londres, 1965)
Hammond, P. C., *The Nabataeans - Their History, Culture and Archaeology*. Studies in Mediterranean Archaeology, vol. XXXVII (Gothenburg, 1973)
Lawlor, J. I., *The Nabataeans in Historical Perspective* (Grand Rapids, Michigan, 1974)
McKenzie, J., *The Architecture of Petra*, British Academy Monographs in Archaeology n° 1 (Oxford, 1990)
Maqsood, R., *Petra, a Traveller's Guide* (Reading, 1994)
Taylor, J., *Petra* (Londres, 1993)

14 Les pyramides mochicas
Bawden, G., *The Moche* (Oxford, 1996)
Benson, E., *The Mochica : A Culture of Peru* (Londres, 1972)
Hagen, A. von et Morris, C., *The Cities of the Ancient Andes* (Londres et New York, 1998)
Mosely, M. E., *The Incas and their Ancestors. The Archaeology of Peru* (Londres et New York, 1993)

Shimada, I., *Pampa Grande and the Mochica Culture* (Austin, 1994)

15 Le tombeau de l'empereur Nintoku, Japon
Barnes, G. L., *Protohistoric Yamoto* (Ann Arbor, University of Michigan, Centre for Japanese Studies, 1988)
Brown, Delmer M., «The Yamato Kingdom», in Brown, D. M., *The Cambridge History of Japan. Vol. 1. Ancient Japan* (Cambridge, 1993)
Kaya, K., «Daisen kofun», in Kondo, Yoshiro (ed.) *Zenpo Koenfun Shusei Kinki [Corpus of Keyhole-Shaped Tombs. Kinki Region]* (Tokyo, 1992)
Miki, Fumio, Haniwa (New York et Tokyo, 1974)
Mori, Shoichi, *Osaka-fu Shi [History of Osaka Prefecture], Vol. 1. Kodai [Ancient Times]* (Osaka, 1978), 672-684
Nakai et Okuda, «Dennintokuryo kofun koenbu maiso shisetsu ni tsuite» [On the burial facility in the rear circular mound of the tomb said to be the Nintoku Mausoleum] *Kokogaku Zahhi* 62. 2, 164-176
Tsude, Hiroshi, «The kofun period and state formation», *Acta Asiatica* 63 (1992), 64-86

16 La tombe du roi maya Pacal à Palenque
Abrams, E., *How the Maya Built their World* (Austin, 1994)
De la Garza, M., *Palenque* (Mexico, 1992)
Mathews, P. et Schele, L., *Lords of Palenque – The Glyphic Evidence* (Pebble Beach, 1974)
Ruz Lhuillier, A., *El Templo de las Inscripciones* (Mexico, 1973)
Schele, L. et Mathews, P., *The Code of Kings* (New York, 1998)
Stephens, J. L., *Incidents of Travel in Central America, Chiapas, and Yucatan* (New Brunswick, 1949 [1842])
Webster, D. et Kirker, J., «Too Many Maya, Too Few Buildings», *Journal of Anthropological Research* 51, 363-387

17 Le temple-mausolée d'Angkor Vat
Jacques, C. et Freeman, M., *Angkor : Cities and Temples* (Londres, 1997)
Mabbett, I. et Chandler, D., *The Khmers* (Oxford, 1995)
Nafilyan, G. et al., *Angkor Vat : description graphique du temple* (Paris, 1969)
Srivastava, K. M., *Angkor Wat* (Delhi, 1987)

Temples et sanctuaires

18 Ggantija et les temples maltais
Bonanno, A., «Technice costruttive dei templi megalitici Maltesi» in Fradkin, A. et Anati. (eds), *Missione a Malta* (Capo di Ponte, 1988), 110-111
Evans, J. D., *The Prehistoric Antiquities of the Maltese Islands* (Londres, 1971)
Trump, D., *Malta : An Archaeological Guide* (Londres, 1972)

19 Stonehenge
Chippindale, C., *Stonehenge Complete* (Londres et New York, 1994)
Cleal, R., Walker, K. et Montague, R., *Stonehenge in its Landscape* (Londres, 1995)
Cunliffe, B. et Renfrew, C. (eds), *Science and Stonehenge* (Oxford, 1997)
Souden, D., *Stonehenge* (Londres, 1997)

20 La Grande Ziggourat d'Ur
Lloyd, S., *The Archaeology of Mesopotamia* (Londres et New York, 1978)
Postgate, J. N., *Early Mesopotamia : Society and Economy at the Dawn of History* (Londres et New York, 1992)
Reade, J., *Mesopotamia* (Londres, 1991)
Woolley, L., *The Ziggurrat and its Surroundings : Ur Excavations, vol. V* (Londres et Philadelphie, 1939)
Woolley, L. et Moorey, P. R. S., Ur «of the Chaldees» (Londres, 1982)

21 Les temples de Karnak
Arnold, D., *Building in Egypt : Pharaonic Stone Masonry* (New York et Oxford, 1991)
Bourbon, F. et Attini, A., *Egypt : Yesterday and Today. Lithographs and Diaries by David Roberts*, R. A. (Shrewsbury, 1996), 138-151
Lauffray, J., *Karnak d'Égypte : Domaine du divin* (Paris, 1979)
Schultz, R. et Seidel, M., *Egypt : the World of the Pharaohs* (Cologne, 1998), 153-174

22 Le grand temple d'Abu Simbel
Badawy, A., *A History of Egyptian Architecture*, Vol. III : *The Empire* (Berkeley, 1968), 304-314
Baines, J. et Málek, J., *Atlas of Ancient Egypt* (Oxford, 1980), 184-185
MacQuitty, W., *Abu Simbel* (Londres, 1965)

23 Le centre cultuel de Chavín de Huántar
Burger, R. L., *Chavín and the Origins of Andean Civilization* (Londres et New York, 1992)
Hagen, A. von et Morris, C., *The Cities of the Ancient Andes* (Londres et New York, 1998)
Moseley, M. E., *The Incas and their Ancestors. The Archaeology of Peru* (Londres et New York, 1993)

24 Le Parthénon d'Athènes
Burford, A., «The Builders of the Parthenon», *Greece and Rome* 10 (1963)
Carpenter, R., *The Architects of the Parthenon* (Londres, 1994)
Korres, M., *From Pentelicon to the Parthenon* (Londres, 1995)
Tournikiotis, P., *The Parthenon and its Impact in Modern Times* (Athènes, 1994)

25 La pyramide du Soleil à Teotihuacán
Berlo, J. C. (ed.), *Art, Ideology, and the City of Teotihuacán* (Washington DC, 1992)
Berrin, K. et Pasztory, E. (eds), *Teotihuacán : Art from the City of the Gods* (Londres et New York, 1993)
Heyden, D., «Caves, gods, and myths : world-view and planning in Teotihuacán», in *Mesoamerican Sites and World-Views* (Washington DC, 1981), 1-35
Millon, R., Drewitt, B. et Cowgill, G., *Urbanization at Teotihuacán, Mexico : the Teotihuacán Map* (Austin, 1973)
Pasztory, E., *Teotihuacán : An Experiment in Living* (Norman, Oklahoma, 1997)
Sahagún, Fray B. de, *The Origin of the Gods*. Livre 3 du Codex florentin (Santa Fe, Nouveau-Mexique, 1978 [1959])

26 Le Grand Stûpa de Sanchi
Brown, P., *Indian Architecture : Buddhist and Hindu* (Bombay, 1946)
Marshall, J. H. et Foucher, A., *The Monuments of Sanchi* (Londres, s. d.)
Mitra, D., *Buddhist Monuments* (Calcutta, 1971)

27 Les grottes bouddhiques d'Ajanta
Behl, B. K., *Ajanta Caves : Ancient Paintings of Buddhist India* (Londres et New York, 1998)
Dehejia, V., *Early Buddhist Rock-cut Temples : A Chronological Study* (Londres, 1972)
Mitra, D., *Ajanta* (New Delhi, 1968)
Plaeschke, H. et Plaeschke, I., *Indische felsentemple und hohlenkloster : Ajanta un Elura* (Leipzig, 1982)
Weiner, S. L., *Ajanta : Its Place in Buddhist Art* (Berkekey, 1977)

28 Le Panthéon de Rome
Davies, P., Hemsoll, D. et Wilson-Jones, M., «The Pantheon : triumph of Rome or triumph of compromise», *Art History* 10 (1987) 133-153
De Fine Licht, K., *The Rotunda in Rome : A Study of Hadrian's Pantheon*, Jutland Archaeology Society, 8 (Copenhague, 1968)
MacDonald, W. L., *The Architecture of the Roman Empire, I : An Introductory Study* (New Haven et Londres, 1965)
Mark, R. et Hutchinson, P., «On the structure of the Roman Pantheon», *Art Bulletin* LXVIII, 1 (1986), 24-34

29 Les ouvrages en terre de Newark
Brose, David S. et Greber N'omi (eds), *Hopewell Archaeology : The Chillicothe Conference* (Kent, OH, 1979)
Dancey, William et Pacheco, Paul J. (eds), *Ohio Hopewell Community Organization* (Kent, OH, 1997)
Hiveley, R. et Horn, R., «Geometry and Astronomy in Prehistoric Ohio», *Archeoastronomy* 4 (1982), 1-20

30 Le monastère bouddhique de Paharpur
Dikshit, R. B. K. N., *Excavations at Paharpur* (New Delhi, 1938)
Qadir, M. A. A., *Paharpur* (Dhaka, 1980)
Sanday, J., Frost, A., Smyth, J., Lohuizen de Leeuw et Antonio, R.,
 *Masterplan for the Conservation and Presentation of the Ruins of the
 Buddhist Vihara at Paharpur and the Historic Mosque-city of
 Bagerhat* (Paris, 1983)

31 Le sanctuaire bouddhique de Borobudur
Dumarçay, J., *Histoire architecturale de Borobudur* (Paris, 1977)
Dumarçay, J., *Borobudur* (Kuala Lumpur, 1978)
Soekmono, R. et al., *Borobudur, Prayer in Stone* (Londres, 1990)

32 Le Monk's Mound de Cahokia
Emerson, T. E., *Cahokia and the Archaeology of Power* (Tuscaloosa,
 1997)
Emerson, T. E. et Lewis, R. B. (eds), *Cahokia and the Hinterlands :
 Middle Mississippian Cultures of the Midwest* (Urbana, 1991)
Pauketat, T. R. et Emerson, T. E. (eds), *Cahokia : Domination and
 Ideology in the Mississippian World* (Lincoln, 1997)

33 Les mosquées d'argile de Tombouctou
Insoll, T., «Archaelogical Research in Timbuktu, Mali», *Antiquity* 72
 (1998), 413-417
Mauny, R., «Notes d'archéologie sur Tombouctou», *Bulletin de l'Institut
 Français d'Afrique Noire* (B) 14 (1952), 899-918
Miner, H., *The Primitive City of Timbuctoo* (Princeton, 1953)
Prussin, L., *Hatumere : Islamic Design in West Africa* (Los Angeles,
 1986)
Prussin, L., «Sub-Saharan West Africa», in Frishman, M. et Khan, H. -U.
 (eds), *The Mosque. History. Architectural Development and Regional
 Diversity* (Londres et New York, 1994)

34 Le Grand Temple des Aztèques
Boone, E. H. (ed.), *The Aztec Templo Mayor* (Washington DC, 1987)
Broda, J., Carrasco, D. et Matos Moctezuma, E., *The Great Temple of
 Tenochtitlán : Center and Periphery in the Aztec World* (Berkekey,
 1987)
Graulich, M., «Mexico City's "Templo Mayor" revisited», in Saunders,
 N. J. (ed.), *Ancient America : Contributions to New World
 Archaeology* (Oxford, 1992)
Heyden, D. et Willaseñor, L. F., *The Great Temple and the Aztec Gods*
 (Mexico, 1984)
López Lujan, L., *The Offerings of the Templo Mayor of Tenochtitlán*
 (Niwot, Colorado, 1994)
Matos Moctezuma, E., *The Great Temple of the Aztecs : Treasures of
 Tenochtitlán* (Londres et New York, 1994)

Palais, thermes et arènes

35 Le palais minoen de Cnossos
Evely, D., Hughes-Brock, H. et Momigliano, N., *Knossos. A Labyrinth of
 History* (Oxford, 1994)
Farnoux, A., *Knossos. Unearthing a Legend* (Londres et New York, 1996)
Graham, J. W., *The Palaces of Crete* (Princeton, 1969)

36 Le palais de Sennacherib à Ninive
Barnett, R. D., et al., *Sculptures from the Southwest Palace at Nineveh*
 (Londres, 1998)
Layard, A. H., *Discoveries in the Ruins of Nineveh and Babylon*
 (Londres, 1853)
Reade, J. E., *Assyrian Sculpture* (Londres, 1998, 2e éd.)
Russell, J. M., *Sennacherib's Palace without Rival at Nineveh* (Chicago
 et Londres, 1991)

37 Le palais de Persépolis
Lecoq, P., *Les Inscriptions de la Perse achéménide* (Paris, 1997)
Roaf, M., «Sculptures and Sculptors at Persepolis», *Iran* 21 (1983)
Schmidt, E. F., *Persepolis*, vol. I-III (Chicago, 1953-1970)

Tilia, A. B., «A Study on the methods of working and restoring stone in
 Achaeminian architecture and sculpture», *East and West* 18 (1968), 67-95
Tilia, A. B., *Studies and Restorations at Persepolis and other Sites in
 Fars* (Rome, 1972, 1978)
Wilber, D. N., *Persepolis* (Londres, 1969)

38 Le Colisée de Rome
Brightwell, R., «The Colosseum», in Barnes, M. et al., *Secrets of Lost
 Empires* (Londres, 1996), 136-179
Cozzo, G., *Ingegneria Roma* (Rome, 1928), 195-253
Rea, R., «Amphitheatrum», in Steinby, E. M. (ed.), *Lexicon
 Topographicum Urbis Romae*, Vol. 1, A-C (Rome, 1993), 30-35

39 La villa Hadriana à Tivoli
Erlich, T. L., «The waterworkds of Hadrian's Villa», *Journal of Garden
 History* 9.4 (1989), 161-176
Giuliano, A., et al., *Villa Adriana* (Rome, 1988)
Jacobson, D. M., «Hadrianic architecture and geometry», *American
 Journal of Archaeology* 90.1 (1986), 69-85
MacDonald, W. L. et Pinto, J. A., *Hadrian's Villa and Its Legacy* (New
 Haven et Londres, 1995)
Moneti, A., «Nuovi sostegni all'ipotesi di una grande sala cupolata alla
 "Piazza d'Oro" di Villa Adriana», *Analecta romana Istituti Danici* 20
 (1992), 67-92

40 Les thermes de Caracalla
Adam, J. -P., *Roman Building. Materials and Techniques*
 (Londres, 1994)
DeLaine, J., *The Baths of Caracalla in Rome : a study in the design,
 construction and economics of large-scale building projects in
 imperial Rome, Journal of Roman Archaeology* Supplement 25
 (Portsmouth, R. I., 1997)
DeLaine, J., «The "cella solearis" of the Baths of Caracalla in Rome : a
 reappraisal», *Papers of the British School in Rome* 55 (1987), 147-156
DeLaine, J., «An engineering approach to Roman building techniques :
 the Baths of Caracalla in Rome», *Papers in Italian Archaeology IV, Part
 iv : Classical and Medieval*, BAR IS 246 (Oxford, 1985), 195-206
Yegül, F. K., *Baths and Bathing in Classical Antiquity* (Cambridge,
 Mass. et Londres, 1992)

41 Le palais et les jardins d'agrément de Sigiriya
De Silva, R. H., *Sigiriya* (Colombo, 1976)
Ellepola, C., «Conjectured hydraulics of Sigiriya», *Ancient Ceylon* 11
 (1990), 168-227
Paranavitana, S., «Sigiri – the abode of a god-king», *Journal of the Ceylon
 Branch of the Royal Asiatic Society* (ns) I (1950), 129-162
Paranavitana, S., *The Sigiri Graffiti*, 2 vol. (Oxford, 1956)

42 L'arche de Ctésiphon
Bruno, A., «The preservation and restoration of Taq-Kisra»,
 Mesopotamia I (1966), 89-108
Kurz, O., «The date of the Taq i Kisra», *Journal of the Royal Asiatic
 Society* (1941), 37-41
Reuther, O., *Die Ausgrabungen der deutschen Ktesephon-Expedition im
 Winter 1928-1929* (Berlin, 1930)
Reuther, O., «Sasanian architecture : a history», in Pope, A. U. (ed.), *A
 Survey of Persian Art* (Londres et New York, 1938), vol. V, 493-578

43 Les complexes royaux de Chanchan
Hagen, A. von et Morris, C., *The Cities of the Ancient Andes* (Londres et
 New York, 1998)
Moseley, M. E., *The Incas and their Ancestors. The Archaeology of Peru*
 (Londres et New York, 1993)
Moseley, M. E. et Mackey, C. J., *Twenty-four Architectural Plans of
 Chan Chan, Peru* (Cambridge, Mass., 1974)
Moseley, M. E. et Day, K. C. (eds), *Chan Chan : Andean Desert City*
 (Albuquerque, 1982)
Moseley, M. E. et Cordy-Collins, A. (eds), *The Northern Dynasties :
 Kingship and Statecraft in Chimor* (Washington, 1990)

44 Grand Zimbabwe

Beach, D., *The Shona and their Neighbours* (Londres, 1994)
Garlake, P. S., *Great Zimbabwe*, (Londres et New York, 1973)
Huffman, T. N., *Snakes and Crocodiles : Power and Symbolism in Ancient Zimbabwe* (Johannesburg, 1996)

Les Fortifications

45 Mycènes et Tirynthe

Iakovidis, S., «Cyclopean Walls», *Athens Annals of Archaeology* 3 (1969), 468-472
Iakovidis, S., *Late Helladic Citadels on Mainland Greece* (Leiden, 1983)
Loader, N. C., *Building in Cyclopean Masonry, with Special Reference to the Mycenaean Fortifications*, Studies in Mediterranean Archaeology Pocketbook Series (Gothenburg, 1998)
Mylonas, G., *Mycenae and the Mycenaean Age* (Princeton, 1966)
Wace, A. J. B., *Mycenae. An Archaeological History and Guide* (Princeton, 1949)

46 Les forteresses de Van

Belli, O., *The Capital of Urartu, Van, Eastern Anatolia* (Istanbul, 1988)
Burney, C. et Marshall Lang, D., *The Peoples of the Hills : Ancient Ararat and Caucasus* (Londres, 1971)
Forbes, T. B., *Urartian Architecture*. British Archaeological Reports, International Series 170 (Oxford, 1983)
Kleiss, W., «Grössenvergleiche urartäischer Burgen und Siedlungen», in Boehmer, R. M. et Hauptmann, H. (eds), *Beiträge zur Alterumskunde Kleinasiens* (Mainz, 1983), 283-290
Loon, M. N. van, *Urartian Art* (Istanbul, 1966)
Wartke, R. -B., *Urartu das Reich am Ararat* (Mainz, 1993)
Zimansky, P. E., *Ecology and Empire : the Structure of the Urartian State* (Chicago, 1984)

47 Les murs de Babylone

Koldewey, R., *Das Ischtar-Tor in Babylon* (Leipiz, 1918)
Koldewey, R., *The Excavations at Babylon* (Londres, 1914)
Matson, F. R., «The brickmakers of Babylon», in Kingery, W. D. (ed.), *Ceramics and Civilization*, vol. I : *Ancient Technology to Modern Science* (Columbus, OH, 1985), 61-75
Oates, J., *Babylon* (Londres et New York, 1979)
Wetzel, F., *Die Stadtmauern von Babylon* (Osnabrück, 1930)

48 Maiden Castle

Sharples, N., *Maiden Castle : Excavation and Field Survey 1985-1986* (Londres, 1991)
Sharples, N., *Maiden Castle* (Londres, 1991)
Wheeler, R. E. M., *Maiden Castle, Dorset* (Londres, 1943)

49 Les fortifications de Syracuse

Karlsson, L., *Fortification Towers and Masonry Techniques in the Hegemony of Syracuse, 405-211 BC* (Stockholm, 1992), esp. 22-38, 106-116
Lawrence, A. W., *Greek Aims in Fortification* (Oxford, 1979)
Mertens, D., «Die Befestigungen von Selnunt und Syrakus», *Akten des XIII. internationalen Kongresses für klassische Archäologie Berlin 1988* (Mainz, 1990), 474-478
Pugliese Carratelli, G. (ed.), *The Western Greeks* (Londres, 1996), 347-350
Winter, F. E., «The chronology of the Euryalos fortress at Syracuse», *American Journal of Archaeology* 67 (1963), 363-387
Winter, F. E., *Greek Fortifications* (Toronto et Londres, 1971), esp. 313-317

50 La Grande Muraille de Chine

Fryer, J., *The Great Wall of China* (Londres, 1975)
Needham, J., *Science and Civilization in China* vol. 4, part. 3 sections 28-29 (Cambridge, 1997)
Schwartz, D., *The Great Wall of China* (Londres et New York, 1990)
Waldron, A., *The Great Wall of China – from History to Myth* (Cambridge, 1990)
Luo Zewen, et al., *The Great Wall of China* (New York, 1991)

51 Massada

Avi Yonah, M., et al., *Masada : Survey and Excavations 1955-1956* (tiré à part de *Israel Excavation Journal* 7, 1957), 1-60
Flavius Josèphe, *La Guerre des Juifs*.
Foerster, G., *Masada V : Art and Architecture* (Jérusalem, 1995)
Netzer, E., *Masada III : the Buildings : Stratigraphy and Architecture* (Jérusalem, 1991)
Yadin, Y., *Masada : Herod's Fortress and the Zealots' Last Stand* (Londres, 1966)

52 Le temple-forteresse de Sacsahuamán

Hagen, A. von et Morris, C., *The Cities of Ancient Andes* (Londres et New York, 1998)
Hemming, J., *The Conquest of the Incas* (Harmondsworth, 1983)
Hemming, J. et Ranney, E., *Monuments of the Incas* (Boston, 1982)
Hyslop, J., *Inka Settlement Planning* (Austin, 1990)
Gasparini, G. et Margolies, L., *Inca Architecture* (Bloomington, 1980)
Lee, V., *The Building of Sacsayhuaman* (Wilson, 1987)
Moseley, M. E., *The Incas and their Ancestors. The Archaeology of Peru* (Londres et New York, 1993)
Protzen, J. P., «Inca Quarrying and Stonecutting», *Journal of the Society of Architectural Historians* XLIV/3 (1985), 161-182

Ports, ouvrages hydrauliques et routes

53 La Grande Piscine de Mohenjo-daro

Jansen, M., Mulloy, M. et Urban, G., *Forgotten Cities on the Indus : Early civilization in Pakistan from the 8th to the 2nd Millenium BC* (Mainz, 1991)
Kenoyer, J. M., *Ancient Cities of the Indus Valley Civilisation* (Karachi, 1998)
Marshall, J. H., *Mohenjo-daro and the Indus Valley Civilization*, 3 vol. (Londres, 1931)
Wheeler, R. E. M., *The Indus Civilization* (Cambridge, 1953)

54 Le barrage de Marib en Arabie méridionale

Antonini, S., et al., *Yémen : au pays de la reine de Saba* (Paris, 1998)
Brunner, U., *Die Erforschung der antiken oase von Marib* (Archäologische Berichte aus dem Yemen, vol. II) (Mainz, 1983)
Doe, B., *Monuments of South Arabia* (Cambridge, 1983)
Schmidt, J., «Baugeschichtliche Untersuchungen an den Bauanlagen des grossen Dammes von Marib», *Archäologische Berichte aus dem Yemen*, vol. I (1982), 9-20
Wright, G. R. H., «Some preliminary observations on the masonry work at Marib», *Archäologische Berichte aus dem Yemen*, vol. IV (1988), 63-78

55 Les canaux chinois

Deng Shulin, «The Grand Canal – Still Grand», *China Reconstructs* (Beijing, 1983/1989)
Needham, J., *Science and Civilization in China*, vol. 4, part. 3 (Cambridge, 1954)
Price, W., «Grand Canal Panorama», *National Geographic Magazine*, 1937

56 Les aqueducs romains

Aicher, P. J., *Guide to the Aqueducts of Ancient Rome* (Wauconda, 1995)
Hodge, A. T., *Roman Aqueducts and Water Supply* (Londres, 1992)
Evans, H. B., *Water Distribution in Ancient Rome : The Evidence of Frontinus* (Baltimore, 1994) ; avec la traduction d'un texte de Frontinus
Fabre, G. et al., *The Pont du Gard. Water and the Roman Town* (Paris, 1992)

57 Les routes romaines

Adam, J. -P., *Roman Building. Materials and Techniques* (Londres, 1994)
Chevallier, R., *Roman Roads* (Londres, 1989, éd. revue)

58 Le port de Césarée

Holum, K. G., Hohlfelder, R. L., Bull, R. J. et Raban, A., *King Herod's*

Dream : Caesarea on the Sea (New York et Londres, 1988)

Oleson, J. P. et Branton, G., «The technology of King Herod's harbour» in Vann, R. L. (ed.), *Caesarea Papers, Journal of Roman Archaeology* Supplement 5 (Ann Arbor, 1992)

Raban, A., et al., *The Harbours of Caesarea Maritima. Results of the Caesarea Ancient Harbour Excavation Project*, 1980-1985, British Archaeological Reports, International Series 491 (Oxford, 1989)

59 Les routes du Chaco au Nouveau-Mexique

Cordell, L., *The Prehistory of the Southwest*, 2ᵉ éd. (Orlando, 1997)

Lekson, S., *Great Pueblo Architecture of Chaco Canyon, New Mexico* (Albuquerque, National Park Service Publications in Archaeology 18B : Chaco Canyon Studies, 1984)

Lekson, S. H., «Rewriting Southwestern Prehistory», *Archaeology* 50 (1) (1997), 52-55

Nabakov, P., *Native American Architecture* (New York, 1989)

Plog, S., *Ancient Peoples of the American Southwest* (Londres et New York, 1997)

Vivian, G., «Chacoan Roads : Morphology», *The Kiva* 63 (1) (1997), 7-34

Vivian, G., «Chaco Roads : Function», *The Kiva* 63 (1) (1997), 35-67

60 Les routes et les ponts incas

Gade, D., «Bridge Types in the Central Andes», *Annals of the Association of American Geographers* 62/1 (1972), 94-109

Hagen, V. von, *Highways of the Sun* (New York, 1955)

Hagen, A. von et Morris, C., *The Cities of the Ancient Andes* (Londres et New York, 1998)

Hyslop, J., *The Inca Road System* (New York, 1984)

Moseley, M. E., *The Incas and their Ancestors. The Archaeology of Peru* (Londres et New York, 1993)

Statues colossales et monolithes

61 Le Grand Menhir brisé de Locmariaquer

Bailloud, G., Boujot, C., Cassen, S. et Le Roux, C. -T., *Carnac. Les Premières Architectures de pierre* (Paris, 1995)

Burl, A., *Megalithic Britanny* (Londres, 1985)

Le Roux, C. -T., «Et voguent les menhirs… ?» *Bulletin d'information de l'Association Manche-Atlantique pour la Recherche archéologique dans les Îles* 10 (1997), 5-18

62 Le Grand Sphinx de Gizeh

Arnold, D., *Building in Egypt : Pharaonic Stone Masonry* (New York et Oxford, 1991)

Hasan, S., *The Sphinx : Its History in the Light of Recent Excavations* (Le Caire, 1949)

Jordan, P. et Ross, J. G., *Riddles of the Sphinx* (Phoenix Mill, 1998)

Lehner, M., *The Complete Pyramids* (Londres et New York, 1997)

63 Les obélisques égyptiens

Arnold, D., *Building in Egypt : Pharaonic Stone Masonry* (New York et Oxford, 1991)

Barnes, M., «The Obelisk», in Barnes, M., et al., *Secrets of Lost Empires* (Londres, 1996), 94-135

Clarke, S. et Engelbach, R., *Ancient Egyptian Masonry* (Oxford, 1930)

Engelbach, R., *The Problem of the Obelisks* (Londres, 1923)

Habachi, L., *The Obelisks of Egypt : Skyscrapers of the Past* (Londres, 1978)

64 Les colosses de Thèbes

Arnold, D., *Building in Egypt : Pharaonic Stone Masonry* (New York et Oxford, 1991)

Bourbon, F. et Attini, A., Egypt : *Yesterday and Today. Lithographs by David Roberts, R. A.* (Shrewsbury, 1996), 170-179

Schultz, R. et Seidel, M., Egypt : *The World of the Pharaohs* (Cologne, 1998), 188-190, 192-195

65 Les têtes colossales des Olmèques

Benson, E. et De La Fuente, B. (eds), *Olmec Art of Ancient Mexico* (Washington, DC, 1996)

Bernal, I., *The Olmec World* (Berkeley, 1969)

Coe, M. et Diehl, R., *In the Land of the Olmec* vol. 1 (Austin, 1980)

Sharer, R. et Grove, D. (eds), *Regional Perspectives on the Olmec* (Cambridge, 1989)

Collectif *The Olmec World : Ritual and Rulership* (New Haven, 1996)

66 Les lignes Nazca, des dessins sur le désert

Aveni, A. F. (ed.), *The Lines of Nazca* (Philadelphie, 1990)

Hadingham, E., *Lines to the Mountain Gods : Nazca and the Mysteries of Peru* (New York, 1987)

Hagen, A. von et Morris, C., T*he Cities of the Ancient Andes* (Londres et New York, 1998)

Morrison, T., *Pathways to the Gods* (New York, 1978)

Morrison, T., *The Mystery of the Nazca Lines* (Woodbridge, 1987)

Moseley, M. E., *The Incas and their Ancestors. The Archaeology of Peru* (Londres et New York, 1993)

67 Le trophée des Alpes à La Turbie

Formigé, J., *Le Trophée des Alpes (La Turbie)*, Supplément à Gallia II (Paris, 1949)

68 Les stèles géantes d'Aksoum

Buxton, D., *The Abyssinians* (Londres et New York, 1970)

Munro-Hay, S. C., *Aksum : an African Civilization of Late Antiquity* (Édimbourg, 1991)

Munro-Hay, S. C., *Excavations at Aksum* (Londres, 1989)

Phillipson, D. W., *The Monuments of Aksum* (Addis-Abeba et Londres, 1997)

Phillipson, D. W., *Ancient Ethiopia* (Londres, 1998)

69 Le Bouddha colossal de Bamian

Baker, P. H. B. et Allchin, F. R., *Shahr-i Zohak and the History of the Bamiyan Valley, Afghanistan* (Oxford, 1991)

Higuchi, T. (ed.), *Bamiyaan* (Kyoto, 1984)

Klimburg-Salter, D., *The Kingdom of Bamiyan : Buddhist Art and Culture of the Hindu Kush* (Naples, 1989)

Tarzi, Z., *L'Architecture et le décor rupestre des grottes de Bamian* (Paris, 1977)

70 Les statues de l'île de Pâques

Bhan, P. et Flenley, J., *Easter Island, Earth Island* (Londres et New York, 1992)

Bellwood, P., *The Polynesians* (Londres et New York, 1987)

Orliac, C. et Orliac, M., *The Silent Gods : Mysteries of Easter Island* (Londres, 1995)

Van Tilburg, J., *Easter Island : Archaeology, Ecology and Culture* (Londres et New York, 1994)

Sources des illustrations

d : au-dessus ; h : en haut ; b : en bas ; c : au centre ; g : à gauche ; dr : à droite
Les abréviations suivantes désignent les sources des illustrations :
AMNH — American Museum of Natural History, Courtesy Dept. of Library Services ; AWS — Achivio White Star ; WB — Warwick Ball ; CB — Chris Brandon, BM — © British Museum ; CMHS — Cahokia Mounds Historic Site ; PC — Peter Connolly (illustrateur) ; EH — English Heritage ; SF — Sîan Frances (illustrateur) ; HG — Photo Heidi Grassley, © Thames & Hudson Ltd, Londres ; RHPL — Robert Harding Picture Library ; CS — Chris Scarre ; AVH — Adriana von Hagen ; TW — Tracy Wellman (illustratrice) ; PW — Philip Winton (illustrateur).

1 d'après Swaddling dans Clayton et Price (eds), *The Seven Wonders of the Ancient World*, 1988 ; **2-3** Gavin Hellier/RHPL ; **4** HG ; **5g** Alberto Ruz, dr Tim Insoll ; **61g** CS, dr AVH ; **7g** A.F. Kersting, dr Elizabeth Pendleton ; **10-11** Mountain High Maps® Copyright 1993 Digital Wisdom Inc. ; William Reade, **12** Robert Estall ; **12-13h** AVH, b John G. Ross ; **14** Adam Woolfit/RHPL ; **14-15** RHPL ; **15h** Pat Aithie/Ffotograff, b Werner Forman Archive ; **16** Jeremy Stafford-Deitsch ; **16-17** Antonio Attini/AWS ; **17** N.J. Saunders ; **18-19** HG ; **21** John G. Ross ; **22-3** Guido Alberto Rossi/Image Bank ; **23** HG ; **24d** Mark Lehner ; **24b** PW ; **25h** PW ; **25dr** Audrain Samivel ; **26g** Kate Spence, dr George Taylor ; **27** PW ; **28b** PW *d'après* J.E. Reade ; **28-9h** BM, b Stephanie Dalley ; **29** BM ; **30-1** SF ; **32h** *d'après* Trell, 1988, dr dans Coulton, 1977, b N. Claire Loader ; **33** HG ; **34-5d** PW ; **35g** PW ; **35** Lesley et Roy Adkins Picture Library ; **36** SF ; **37** CS ; **38-9** *d'après* G.B. Waywell ; **39h** Byron Bell *d'après* K. Jeppesen ; **39b** BM ; **40** BM ; **41** PW *d'après* Byron Bell ; **42-3** dans Fischer von Erlach, *Entwurf einer historischen Architektur*, 1721 ; **43b** Peter Clayton, h A.F. Kersting ; **44** SF ; **45** Stéphane Compoint/Sygma ; **46** Jean-Claude Golvin/Éditions Errance ; **47h** Peter Clayton, b TW ; **48-9** Dúchas, The Heritage Service, Dublin ; **51dr** CS, b Annick Boothe *d'après* O'Kelly, 1982 ; **52** PW ; **52-3** Adam Woolfitt/RHPL ; **54** Peter Clayton ; **54-5** dans E.R. Dodwell, *Views and Descriptions of Cyclopian or, Pelasgic Remains in Greece and Italy*, 1834 ; **55** *d'après* Hood, 1978 ; **56-7** Christopher A. Klein/National Geographic Image Collection ; **58h** Hirmer Fotoarchiv, b Fitzwilliam Museum, Cambridge ; **58-9** TW ; **59** Richard Wilkinson ; **60** Alberto Siliotti ; **61** Marcello Bellisario/Autorizzazione SMA n1313 del 28/12/1987 ; **62** Nigel Spivey ; **63h** TW, c RHPL, b TW ; **64-5** Daniel Schwartz/Lookat, Zürich ; **66** Shaanxi Provincial Museum, Xi'an ; **66-67** Museum of Qin Shihuangdi's tomb, Mount Li, Shaanxi ; **67** g et dr Shaanxi Provincial Museum, Xi'an ; **68-9** Mark Hannaford/Ffotograff ; **70** WB ; **71** Shippee-Johnson Expedition, AMNH ; **72** Frank Spooner Pictures ; **72-3** Frank Spooner Pictures ; **74-5** Sakai, Osaka ; **75h** Teruya Yamamoto, c PW ; **76-7** PW ; **78** Alberto Ruz ; **79h** Merle Greene Robertson, b Alberto Ruz ; **80** Michael D. Coe ; **81** Michael Freeman ; **82-3** Michael Freeman ; **84-5** PW *d'après* Brown ; **85** PW ; **86-7** RHPL ; **89** C.M. Dixon ; **90** Adam Woolfitt/RHPL ; **90-1** Robert Estall ; **92h** TW, c PW ; **93** g et c PW, hdr TW *d'après* Souden, 1997 ; **94** PW *d'après* Cunliffe et Renfrew, 1997 ; **94-5** RHPL ; **96c** PW *d'après* Souden, 1997, b BBC ; **97** WB ; **98** PW ; **98-9** *d'après* L. Woolley ; **100** TW ; **100-1** Jean-Claude Golvin/Éditions Errance ; **102-3** Jeremy Stafford-Deitsch ; **103** TW *d'après* Arnold, 1991 ; **104** Kate Spence ; **105** HG ; **106** Kate Spence ; **106-7** Jeremy Stafford-Deitsch ; **108** PW *d'après* Richard L. Burger ; **109g** Alejandro Balaguer, dr Johan Reinhard ; **110** h et c AVH ; **111** Hirmer Fotoarchiv ; **112-3** PW ; **113b** BM, c Royal Ontario Museum, University of Toronto ; **114** dans A. Orlandos, *H'Architektonike tou Parthenos*, Athènes, 1986 ; **115** Manolis Korres, Athènes ; **116-7** Antonio Attini/AWS ; **118h** *d'après* G. Kubler, b Jeremy Sabloff ; **119** bg PW *d'après* Morelos Garcia, 1993, hg PW *d'après* R. Millon, dr Irmgard Groth-Kimball ; **121** AKG, Londres ; **122** PW ; **123** India Office Library and Records ; **124** PW *d'après* Brown ; **125** Benoy K. Behl ; **126** India Office Library and records ; **127h** AKG, Londres, b Paris, École nationale supérieure des Beaux-Arts ; **128** AKG, Londres ; **130-1**

Marcello Bertinetti/AWS ; **132-3** Ohio Historical Society ; **133** dans E.G. Squier et E.H. Davis, *Ancient Monuments of the Mississippi Valley*, 1848 ; **134** PW d'après Dikshit, 1938 ; **135** Robin Coningham ; **136-7h** *d'après* Dumarcay, b Kon. Instituut v/d Tropen ; **138hg** Jill Jones/Ffotograff, bg Pat Aithie/Ffotograff ; **138-9** RHPL ; **140-1** Lloyd K. Townsend/CMHS ; **142h** et b CMHS ; **143** Tim Insoll ; **144** TW *d'après* Mauny, *Bulletin de l'Institut Français d'Afrique Noire (B)* 14 1952 ; **145** The Aga Khan Visual Archives, MIT/Labelle Prussin, 1983 ; **146h** *d'après* Mauny, 1952, dr Tim Insoll ; **147** Codex Tovar ; **148** N.J. Saunders ; **148-9** PW ; **150** Gaynor Chapman *d'après* Marguina ; **151h** et b Salvador Guilliem avec la permission du Great Temple Project ; **152-3** RHPL ; **155** Peter Clayton ; **156-7** AKG, Londres ; **157** Lesley et Roy Adkins Picture Library ; **158** PW ; **159g** PW *d'après* J.E. Reade, dr BM ; **160-1** PW ; **161** BM ; **162** A.H., Layard ; **163** avec la permission de l'Oriental Institute, University of Chicago ; **164** PW ; **164-5h** RHPL, b WB ; **166** avec la permission de l'Oriental Institute, University of Chicago ; **167** Josephine Powell ; **168g** PW ; **168-9** Marcello Bertinetti/AWS ; **170** F. Sear, *Roman Architecture*, 1988 ; **171** Scala ; **172-3** Marcello Bertinetti/AWS ; **174** PW ; **174-5** Dr E. Richter ; **175** Janet DeLaine ; **176g** CS, dr TW *d'après* MacDonald et Pinto, 1995 ; **177** AWS ; **178-9** Kevin Gould/Janet DeLaine ; **180h** George Taylor, b Roger Wilson ; **181** Roger Wilson ; **182-3** Robin Coningham ; **184g** PW *d'après* Brown, 1946, dr Robin Coningham ; **185** D. Collon ; **186** dans Reuther, *A Survey of Persian Art* ed. A.U. Pope, 1938, avec la permission de l'Oxford University Press ; **187** D. Collon ; **188-9** Neg n° 334881, AMNH ; **189h** AVH, bdr Michael Moseley ; **190-1** et **191** David Coulson/Robert Estall ; **192g** ML Design *d'après* Garlake, et Federal Information Dept., Zimbabwe ; **193g** Barney Wayne, dr R.D.K. Hadden, avec la permission du FID ; **194-5** Miao Wang/Image Bank ; **197** Edwin Smith ; **198-9** PC ; **199** N. Claire Loader ; **200** CS ; **201** CS ; **202-3** CS ; **204** avec la permission de l'Oriental Institute, University of Chicago ; **205h** Annick Petersen, b Staatliche Museen zu Berlin, © BPK ; **206** George Taylor ; **207** EH ; **208** Peter Chèze-Brown ; **209** Paul Birkbeck/EH ; **210** TW ; **210-11** PC ; **211** Leonard von Matt ; **213** RHPL ; **214** PW ; **214-5** Daniel Schwartz/Lookat, Zürich ; **216** RHPL ; **217** Zev Radovan ; **218** George Taylor ; **218-9** PC ; **220-1** AVH ; **222** TW *d'après* Hemming et Ranney, 1982 ; **223** AVH ; **224-5** Antonio Attini/AWS ; **227** WB ; **228** RHPL ; **229** PW ; **230-1** CS ; **231** CS ; **232** PW ; **233** Telegraph Colour Library ; **234-5** Anderson ; **235** TW ; **236-7** Deutsches Museum, Munich ; **238** dg Lesley et Roy Adkins Picture Library, ddr TW, b A.F. Kersting ; **239d** Baker Collection, b Annick Boothe ; **240** PW ; **240-1** RHPL ; **242-3** CB ; **243** CB ; **244-5** Zev Radovan ; **245** CB ; **246g** dans Morgan, *Houses and House Life of the American Aborigines*, 1881 ; **246-7** Arizona State Museum, photo : Helga Teiweg ; **247** TW ; **248** Mick Sharp ; **249** AVH ; **250g** *d'après* Hyslop, b AVH ; **250-1h** AMNH, photo : Hyslop, b AVH ; **251** AVH ; **252-3** RHPL ; **255** CS ; **256b** Serge Cassen *Carnac : Les Premières Architectures de pierre*, CNRS, hdr CS ; **257** Serge Cassen ; **258-9** Peter Clayton ; **259** TW ; **260-1b** Mark Lehner, h John G. Ross ; **262g** Musée Égyptien du Caire, dr John G. Ross ; **264-5** RMN-Chuzeville ; **265bg** Jon Arnold/Telegraph Colour Library, hdr TW *d'après* Arnold, 1991 ; **266h** PW et b TW *d'après* Arnold, 1991 ; **267** HG ; **268** G.B. Belzoni, *Six New Plates*, 1822 ; **269** Jeremy Stafford-Deitsch ; **270** PW ; **271** Matthew W. Stirling/NGS ; **272** Antonio Attini/AWS ; **273g** Robert Frerck/RHPL, dr Irmgard Groth Kimball ; **274bg, h, bdr** TW ; **275b** Robert Estall, h *d'après* Moseley ; **276-7** Tony Morrison, South American Pictures ; **278-9** PW ; **279h** Foteca Unione, b Éditions La Cigogne ; **280** Roger Wilson ; **281-5** Dr David Phillipson ; **286** et **287g** TW *d'après* Tarzi, 1977 ; **287** Robert E. Fisher ; **288** Edgar Knobloch ; **290** Elizabeth Pendleton ; **290-1** Masterfile/Telegraph Colour Library ; **291** Elizabeth Pendleton ; **292hg** Annick Petersen, hdr Peter Bellwood, b Elizabeth Pendleton.

Index